Tomáš Valena

Beziehungen

Über den Ortsbezug in der Architektur

Realation /connection

Place

Often
above
on
about

for
then

in

covering
relation/to
reference
as for
so for
as to

Ernst & Sohn

© 1994   Ernst & Sohn Verlag für Architektur
und technische Wissenschaften GmbH, Berlin
ISBN 3-433-02356-5

Ernst & Sohn ist ein Unternehmen der
VCH-Verlagsgruppe.

Satz: Ditta Ahmadi, Berlin
Reproduktionen: Repro GmbH Fellbach, Fellbach
Druck: Oskar Zach GmbH & Co. KG, Berlin
Bindearbeiten: Buchbinderei B. Helm, Berlin

Gestaltung: Axel Menges

Umschlagbild: Adalberto Libera, Villa Malaparte,
Capri, 1938 (Photo: Paola De Pietri)

Für
Alenka
Jan
Andrej
und
Peter

Vorwort

»Allein nur dort, wo nicht das Murmeln beziehungsloser Monologe oder die Frenesie von Sprech-
chören, sondern Dialog, Wechselbezug und Einigung von Einzelnen den geistigen Raum ausmißt,
da weht Geist vom Geist Europas.«

Paul Hofer

Beziehungen ist sicherlich kein Buch über Architekturpsychologie. Es ist ein Buch über bauliche
Bezugnahmen zur vorgefundenen Realität. »Beziehung« meint hier nicht Symbiose, sondern setzt
einen eigenen Standort voraus, der vom Standpunkt des Gegenüber unterscheidbar ist. Nur zwischen zwei eigenständigen Subjekten ist Dialog möglich.

Mein Interesse am dialogischen Bauen, am Ortsbezug der Architektur, hat viele Quellen, entscheidenden Anstoß erfuhr es aber in den siebziger Jahren durch die kontextuellen Theorien an
der Cornell University. Meine späteren Überlegungen gingen freilich eigene Wege und können für
sich nicht in Anspruch nehmen, als Fortsetzung der ursprünglichen Intentionen Colin Rowes zu
gelten. Trotzdem gebührt Rowe der ungeschmälerte Dank für die geistige Grundsteinlegung
meines eigenen kontextuellen Anliegens. Ohne seinen Beitrag wäre diese Arbeit nicht möglich
gewesen.

Für ihre Hilfe bei der Entstehung der Arbeit sowie für ihre freundschaftliche Kritik möchte ich
Ákos Moravánszky, Wolf Tegethoff, Hans-Dieter Eberhard, Norbert Huse und Oswald Mathias
Ungers meinen herzlichen Dank aussprechen. Besonders verbunden bin ich Thomas Will, mit dem
ich über Jahre hinweg in langen Gesprächen wesentliche Gedanken klären konnte. Zu danken
habe ich nicht zuletzt auch Renate Kothlechner für Ihre Geduld bei der Erstellung des Manuskripts.

Tomáš Valena

Inhalt

1. Einführung

»Also unterließ ich es nirgends, alles zu durchwühlen, anzusehen, auszumessen, in zeichnerischen Aufnahmen zu sammeln, um alles, was man Geist- und Kunstvolles geleistet hatte, von Grund auf zu erfassen und kennenzulernen. Auf diese Art erleichterte ich mir die Arbeit beim Niederschreiben durch Eifer und Vergnügen am Lernen. Und in der Tat, so vielerlei Sachen, so ungleiche und so zerstreute, so von Gebrauch und Kenntnis der Schriftsteller verschiedene in eins zu sammeln und auf würdige Weise zu prüfen, in richtiger Folge zu ordnen, in wohlgesetzter Rede zu behandeln und in bestimmter Absicht zu erläutern, das ist wohl Sache einer größeren Bildung und Erziehung als ich sie besitze.«

Leon Battista Alberti[1]

Der Mensch hat offensichtlich ein Urbedürfnis, die Gegenstände und Erscheinungen seiner Welt miteinander in Beziehung zu setzen.[2] So wird ein Haus an einem Ort erbaut, mit diesem in ein Zwiegespräch verwickelt. Es kommt zu einer handfesten, oder besser gesagt, zu einer »ortsfesten« Beziehung. Das Haus und der Ort sind gleichermaßen Subjekt und Objekt dieser Beziehung. Da aber beide ihre jeweils eigene Sprache sprechen, kommt es auf die Berührungspunkte an: beiden gemeinsam ist ihre physisch-räumliche Dimension. So liegt es nahe, daß die Kommunikation vor allem auf dieser Ebene stattfinden wird.

Aktualität

Es geht also um die Ortsbindung der Architektur, um den als »Du« persönlich angesprochenen Ort, um die Architektur der Beziehung.[3] Sicherlich kein neues Thema, eher schon Allgemeingut der Architektur. Und dennoch nach wie vor (oder schon wieder?) aktuell in einer Zeit, in der das autonome Architekturobjekt wieder in Mode kommt, in der die architektonischen Beziehungen noch immer not tun. Es bedarf keiner besonderen Hellsichtigkeit, um festzustellen, daß wir uns in vielerlei Hinsicht im Scheitel- bzw. im Sohlenbereich einer Geschichtswelle befinden. Die Anzeichen dafür sind vielfältig, eines von vielen ist auch das verstärkte Interesse an dem taktil erfahrbaren, gebauten Ort, an dem Ortsbezug in der Architektur.[4] Dieses Interesse wird noch zunehmen angesichts der Flut von virtuellen, nur noch scheinbaren »Orts-Bildern« der elektronischen Medien, die bereits nachhaltig unsere Umweltvorstellung mitprägen.

Oft wird die Jetztzeit als »Epochenschwelle« bezeichnet.[5] Die dazugehörigen Phänomene sind bekannt und brauchen hier nur kurz ins Gedächtnis gerufen zu werden. Der zweite Hauptsatz der Thermodynamik, das Entropiegesetz, hatte erst in den sechziger Jahren Einzug gehalten ins zeitgenössische Bewußtsein. Er besagt, daß sich die Energie ohne äußeres Zutun vom konzentrierten Zustand auf eine gleichmäßige Dispersion und ein niedrigeres Energieniveau hinbewegt. Die Energie geht (nach dem ersten Hauptsatz der Thermodynamik) zwar nicht verloren, ist aber als gebundene Energie nicht mehr nutzbar. Das Entropiegesetzt ist letztlich auf alles menschliche Tun anwendbar, das mit der physischen Umwelt zu tun hat, so auch im Bereich der Gestaltung, wo die Bewegung von der Ordnung zur Unordnung, von der ausgeprägten, merkbaren Gestalt zur Uniformität verläuft.[6] Die ganze Entwicklung wird in Bewegung gehalten allein durch die Differenzen der Potentiale. Bei Ausgleich der Differenzen tritt der Stillstand ein – die Entropie. Dieser Prozeß ist in einem geschlossenen System nicht aufzuhalten, er kann höchstens verlangsamt werden. Mit dieser fundamentalen Einsicht der Endlichkeit, die heute fast schon Allgemeingut geworden ist, sind wir aber am Ende der utopischen Hoffnung der Neuzeit angelangt, wonach der Mensch die Natur und sich selbst vollständig beherrschen und gestalten könnte.[7]

Die Umweltzerstörung ist offensichtlich, die soziale und gesellschaftliche Utopie ist vorerst ausgeträumt, und die Zerstreuung des Wissens führt, nach Foucault und Derrida, zur Spaltung des Menschen, des traditionellen Subjekts des Humanismus. Und Paul Hofer diagnostiziert die »Zeit der Einzelgänger, Einspänner, Engagementsverweigerer; sie werden an Zahl noch zunehmen, bis das Veröden der Bezüge, das Absinken der Kommunikationslust und -fähigkeit, das Grauwerden der Gespräche zerstörerisch auf den ›Einzelnen und sein Eigentum‹ übergreift«.[8]

Alles spricht dafür, daß wir uns auf das Ende der großen anthropozentrischen Ära zubewegen. Doch sind die geschichtlichen Prozesse immer dort, wo sie kulminieren, bereits von antizyklischen Impulsen unterlaufen. Diese sind seit den sechziger Jahren verstärkt zu beobachten: in der ökologischen Bewegung mit ihren vielfältigen Verzweigungen, in parallelen Erscheinungen der Wissenschaften, der Medizin und der bildenden Künste, in spirituellen Bewegungen der Zeit. Diese diver-

[1] Leon Battista Alberti, *Zehn Bücher über die Baukunst*, Darmstadt 1975, S. 290f.

[2] Siehe z. B. Walter Benjamin, »Die Lehre vom Ähnlichen«, in: S. Unseld, *Zur Aktualität Benjamins*, Frankfurt/M. 1972, S. 23ff.

[3] Vgl. Martin Buber, *Ich und Du*, Heidelberg 1979, 10. Aufl. »Wer Du spricht, hat kein Etwas zum Gegenstand … aber er steht in Beziehung … Das Grundwort Ich–Du stiftet die Welt der Beziehung … Alles wirkliche Leben ist Begegnung.« (S. 10 bis 18.) Zu den Wesen der Natur, denen die Spontaneität fehlt, also in der Regel auch dem Ort, sagt er: »Die Tat oder Haltung eines Einzelwesens gibt es hier freilich nicht, wohl aber eine Reziprozität des Seins selber, eine nichts als Seiende. Jene lebende Ganzheit und Einheit des Baumes, die sich dem schärfsten Blick des nur Forschenden versagt und dem des Dusagenden erschließt, ist eben dann da, wenn er da ist, er gewährt es dem Baum, sie zu manifestieren, und nun manifestiert sie der seiende Baum.« (S. 148.)

[4] Es geht hier nicht um kurzlebige Modeerscheinungen, sondern um zyklische Phänomene, die wesentlich langsamer als die jeweiligen »Trends« ablaufen. Die Rede ist von Entwicklungen, die etwa seit den sechziger Jahren zu beobachten sind.

[5] So z. B. von Peter Koslowski, »Moderne Postmoderne?« *Der Architekt*, 7/8, 1988, S. 459.

[6] Rudolf Arnheim, *Entropy and Art. An Essay on Disorder and Order*, Los Angeles 1974 (1971), dt. Köln 1979.

[7] Deutliche Anzeichen einer Erschütterung des Fortschrittsoptimismus gab es bereits nach den traumatischen Erfahrungen des Zweiten Weltkriegs. Siehe z. B. Romano Guardini, *Das Ende der Neuzeit*, Würzburg 1951.

[8] Paul Hofer, »Der Stadtraum: Phantom oder Wiederkunft«, *Mitteilungen der Deutschen Akademie für Städtebau und Landesplanung*, 1, 1985, S. 38.

sen Phänomene finden ihre Begründung und Interpretation in der zeitgenössischen postmodernen Philosophie, sei es der holistischen Ausrichtung (Habermas, Spaemann) oder der partikularistischen (Lyotard, Derrida). Diese offensichtlich spiegelbildlichen Positionen der postmodernen Philosophie beruhen freilich auf konträren Diagnosen der Moderne [9], die ebenfalls nicht homogen, sondern durchaus dualistisch zu interpretieren war: Dem utopischen und uniformierenden Totalitätsanspruch der Moderne wird mit Pluralisierung begegnet, hingegen sollen die einseitigen Verstiegenheiten, bei denen Zusammenhänge aus den Augen verloren wurden, mit ganzheitlichem Sehen und der Betonung von komplexen Interaktionssystemen kuriert werden.

Beide Tendenzen finden sich auch in der Architektur der Postmoderne wieder. Als Reaktion auf die Uniformität des Internationalen Stils stand lange Zeit der Formpluralismus im Vordergrund. Es darf jedoch nicht vergessen werden, daß ein neuer kontextueller Ansatz, der tiefere Schichten als die der Form – nämlich jene der Beziehung – berührt, bereits in den sechziger Jahren geprobt wurde. Es gilt heute, diesen Ansatz, der die Pluralität aus der gegebenen Differenziertheit der Umwelt entwickelt, der das Eingefügtsein des Menschen mitsamt seiner Artefakte in die Gesamtheit alles Seienden betont, in der Architektur weiterzuentwickeln. Hatte sich der Mensch mit der Renaissance ins Zentrum gestellt, so ist es heute an der Zeit, diese Mitte freizugeben und sich in die Gemeinschaft dessen, was da ist, einzugliedern. [10]

Fragestellung

Es geht hier also um das Eingefügtsein der Architektur, um ihren Ortsbezug. Dieser ist insofern ein »Partikularismus«, als er einen konkreten, besonderen und individuellen Ort zum Ausgangspunkt hat. Der Ortsbezug meint somit weder einen Regionalismus noch irgendeinen »Nationalstil« – beides letztlich lokal begrenzte Universalismen.

Die Ortsbindung ist nur ein Teilaspekt des architektonischen »Daseins«. Die Baukunst als das Resultat von gesellschaftspolitischen Prozessen, von sozio-ökonomischen Zuständen – als Spiegel der Zeit also – zu deuten, ist eine längst eingeführte Interpretationsmethode, genauso wie das methodologische Instrumentarium der Kunstgeschichte mit seinen typologischen, stilistischen und anderen Klassifizierungsschemata zum festen Bestandteil einer Architekturanalyse gehört. Dies alles ist längst selbstverständlich und soll hier weder abgelehnt noch in Frage gestellt werden. Hingegen ist es offensichtlich, daß die Frage nach der Ortsbindung, nach der kontextuellen Dimension des Bauens, noch lange nicht diese Selbstverständlichkeit erreicht hat, obwohl sie ohne Zweifel zum unverzichtbaren Bestandteil der Architektur gehört. So sieht sich zum Beispiel Massimo Birindelli in seiner äußerst präzisen Analyse des Petersplatzes in Rom genötigt, die »Gültigkeit einer architektonischen Analyse« nachzuweisen, »die die ›Umgebung‹, den spezifischen Ort als eines der möglichen Basiselemente in Betracht zieht«. [11]

Die Beschränkung der Untersuchung auf den Aspekt der Ortsbindung mag manchen einseitig erscheinen, doch gibt es andererseits für diese Einseitigkeit auch gute Gründe. Der offensichtliche Nachholbedarf wurde bereits erwähnt. Er geht Hand in Hand mit der neuen Sensibilität gegenüber der Umwelt und ist auch als eine Reaktion auf die Überbetonung der anderen Aspekte der Architektur in der Vergangenheit zu verstehen.

Die unreflektierte Selbstverständlichkeit des Ortsbezugs in der Architektur der »vormodernen« Zeit ging unwiederbringlich verloren. Heute muß er mit bewußter Anstrengung neu erarbeitet und eingeübt werden.

Das Wissen um die Ortsbindung vermittelt jedenfalls Einsichten in verschlüsselte Dimensionen der aus dem Kontext entwickelten Bauwerke, ohne die oft wesentliche Entwurfsentscheidungen unverständlich bleiben müßten. »Das volle Verständnis dieser Werke ist vor allem eine Frage der Bereitschaft, alles zu beobachten, was sich uns darbietet, ohne es unter allen Umständen in die Schubladen oder Schemata einzuordnen.« [12]

Die Art der beobachteten Beziehung gibt freilich auch Auskunft über die Beziehung des Entwerfers zu seiner Umwelt und (will man den Gedanken weiterführen) über seine Beziehungsfähigkeit überhaupt. Diesen Aspekt zum Ausgangspunkt einer Untersuchung zu machen, wäre ein Ansatz der Psychologie. Die Art dieser Beziehungen spiegelt bewußt oder unbewußt ihre Zeit wider. Sie gibt also Auskunft über den Zustand der jeweiligen Gesellschaft. Die Frage nach diesen gesellschaftlichen Zusammenhängen zum Ausgangspunkt einer Untersuchung zu machen, wäre ein Ansatz der Soziologie. Da ich mich als Architekt weder auf dem Gebiet der Psychologie noch auf jenem der Soziologie für kompetent halte, wähle ich die konkreten physisch-räumlichen Beziehungen zwischen der Architektur und dem Ort zum Ausgangspunkt der vorliegenden Untersuchung.

9 Siehe den Klärungsversuch von Wolfgang Welsch, *Unsere postmoderne Moderne*, Weinheim 1988.

10 Ein interessantes Indiz für die jeweilige Geisteshaltung ist z. B. die freie bzw. verstellte Mitte von Eingängen. Die Auffassung, daß die Mitte dem Menschen nicht zusteht, finden wir bei mittelalterlichen Kathedralen in den von einer Stütze geteilten Eingängen bestätigt. In neuerer Zeit lassen sich z. B. die in der Eingangsachse aufgestellten Stützen bei Jože Plečnik ähnlich interpretieren.

11 Massimo Birindelli, *Ortsbindung – Eine architektonische Entdeckung: der Petersplatz des Gianlorenzo Bernini*, Braunschweig 1987, S. 115.

12 Massimo Birindelli, »Die bürgerliche Idee des Kunstwerks«, *Jahrbuch für Architektur*, Frankfurt/M. 1983, S. 172.

13 M. Birindelli 1987, Anm. 11, ist die einzige mir bekannte Publikation, die die Ortsbindung zum eigentlichen Inhalt hat, bezogen jedoch nur auf ein Einzelbauwerk. Brent Brolin, *Architecture in Context*, New York 1980, kann in diesem Zusammenhang nicht ernsthaft genannt werden.

14 Christian Norberg-Schulz, »Die neue Tradition«, *archithese*, 4, 1990, S. 25.

15 Martin Heidegger, *Sein und Zeit*, Frankfurt/M. 1977 (1926), S. 37.

16 Edmund Husserl, *Logische Untersuchungen* (Bd. 2 *Untersuchungen zur Phänomenologie und Theorie der Erkenntnis*), Halle a. d. S. 1922 (1913). *Brockhaus Enzyklopädie*, Wiesbaden 1972, beschreibt die Phänomenologie als eine den Sachen selbst zugewandte, die unmittelbaren Anschauungen und Intuitionen nachzeichnende (erkenntnistheoretisch neutrale) Forschung.

17 Gaston Bachelard, *Poetik des Raumes*, Frankfurt/M. 1975, S. 18.

18 Sigfried Giedion, *Raum, Zeit, Architektur*, Ravensburg 1965, S. 37 ff. Zur Geschichte als Plaisirspiegel der Gegenwart siehe auch W. Welsch 1988, S. 57 ff.

Diese kann den genannten Disziplinen bestenfalls architektonische Hinweise für etwaige Untersuchungen liefern, kann und will diese jedoch nicht ersetzen.

Die einseitige Beschränkung des Themas auf die physisch räumlichen Aspekte der Ortsbindung ist also weder eine Blindheit gegenüber den anderen Aspekten der Beziehung noch ihre Mißachtung oder Geringschätzung ihrer Bedeutung, sondern eine bewußte Eingrenzung des untersuchten Gegenstandes.

Die Entscheidung, etliches Behandelnswertes nicht zu behandeln, ist also keine Unterlassung. Was aber geschrieben ist, will sich der Diskussion stellen. Es wurde nicht geschrieben, um irgendeine neue Bewegung in der Architektur zu fördern, vielmehr sollte eine Grundhaltung des Lebens und somit auch des Architekturschaffens als eine große, durchgehende Bewegung der Geschichte aufgedeckt, zusammengefaßt und benannt werden, als Ausdruck jener Urbefindlichkeit des Eins seins mit der Welt und der liebevollen Hinwendung zu ihr.

Vorgehensweise

An dieser Stelle ist es üblich, den »Stand der Forschung« zu erwähnen und die grundlegende Literatur zum Thema anzuführen. Damit aber hat es seine Schwierigkeiten, denn die Beziehungen in der Architektur gehören zu jenen Themen, die selbstverständlich sind und trotzdem oder vielleicht gerade deswegen kaum ernsthaft behandelt wurden. Es gibt etliche architekturtheoretische Schriften, die die Bedeutung des Ortsbezugs nebenbei anerkennen, und viele Kunsttopographien erwähnen Aspekte der Ortseinbindung. Es gibt aber meines Wissens keine Studie, die die Ortsbindung in der Architektur zum eigentlichen Thema hätte. [13]

Wenn vom Ortsbezug die Rede ist, wird die Architektur stillschweigend als ein Teil, als ein Teilnehmer der Welt verstanden, »und ihr Sinn wird (auch, A. d. A.) von dieser Teilnahme aus erklärt«. [14] Diese Sinnerklärung wird keine streng wissenschaftliche Beschreibung sein können. »Es soll überhaupt nicht der Aufgabe einer vorgegebenen Disziplin genügt werden, sondern umgekehrt: aus den sachlichen Notwendigkeiten bestimmter Fragen und der aus den ›Sachen selbst‹ geforderten Behandlungsart kann sich allenfalls eine Disziplin ausbilden.« [15] Diese Behandlungsart wird im vorliegenden Fall der Ortsbindung nur die Phänomenologie sein können, die, wie Edmund Husserl sagt, »zu den Sachen selbst« führt. [16] Der Phänomenologe hält sich an die Erscheinung der »Sachen«, an das, was sich zeigt, und beachtet jeden auch nur denkbaren Gedanken zu seinem untersuchten Gegenstand, ohne ihn zu werten. Über diese Gedanken und Phänomene, die ihm über die »Erscheinung« seines Gegenstandes Auskunft geben, wird er sich also folgerichtig kein Urteil anmaßen. Trotzdem darf er hoffen, daß er in den Erscheinungsweisen des Gegenstandes dessen Wesen selber berührt.

Aus der untersuchten »Sache selbst« ergeben sich bestimmte Fragen, die es nahelegen, die Behandlung des Themas in vier voneinander unabhängigen Exkursen vorzunehmen. Die jeweiligen Behandlungsarten ergeben sich dabei aus den behandelten Teilaspekten selbst und sind folglich untereinander verschieden. Dies betrifft nicht nur die Argumentationsart, sondern auch die verwendete Sprache. So kommt folgerichtig auch in der Methode die kontextuelle Grundhaltung zum Vorschein.

Zunächst erscheint es notwendig, die Rolle der Ortsbindung im Gesamtspektrum der architekturbestimmenden Größen festzulegen. Dies wird an Hand des dualistischen Begriffspaars von Typus und Topos versucht. In einem zweiten Schritt wird der Ort als das Gegenüber der Architektur eingeführt, und seine Wesenszüge werden skizziert. Dieser Ort wird nun im darauffolgenden Abschnitt als Subjekt der Beziehung mit eigenen Eigenschaften vorgestellt – es wird ein Anlauf zu einer Phänomenologie des Genius loci genommen. Im letzten Abschnitt werden konkrete Ortsbezüge an Hand von ausgewählten Beispielen der Architekturgeschichte dargestellt.

Damit wird die Frage der Geschichtsinterpretation berührt, und es sollte betont werden, daß hier weder eine alternative Architekturgeschichte angestrebt noch der Anspruch auf eine »objektive« Geschichtsschreibung erhoben wird. Dies verbietet sich bereits von dem gewählten phänomenologischen Ansatz her. Der »echte Phänomenologe«, sagt Gaston Bachelard, »ist es sich schuldig, in systematischer Weise bescheiden zu sein«. [17] Jede Geschichtsschreibung ist, wie Sigfried Giedion schreibt, eine Interpretation der Vergangenheit vom Standpunkt der Gegenwart aus. [18] Nicht anders hier, zumal die Auswahl der Beispiele selektiv unter dem Blickwinkel der kontextuellen Tradition vorgenommen wurde und Gegenbeispiele nur insofern beachtet wurden, als sie den Stellenwert der Ortsbindung in der jeweiligen Epoche beleuchten.

2. Typus und Topos

»Nun macht sich aber die Beziehung der Erscheinung als Individualität zu dem All, aus welchem sie sich gestaltete, unserem beschränkten sinnlichen Auffassungsvermögen nur durch die ersten Überganssstufen vom Einzelnen zum Allgemeinen wahrnehmbar ... Während auf diese Weise die Erscheinung an den Boden gefesselt ist, aus welchem sie sich entwickelt, verfolgt sie zugleich eine ihr als Individualität eigene Gestaltungsrichtung.«

Gottfried Semper[19]

Architektonische Form läßt sich in letzter Vereinfachung aus zwei Quellen ableiten: aus der Reaktion auf den Kontext, in dem sie entsteht, und aus der Anwendung einer eigenen, autonomen Architektursprache, deren Bausteine (das heißt inhaltliche und strukturelle Konventionen) aus baulichen Archetypen, Gebäudetypen, Architekturelementen, aus dem Kodex der Stile, aus den Konstruktionsprinzipien, kurz aus der ganzen Berufstradition und den Regeln der Disziplin bestehen. Diese beiden Faktoren – Topos und Typus, das Besondere und das allgemein Verbindliche – sind die zwei ureigenen, der Architektur immanenten Quellen der Form.[20] Immanent freilich innerhalb einer Geisteshaltung, in welcher das Bauen dazu dient, den Menschen zu »beheimaten«, das heißt ihn in Beziehung zu seiner Welt zu setzen. Dies läßt sich am Beispiel des Gesprächs am besten erläutern: Liegt der Sinn des Gesprächs in der Kommunikation, dann muß der Inhalt des Gesagten notwendigerweise aus dem eigenen Denkgebäude einerseits und aus der Reaktion, aus der Antwort auf die Ideen des Gesprächspartners andererseits resultieren, will man nicht aneinander vorbei reden. In dieser »Rede und Antwort« von Typus und Topos ist letztlich die »Autonomie«, das heißt die Eigenart der Architektur als ortsgebundener Kunst begründet.

Typus

Die Analogie mit der Sprache ist gut geeignet, jenes zu umschreiben, was ich bildhaft und zusammenfassend mit »Typus« bezeichne.[21] Nicht zu Unrecht ist oft von einer Architektursprache die Rede. Diese ist ein Konvolut von Konventionen, die solche Allgemeingültigkeit erreicht haben, daß sie verständlich, vermittelbar und wiederverwendbar geworden sind.

Obwohl durch seine eigene Gesetzmäßigkeit und universelle Verbreitung autonom, ist der Typus genauso wie die Sprache selbst Entwicklungen und Veränderungen unterworfen. Funktionale und konstruktive Zwänge können ihn genauso beeinflussen wie veränderte gesellschaftliche Bedürfnisse. In diesem dialektischen Entwicklungsprozeß tendiert der Typus zum Optimalen, Idealen, zum Allgemeingültigen. Er bezeichnet diejenige Seite der Architektur, die Ordnung ermöglicht und Strukturen entstehen läßt. Der Typus (in dieser allgemeinen Bedeutung des Wortes) eignet sich zur Reproduktion, ist grundsätzlich immer verfügbar (wie die Idee ist er mobil und frei übertragbar) und deswegen in den verschiedensten Situationen anwendbar. Mit diesen Eigenschaften des Allgemeinen ist der Typus auch jenes Prinzip in der Architektur, das die tragende Stadtraumstruktur (Textur) erzeugt und damit den Hintergrund für individuelle Figuren schafft.

Topos

Topos (Locus) ist das zweite immanente Grundelement der Architektur, zumindest solange diese erdgebunden bleibt, das heißt an einen konkreten Ort gestellt und mit diesem in eine konkrete Beziehung verwickelt ist.

Ich verwende hier absichtlich das in diesem Zusammenhang etwas ungebräuchliche griechische Wort »Topos« als Sammelbegriff für alle lokalen, auf die Architektur am konkreten Ort wirkenden Kräfte. Gebräuchlich sind hier neben dem »Ort« Begriffe wie physischer Kontext und Genius loci. Im Verhältnis zum Ort meint der physische Kontext die ganze im jeweiligen Fall relevante Umwelt, beschränkt sich also nicht auf die eigentlichen Orte; Genius loci ist hingegen ortsspezifisch. Sein Persönlichkeitscharakter drückt das aktiv Wirkende eines Ortes aus.

Anders als der Typus ist der Topos relativ resistent gegenüber gesellschaftspolitischen und ideologischen Einflüssen. Der Begriff Genius loci drückt anschaulich das statische Wesen des Ortes und die Trägheit des physischen Kontexts aus. Den Kontext als physische und bedeutungsträchtige »Immobilie« kann wiederum nur ein konkreter physischer Eingriff oder ein neues Ereignis am Ort ergänzen und weiterentwickeln.

1. Bautypus: Rundhütte im nördlichen Kamerun.
2. Aus dem Ort entwickelte Architektur: White House, Canyon de Chelly, Arizona.

[19] Wolfgang Herrmann, *Gottfried Semper. Theoretischer Nachlaß an der ETH Zürich, Katalog und Kommentare*, Basel 1981, S. 225.

[20] Dies ist natürlich eine bildhafte Verkürzung der fundamentalen Dreierbeziehung Mensch – Architektur – Ort, legitim nur unter der stillschweigenden Annahme, daß die Belange des Menschen (als Baumeister und Benutzer) sich im Typus und in der Reaktion auf den Topos niederschlagen.

[21] Es ist hier nicht meine Absicht, auf die seit den sechziger Jahren wieder intensiv geführte Typologiediskussion einzugehen. Stellvertretend für andere verweise ich hier nur auf Arbeiten von Saverio Muratori; Aldo Rossi, *Architettura della Città*, Padova 1966, dt. 1973; Carlo Aymonino, *La formazione del concetto di tipologia edilizia*, Venedig 1965, sowie auf die zusammenfassende Bibliographie zum Stand der Diskussion der Typologiefrage, herausgegeben von der ETH Zürich, Zürich 1981.

[22] Aufschlußreich ist hierzu der Vergleich mit philosophischen Strömungen. Insbesondere könnten die Positionen von Platon und Aristoteles mit »Typus« und »Topos« charakterisiert werden. Ist die Idee für Platon der Urgrund alles Seienden, so schöpft Aristoteles eher aus dem Individuellen der Realität. Er geht davon aus, daß jedem Ding eine Form eigen ist, die durch die Kunst zur Vollendung gebracht werden soll. In der Tradition des europäischen Denkens lassen sich beide Grundhaltungen bis heute verfolgen.

Wenn Typus das Allgemeine bedeutet, dann bedeutet Topos das Individuelle, das Besondere und Einmalige. Wenn der Typus verständliche Strukturen und eine Idealordnung erzeugt, dann stört und verändert sie der Kontext. Die kontextuellen Besonderheiten sind nur am jeweiligen Ort gültig und relevant. Tendiert der Typus zum Idealen, so konfrontiert uns der Topos mit der Realität. [22]

Typus und Topos in der Architektur stehen aber nicht nur im ständigen Widerstreit, sondern treten auch in eine gegenseitig befruchtende Wechselbeziehung. So kann eine vorbildliche Reaktion auf eine lokale Situation durch Optimierung und wiederholte Anwendung typisiert und als verfügbarer Typus auf andere Orte übertragen werden. Umgekehrt kann die Häufung eines Bautyps am Ort zur Stärkung des lokalen Charakters beitragen. Wird derselbe Typ an anderen Orten ähnlich intensiv verwendet, entwertet er freilich die Einmaligkeit des Originalortes. So bleibt der Typus, selbst wenn er den lokalen Charakter des Ortes mitprägt, letztlich immer der universelle Bestandteil des Topos. Dies ist auch dann der Fall, wenn seine »Universalität« regional beschränkt bleibt.

Offensichtlich geht es in der Beziehung dieser beiden wesentlichen Grundelemente der Architektur, Typus und Topos, um ein dialektisches Verhältnis: Was dem einen fehlt, darüber verfügt das andere. Dabei ist, zumindest auf der Ebene der Stadt, das quantitative Verhältnis beider Elemente von Bedeutung: Das Einmalige bedarf des neutralen Umfelds einer bestimmten Größe, um wirken zu können. Eine Stadt aus lauter Monumenten und Besonderheiten wäre ein Panoptikum, als Lebensraum genauso wenig geeignet wie Disneyland. Andererseits wären Stadtteile, die ausschließlich von einem Typus geprägt sind, ab einer bestimmten Größenordnung ohne die Brüche und Diskontinuitäten des Lokalen ihrer Monotonie wegen unerträglich.

Der räumliche und der zeitliche Kontext

Der Begriff Kontext in der Architektur sollte präzisiert werden, denn er enthält zunächst alles, was von außen auf die Entstehung der Architektur Einfluß nehmen kann: von dem physisch-räumlichen Kontext über den kulturellen, gesellschaftspolitischen, religiösen, wirtschaftlichen, geschichtlichen bis hin zum allgemein zeitlichen Kontext. In dieser Breite, die praktisch alles umfaßt, wird der Begriff freilich unbrauchbar, da er nichts Spezifisches mehr ausdrückt. Ganz offensichtlich aber lassen sich all diese Kontexte nach einer Trennlinie scheiden, die zwischen den Grundkategorien von Raum und Zeit verläuft.

Der räumliche Kontext wäre also die materielle Umwelt, natürlich oder künstlich, einschließlich aller immateriellen Faktoren, die an den Raum in der lokalen Bedeutung des Wortes gebunden sind und somit einen untrennbaren Bestandteil des Ortes und seiner Stabilitas loci darstellen. Es geht also um räumliche Strukturen, um den Genius loci, um die geschichtliche Erinnerung des Ortes. Trotz rascher Umwälzungen in der räumlichen Umwelt handelt es sich hier im Grunde immer noch um statische Elemente.

Diesem räumlich-physischen Kontext gegenüber steht der in seinem Wesen dynamische Kontext der Zeit, der all die übrigen Elemente umfaßt und damit auch die Bereiche des Allgemeinen und der Ideen abdeckt. Im räumlichen und zeitlichen Kontext stehen sich so der Geist des Ortes und der Geist der Zeit – der Genius loci und der »Zeitgeist« – gegenüber.

Begründung des Ortsbezugs

Die Lebenszyklen von Bauwerken werden in anderen Zeiträumen gemessen als bei Kleidern und sonstigen Gebrauchsgegenständen. So wird die Architektur immer nur unvollständig den Anforderungen des Zeitgeists genügen können. Der überwiegende Teil des Gebauten überdauert die Spanne einer Generation, was mit ein Grund dafür ist, daß der Architektur etwas »Zeitloses« anhaftet. Die Bedürfnisse der Benutzer und der Zeitgeschmack sind schnelleren Veränderungen unterworfen, die Bezogenheit der Architektur auf den konkreten Ort bleibt aber bestehen. So ist es naheliegend, daß dem physisch-räumlichen Kontext, dem Ortsbezug in der Architektur, eine besondere Bedeutung zukommt, zumal, wie bereits erwähnt, dem Ort wie der Architektur die physisch-räumliche Dimension gleichermaßen eigen ist und somit beide gewissermaßen ohne Übersetzer kommunizieren können.

Auch vom Standpunkt der Ökonomie erscheint die Beachtung und Einbeziehung des räumlichen Kontexts sinnvoll: Der kontextuelle (d.h. den Kontext berücksichtigende) Eingriff wird minimal bleiben können, denn er verpflichtet nicht zur totalen Gestaltung, sondern erlaubt, gezielt und ökonomisch in der Anwendung der Mittel dort einzugreifen, wo latent vorhandenes Potential nur aufgegriffen und zum Ausdruck gebracht werden muß. Geht man auf den Bestand ein, entwickelt und betont man ihn, so erreicht man mit kleinstem Einsatz die größte Wirkung.

In seinem Aufsatz »Conscious Purpose Versus Nature«[23] unterscheidet der amerikanische Anthropologe und Wissenschaftstheoretiker Gregory Bateson zwei Arten von Wissen: jenes über unsere Einbindung in größere, komplexe Interaktionssysteme und das zweckgebundene Wissen, welches zur schnellsten Erlangung eines partiellen Zieles eingesetzt wird. Das erste meint das ökologische Bewußtsein, welches um das Gleichgewicht und um die selbstregulierenden Mechanismen des »Ökosystems« weiß und dem auch die Erkenntnis einleuchtet, daß der Mensch als Teil eines größeren Ganzen nicht das gesamte System beherrschen kann. Dagegen entwickelt das zielgerichtete Wissen unproportional Teilaspekte eines Ganzen, ohne dessen Systemgebundenheit zu berücksichtigen. Dabei können Entwicklungen von exponentiellem Charakter auftreten, die das Gleichgewicht zerstören. Die Geschichte vom ersten Menschen und dem Baum der Erkenntnis mag dieses Wissen gemeint haben.

Auf den Städtebau übertragen wird die Konsequenz beider Denkmodelle offensichtlich. Das zielgerichtete Teilwissen führte unter anderem zur »autogerechten« Stadt, zur Funktionsentflechtung in ehemals komplexen Stadtorganismen mit den bekannten Folgen oder zu einer unkoordinierten Höhenentwicklung, die das Gesamtbild vieler Städte aus dem Gleichgewicht brachte.

Auf der anderen Seite dienen etwa die mittelalterlichen Städte auch heute noch als gute Beispiele ökologischer Weisheit. Besonders aufschlußreich sind dabei manche Stadterweiterungen (Prag, Landshut, Bern und andere), die sehr präzise auf die vorhandenen Gelände- und Stadtstrukturen Bezug nahmen.

Eine philosophische Betrachtung über das In-der-Welt-Sein des Menschen wird zu ähnlichen Ergebnissen führen wie der obige ökologische Exkurs, wenn beide Denkansätze von der elementaren Beziehung der Teile zum Ganzen ausgehen. Als geschichtliches Wesen wird der Mensch in eine bereits bestehende Welt hineingeboren, der er sich ständig anpassen muß, um überhaupt leben zu können. Sein Einfluß auf die Umwelt ist relativ begrenzt, und er muß sie bald wieder ihrer eigenen Dynamik beziehungsweise dem Einfluß der kommenden Generation überlassen. Die menschliche Existenz erscheint in dieser Perspektive in ihrer Endlichkeit wesenhaft auf die relative Permanenz der Welt bezogen.

Aus dieser Einsicht ergeben sich Fragen nach der Beziehung des Menschen zur Welt, zum Bestehenden und zum Gewesenen (zur Geschichte), es stellt sich die Frage der Verantwortung. Es geht also um die Bedingtheit des Menschen, um Verbundenheit, um Beziehung zu den Dingen der Welt. In architekturrelevanten Begriffen geht es um die Beachtung, um die Einbeziehung des Kontexts, um den Ortsbezug.

Bei Martin Heidegger findet sich eine tieferreichende Begründung einer solchen kontextuellen Haltung. »Mensch sein heißt:... wohnen«,[24] sagt er an einer Stelle, nachdem er etymologisch die Identität von Sein und Wohnen abgeleitet hat.[25] Das »Wohnen« wird hier als der wesentliche Seinszustand des endlichen Menschen dargestellt. Dieses Wohnen, das man heute zu dem Privatesten überhaupt zählt, hat jedoch bei Heidegger eine Dimension der Verantwortung, wenn er schreibt: »Die Sterblichen wohnen, insofern sie die Erde retten...« Rettung bedeutet hier nicht nur, einer Gefahr entrissen zu werden, sondern, wie Heidegger sagt, vor allem auch »etwas in sein eigenes Wesen freilassen«. Dies ist eine fundamentale Aussage. »In sein eigenes Wesen freilassen« setzt zunächst das Erkennen des Wesens voraus. Es bedeutet weiterhin, diesem Gegenstand der Erkenntnis – dem Ort zum Beispiel – zu seinem ureigenen Ausdruck zu verhelfen. Und schließlich meint es eine persönliche, wohlwollende Beziehung zu den Dingen der uns begegnenden Welt. Dies findet man an anderer Stelle bestätigt, wenn man liest, daß dieses Wohnen »vielmehr immer schon ein Aufenthalt bei den Dingen« war.

Hier kommt Heidegger dem kontextuellen Verständnis vom Bauen als Interpretation und Antwort auf das Wesen eines Ortes sehr nahe. Wäre es erlaubt, seine Gedanken fortzuführen, so könnte man behaupten, daß die kontextuelle Haltung den angemessenen Bewußtseinszustand eines sterblichen Menschen für das Bewohnen der Erde darstellt.

An den erwähnten »Aufenthalt bei den Dingen« möchte ich ein Bild von Italo Calvino anknüpfen. In seinen poetischen Unsichtbaren Städten beschreibt er die Stadt als Träger geschichtlicher Kontinuität: »... sie erzählt nicht ihre Vergangenheit, sie enthält sie wie die Linien einer Hand, geschrieben in die Straßenränder, die Fenstergitter, die Brüstungen der Treppengeländer, die Blitzableiter, die Fahnenmasten, jedes Segment seinerseits schraffiert von Kratzern, Sägspuren, Einkerbungen, Einschlägen.«[26] Wir leben bei den Dingen, in Häusern und Landschaften, die aus der Vergangenheit kommen, beladen mit geschichtlichen Hinweisen und Erinnerungen. Ich meine,

[23] »Conscious Purpose Versus Nature«, in: Gregory Bateson, Steps to an Ecology of Mind, New York 1972, S. 429ff.

[24] Martin Heidegger, »Bauen, Wohnen, Denken«, in: Vorträge und Aufsätze II, Pfullingen 1954, S. 147. Auch die folgenden Stellen sind diesem Aufsatz entnommen.

[25] Diese Identität ist bei den slawischen Sprachen noch heute offensichtlich, z.B. im Tschechischen: býti – bydleti, oder im Slowenischen: biti – (pre)bivati.

[26] Italo Calvino, Die unsichtbaren Städte, München 1985, S. 14.

[27] Vgl. z.B. die »dezentralisierte Stadt« bei Ludwig Hilberseimer, in: Entfaltung einer Planungsidee, Berlin 1963.

[28] Marc-Antoine Laugier, Observations sur l'Architecture, La Haye 1765, S. 312f., dt.: Neue Anmerkungen über die Baukunst, Leipzig 1768, S. 221. Ausführlicher im Kapitel über die Verschönerung der Gärten in: Ders., Das Manifest des Klassizismus, Zürich 1981 (Paris 1753), S. 182–199.

3. Typus und Topos im Gleichgewicht, »große Ordnung im Detail, Durcheinander, Aufruhr und Tumult im Ganzen«: Kloster Tatev, Armenien.

daß diesen Ebenen der physischen Umwelt als Träger geschichtlicher Information und Erinnerung letztlich mehr Bedeutung zukommt als den Ideen oder dem geschriebenen Wort.

Die Dinge der Umwelt, der physische Kontext, sind als Träger geschichtlicher Erinnerung für die Entwicklung der menschlichen Kommunikationsfähigkeit unverzichtbar. Denn ohne die Erinnerung gibt es keine Kontinuität, diese aber ist eine wesentliche Qualität des Gesprächs, der Kommunikation. Es heißt, daß Menschen im Wort und Gespräch ähnlich zuhause sind wie in einer Landschaft oder in einem Haus, das sie umgibt: Zuhören, sich einfühlen und Antwort geben sind hier drei wesentliche Haltungen.

Die Erinnerung – das wußten schon die Griechen – ist die Mutter der Poesie und der Kunst schlechthin. Als Göttin Mnemosyne, Tochter des Himmels und der Erde, hat sie mit Zeus die Musen gezeugt. Was für die Poesie und Kunst im allgemeinen gilt, muß auch für die Architektur Gültigkeit haben. Wenn wir die Architekturentwicklung als ein Kontinuum ansehen, als Dialektik der Entstehung des Neuen im Alten, als Weiterreichen der Erinnerung, dann ist die kontextuelle Architektur die angemessene persönliche und Persönlichkeit respektierende bauliche Antwort auf den physischen Raum.

Frage des Maßstabs

Die Angemessenheit der kontextuellen Haltung ist auch eine Frage des absoluten Maßstabs eines architektonischen Eingriffs. Im regionalen Maßstab wird es wohl nur utopisch gestimmte Geister zur Mißachtung des landschaftlichen Kontexts hindrängen. In diesem Maßstab wurde der physische Kontext selbst in der Blütezeit des Nachkriegsfunktionalismus im großen und ganzen beachtet.[27] Je größer der Maßstab und der Umfang der Interferenz mit der Umwelt, desto »erdgebundener« wird der Eingriff in das Bestehende sein müssen, um so mehr wird er »Immobilie« mit einem komplexen System von Beziehungen mit dem Kontext, um so weniger wird das Gesamtkonzept formal rein, ideal beziehungsweise klassisch werden können.

Umgekehrt erscheint im kleinen Maßstab und bei überschaubaren räumlichen Einheiten die Anwendung der Geometrie der platonischen Körper, der Idealtypen und die Strenge einer klassischen Haltung berechtigt. Je kleiner die Objekte – man denke an Möbel und Einrichtungsgegenstände –, desto beweglicher sind sie und werden mit dem Verlust des einmaligen Kontexts allgemein verfügbar, das heißt universell. Wenn man an räumliche Grundelemente (zum Beispiel Schlafkoje oder Klosterzelle) denkt, dann wird offensichtlich, daß eine gewisse Typisierung und geometrisch ideale Raumform angemessen ist, nicht zuerst unter dem ökonomischen Aspekt einer möglichen Reihung, sondern aus dem psychologischen Urbedürfnis nach Verständlichkeit der Struktur des uns unmittelbar beschützenden Raumes. Ein kleiner, überschaubarer, intimer Raum grenzt uns aus dem großen, kontextuell sehr komplexen Raum heraus, sammelt und beruhigt uns und führt uns zu uns selbst.

Diese reziproke Beziehung des Maßstabs zum Kontext und zur Idealform war den alten Theoretikern wohl bekannt. So faßt zum Beispiel Marc-Antoine Laugier seine Ausführungen über die Architektur und die Stadt im Bild des Gartens folgendermaßen zusammen: »Hier bedarf es der Regelmäßigkeit und der Phantasie, der Beziehungen und Gegensätze, zufälliger und unerwarteter Elemente, die die Szene beleben; große Ordnung im Detail, Durcheinander, Aufruhr und Tumult im Ganzen.«[28]

3. Vorbemerkungen zum Ort

»Lange war Pina für mich eine auf den Hängen eines Golfs befestigte Stadt mit hohen Fenstern und mit Türmen, geschlossen wie eine Trinkschale, in deren Mitte ein Platz, so tief wie ein Brunnen und mit einem Brunnen in seiner Mitte.«

Italo Calvino[29]

Die bisherigen Ausführungen führen direkt zum Ort als dem zentralen und bestimmenden Phänomen des physischen Kontexts, und man möchte am liebsten eine eloquente Laudatio auf den Ort anstimmen – doch kommt man bereits beim Atemholen ins Stocken: Hinkt man damit nicht kräftig hinter der Zeit her, nachdem das »Place-making movement« der späten fünfziger und sechziger Jahre schon lange vorbei ist? Und dann kommt mir auch das Urteil von Charles Jencks in den Sinn, in dem er die Frage nach dem Ort schlichtweg für irrelevant erklärt.[30]

Angesichts solcher modisch leichtfertiger Urteile bleibt zunächst nur festzuhalten, daß die Bedeutung des Ortes als eine wesentliche Kategorie menschlicher Existenz unabhängig vom theoretischen Disput der architektonischen Trendsetter bestehen bleibt. Um dies zu begründen, wird man zunächst nach dem Wesen des Ortes fragen müssen.

Wenn wir an »Orte« im normalen Sprachgebrauch denken, kommen uns zwei Kategorien in den Sinn. Die eine meint etwas genau Lokalisiertes, fast Punktuelles, etwa wenn wir uns »an Ort und Stelle« befinden oder »vor Ort« erscheinen. Die zweite beschreibt einen architektonischen oder geographischen Ort (etwa im Sinne von Ortschaft) von einer gewissen Flächenausdehnung, etwas, das man betreten kann und von dem man dann weiß, daß man drinnen ist. Dies setzt natürlich auch eine gewisse Grenzdefinition voraus.

Mit diesen beiden aus der Umgangssprache flüchtig gewonnenen Aspekten nähert man sich schon recht gut dem Phänomen des Ortes. Beide Aspekte haben eines gemeinsam: Sie beschreiben Qualitäten und Eigenschaften, an die man sich erinnern kann. Eine Stelle wird für uns nur dann zum Ort, wenn sie belebt wurde, das heißt einen Erinnerungswert besitzt. So denke ich zurück an einen markanten Hauseingang, vor dem ein Baum steht, an einen düsteren Hinterhof oder an eine kleine Bergstadt in der Toscana. Der Ort als Bestandteil des gelebten Raumes wird also Gegenstand der folgenden Überlegungen.

Etymologie des Ortes

Versuchen wir nun, aus der Etymologie dieses Begriffes in verschiedenen Sprachen zusätzliche Einsichten in das Wesen des Ortes zu gewinnen. Im Deutschen meint der Ort ursprünglich Spitze, so zum Beispiel im Hildebrandslied, wo er zum erstenmal festgehalten ist in der Bedeutung »Speerspitze«. Ort hieß ebenfalls eine ins Wasser vorspringende Landspitze. Das »Ort« in Passau trägt noch heute diesen Namen. Der deutsche Ort in seiner ursprünglichen Bedeutung meint also einen genau lokalisierbaren, unverwechselbaren Punkt im Raum beziehungsweise auf der Erdoberfläche. Er hat wohl in dieser Bedeutung keine nennenswerte Flächenausdehnung – eine Eigenschaft, die im heutigen architektonischen Gebrauch des Wortes eine große Rolle spielt. Dagegen steht der Aspekt der Individualität und der Einmaligkeit, also der Erinnerungswert des Ortes stark im Vordergrund.

Der Aspekt der Flächenausdehnung wird von dem Begriff Stelle beziehungsweise Platz besser wiedergegeben. An einer Stelle kann man etwas abstellen, sie ist also wesentlich raumhaltiger als der Ort. Mehr noch der Platz, der bereits eine gewisse Weite impliziert – ein freier Raum also, den man einräumen kann.

1. Ein wohldefinierter Ort.

Das griechische τόπος scheint diese beiden Aspekte – das Punktuelle, genau Lokalisierbare und das Raumhaltige, von einer Grenze her Definierte – gleichermaßen zu enthalten. Diese komplexe Bedeutung führt im Deutschen zu Übersetzungsschwierigkeiten, so etwa dann, wenn τόπος bei Aristoteles einmal mit Raum, einmal mit Ort übersetzt werden muß. Tatsächlich ist bei Aristoteles die Vorstellung von Raum wesentlich stärker, als wir es heute gewohnt sind, von den Orten her bestimmt. Das griechische τόπος hat also selbst dann, wenn es eindeutig mit Ort übersetzt werden muß, eine gewisse Raumausdehnung, die von einer Begrenzung her definiert wird.

Das lateinische »locus«, etymologisch der Stelle verwandt, vereinigt in nahezu idealer Weise beide erwähnten Aspekte des Ortes. Bis heute kommen wir um die »Lokalisierung« wegen der Präzision der Ortsbestimmung nicht herum. Andererseits ist mit dem Begriff Genius loci eine sol-

2. Ortschaft in Slowenien.

che Fülle von örtlichen Eigenschaften verbunden, daß wir im »locus« ein raumhaltiges »Gefäß«, eben die Wohnstätte des Ortsgeistes, sehen müssen.

Das französische »lieu« ist von »locus« abgeleitet, bringt etymologisch also keine neuen Aspekte. Anders dagegen »endroit« in der ursprünglichen Bedeutung »gerade hier«, »gerade dort«. Darin wird der Exklusivcharakter des Ortes, seine Identität und Unverwechselbarkeit stark betont.

Das englische »place«, aus dem lateinischen »platea« (griechisch »plateia«) entwickelt, ist natürlich nicht mit den romanischen Äquivalenten (»piazza«, »place«, »plaza«) gleichzusetzen, dafür stellt es heute ein viel zu komplexes Bedeutungskonglomerat dar, eben bis hin zu dem genau definierten Ort. Seine Abstammung und Verwandtschaft verraten aber deutlich die Priorität der Raumausdehnung vor dem Punktuellen und als neuen Aspekt den anthropogenen Charakter des Ortes. »Place« ist also (genauso wie die »piazza« oder der Marktplatz) ein raumhaltiger, vom Menschen geprägter Ort der Begegnung.

Dieser anthropogene beziehungsweise soziale Aspekt des Ortes findet sich deutlich ausgeprägt in den slawischen Sprachen. Das tschechische »místo« ist eng verwandt mit »město« (die Stadt). Die Bedeutung der Raumhaltigkeit zeigt die Wortbildung »místnost« (Raum im Haus, Zimmer).

Ähnlich im Slowenischen, wo »mesto« Stelle, Ort meint, gleichzeitig aber auch Stadt. Das parallel verwendete »kraj« deckt sich insofern besser mit dem deutschen Ort, als es auch den Rand, das Ende, also etwas Eingegrenztes meint. Einen interessanten Aspekt ergibt die weitere Bedeutung des Wortes. »Kraj, krajina, pokrajina« bedeutet Gegend, Landschaft (vgl. hierzu das lateinische »loci«). Es wurde demnach ursprünglich zwischen dem natürlichen Ort, der aus der Landschaft herkommt, und dem vom Menschen gestalteten Ort – seiner Wohnstätte – unterschieden. Eine Flächenausdehnung ist aber für beide wesentlich.

Ohne nun die existentielle Dimension des Ortes mit diesen linguistischen Erkenntnissen gleichsetzen zu wollen, lassen sich solche etymologischen Überlegungen doch als Hinweise auf das Wesen des Ortes verstehen. Ein natürlicher oder architektonischer Ort als wesentlicher Bezugspunkt menschlicher Existenz wäre demnach eine genau definierte Stelle im Raum, unverwechselbar in ihrer Beschaffenheit, von einer ortsspezifischen Identität. Sie hätte eine bestimmte Flächenausdehnung oder ein Raumvolumen, um besetzt werden zu können. Für das Besetzen beziehungsweise Bewohnen eines solchen Ortes wäre die Möglichkeit einer Bindung beziehungsweise Beziehung zu dem Ort eine Voraussetzung. Der Charakter des Ortes wäre unter Umständen wesentlich von dieser Beziehung geprägt. Und schließlich hätte der Ort eine soziale Dimension: In seiner Hervorgehobenheit wäre er Bezugspunkt für mehrere Menschen und somit ein Ort der Zusammenkunft.

[29] I. Calvino 1985, S. 107.
[30] Charles Jencks, *Modern Movements in Architecture*, Garden City, New York 1973, S. 328–332. »The whole question of place-non-place was thus in a sense rendered obsolete ...«, S. 332.

Struktur des Ortes

5. Raum und Körperort.

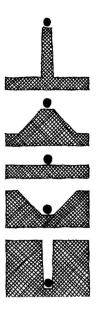

Bevor ich Überlegungen über die Struktur des Ortes anstellen werde, muß ich die aus der Sprache gewonnene Vorstellung zunächst erweitern. Die Aussage, der Ort schließe immer auch ein Raumvolumen ein, das besetzt werden kann, muß erst überprüft werden, kennen wir doch Orte, die von einer Masse besetzt sind. Dies sind meist sogar die präziser definierten Stellen im Raum: ein freistehender Schornstein, das Feldzeichen am Weg, ein aufgerichteter Menhir, eine kleine Kapelle auf dem Hügel. Wie ist es mit der Raumhaltigkeit dieser zweifelsfrei markanten Orte?

Dies ist letztlich eine Frage nach den konstitutiven Elementen des Raumes, insbesondere nach der Raumdefinition. Wir kennen den Raumbehälter, der sein Wesen von der Begrenzung her gewinnt – dies ist auch die übliche Raumvorstellung. Daneben gibt es aber auch eine Raumdefinition, die von einer aufgerichteten Masse ausgeht. Vergleichbar einer unsichtbaren Radialstrahlung, wissen wir uns in der Nähe einer solchen Masse von einem Kraftfeld gefangen, um so mehr, je näher wir an sie herantreten.

So ist die Raumhaltigkeit zum Beispiel eines aufgerichteten Steines nicht von einer Raumbegrenzung, sondern vom Zentrum her bestimmt. Ist die Raumdichte in einem nicht allzu großen Behälter relativ konstant, nimmt sie bei einem vom Zentrum her bestimmten Raum mit der Entfernung von der Mitte ab. Das verschiedenartige Raumerleben entspricht in etwa den Bildern eines Gefäßes, in dem sich das Wasser gleichmäßig verteilt, und einer Quelle, von der das Wasser nach allen Seiten fließt.

18

6. Mexcaltitán, Mexiko.
7. Ägyptische Hieroglyphe für »Stadt«.

[31] So sagt W. Weischedel, »daß die frühe Raumerfahrung vom Bild in der Höhle geprägt wird, die als die umfassende und bergende Behausung des Menschen verstanden wird«. Zitiert von O. F. Bollnow, *Mensch und Raum*, Stuttgart 1963, S. 62.

[32] Vgl. M. Heidegger 1954, S. 155, bzw. Aristoteles, *Metaphysik*, 1022 a ff.: »So gesehen ist Grenze das, was eindeutiges Erkennen ermöglicht: Identifikation des einen durch Abhebung vom anderen. Sie nur läßt zu, das eine dem anderen gegenüberzustellen, eines mit dem anderen in Beziehung zu setzen ...«

[33] »Die Siedlungen müssen, um Heimat werden zu können, im durchlebbaren Maß bleiben ...« schreibt R. Schwarz in einem anderen Zusammenhang. Die Einsicht ist hier aber durchaus anwendbar. »Für den einfachen Menschen ist der durchlebbare Bereich nicht groß. Dieser Mensch ist ein Fußgänger und wird es immer bleiben ...« Rudolf Schwarz, *Von der Bebauung der Erde*, Heidelberg 1949, S. 194.

Ebenso gibt es auch zwei grundsätzlich verschiedene Typen von Orten, je nachdem, ob ihre Raumhaltigkeit von der Grenze oder vom Zentrum her definiert wird, ob ihre Mitte frei oder von einer Masse besetzt ist. Obwohl beide raumhaltig sind, ist ihr Raumcharakter grundverschieden.

Beiden Arten von Orten ist das Phänomen der Mitte gemeinsam. Die durch eine Masse besetzte Mitte ist hinreichend markiert und bedarf keiner weiteren Erklärung. Aber auch ein von seiner Begrenzung her definierter Ort impliziert ein Zentrum. Eine ununterbrochene Grenze kreist ein und verweist auf den Mittelpunkt beziehungsweise den Schwerpunkt des ausgeschiedenen Bereiches.

Der radial auf sein Zentrum ausgerichtete Ort entspricht der Struktur des gelebten Raumes sowie einem Urbedürfnis des Menschen, sich in der Mitte zu befinden. Da die Raumvorstellung des Menschen offensichtlich aus der Erfahrung des Ortes abgeleitet wird,[31] lassen sich aus den frühen Kosmologien auch Rückschlüsse auf die ursprüngliche Erfahrung der Ortsstruktur ziehen, wie wir sie heute so unmittelbar nicht mehr nachvollziehen können. Dabei deuten die überall bekannten Vorstellungen von der Mitte der Welt, Axis mundi oder Nabel der Welt auf eben diese Mitte des Ortes hin, von wo aus sich das Wesen offenbart beziehungsweise wo es in konzentrierter Form vorhanden sein muß. Und eben diese Mitte ist es, die die bauliche Ausgestaltung des Wesens eines Ortes, des Genius loci, schon immer herausgefordert hat.

Am Rande nur sei hier vorweggenommen, daß die Mitte immer auch Vertikalität meint, diese aber die sakrale Dimension des Raumes ist. So sind es auch die Orte, wo sich Himmel und Erde begegnen, wo die Epiphanie möglich wird.

Ein weiteres Strukturelement des Ortes ist seine bereits öfter angesprochene Grenze, relevant freilich zunächst nur bei dem Ort als Gefäß. Hier wird der Ort als solcher durch die Begrenzung erst konstituiert. Die Grenze also als jenes, von dem etwas seinen Anfang nimmt (so haben schon die Griechen das Wort verstanden[32]), nicht als jenes, an dem etwas endet.

Könnte man aber an dieser Stelle nicht die beiden Ortstypen auf ein gemeinsames Prinzip zurückführen? Ist nicht auch der von einer Masse her bestimmte Ort von einer festen »Grenze« her konstituiert? Man könnte sich etwa die Hülle des Behälters als einen Strumpf vorstellen, der umgestülpt und in der Mitte zusammengezogen ist. Die so in der Mitte entstandene Säule wäre dann dieselbe »Grenze«, von der der Ort seinen Anfang nimmt.

Die ägyptische Hieroglyphe für »Stadt« bestätigt auf überzeugende Weise die Relevanz der Begrenzung und der Mitte für die Struktur des Ortes: Sie zeigt einen geschlossenen Kreis mit zwei sich senkrecht überkreuzenden Balken. Als Symbol oder als Planungsvorlage zieht sich dieses Bild durch die gesamte Stadtbaugeschichte.

Dieses uralte Wissen um die Struktur des Ortes wurde durch die Wahrnehmungspsychologie bestätigt. Ihre Kategorien der wahrnehmbaren Gestalt (Geschlossenheit, Kontinuität, Gleichheit und Nähe) decken sich mit den erwähnten Eigenschaften des Ortes recht gut.

Mit der Wahrnehmung hängt auch eine andere wichtige Eigenschaft des Ortes zusammen. Er wird als Ganzes auf einmal erfaßt beziehungsweise wahrgenommen, und zwar sinnlich (visuell, haptisch usw.), ohne Zuhilfenahme intellektueller Abstraktionen. Der Ort muß also mit anderen Worten eine eindeutige Gestalt aufweisen, muß sich als wahrnehmbare Figur von seinem Umgebungsgrund abheben. Dabei spielt es grundsätzlich keine Rolle, ob es sich um einen Hohlraum handelt, wie bei einem Stadtplatz oder einer Höhle, oder um eine massive Figur, sei es eine Bergstadt, ein Gehöft oder ein einsamer Baum in der Landschaft.

Damit berühre ich wiederum die Frage des Maßstabs beziehungsweise der absoluten Größe eines Ortes. Er wird also eher klein sein, und selbst bei Erfüllung aller struktureller Voraussetzungen wird seiner Größe durch die örtlichen Sichtverhältnisse oder Erschließungsmöglichkeiten eine Obergrenze gesetzt.[33]

Hebt sich der Ort also von seiner Umgebung als Figur vom Grund ab, hat er ein Zentrum und eine Begrenzung, dann kann man auch innen und außen unterscheiden, und die Frage des Grenzübergangs und der Ankunft am Ort gewinnt an Bedeutung. Das Überschreiten einer Grenze, der Wechsel vom Weg zum Ort, von Dynamik zu Konzentration, ist zuallererst ein psychologisches Problem. In der architektonischen Gestaltung des Ortes wird dieser Übergang aber zu seinem strukturellen Bestandteil.

Ich erinnere in diesem Zusammenhang an den im wahrsten Sinne des Wortes »atemberaubenden« Übergang vom Croce di Travaglio auf den Campo in Siena. Nach der engen Schlucht der Via dei Banchi di Sopra, die uns rigoros führt und, durch das Gefälle noch verstärkt, kaum innehalten läßt, wird man völlig unerwartet in die Raumfülle des eigentlichen Ortes von Siena hineingeworfen.

Gaudenz Domenig nennt diesen Grenzübertritt das Prinzip der progressiven doppelten Verneinung oder auch schlichter das Erschließungsprinzip. »Wo immer im Raum Unstetigkeitsstellen

19

auftreten und auf ein Ziel hin überschritten werden, muß ... ein Überraschungseffekt resultieren, mit dem eine ›innere‹ Bewegung, die Erschließung einer anderen Ebene des Erlebens, verbunden ist. Diese Augenblicke der Überraschung sind die Augenblicke der Ankunft, des mystischen Überganges vom Weg zum Ort, wie umgekehrt die Momente der unmittelbar folgenden Ernüchterung die Momente des erneuten Weg-Gehens – im doppelten Sinne des Wortes – sind.«[34]

Der Eintritt in einen vom zentralen Körper her bestimmten Ort stellt sich natürlich ganz anders dar. Im Idealfall ist er von weitem sichtbar, und das Betreten eines solchen Ortes ist eher ein Problem der Annäherung, des Unterwegsseins auf ein Ziel hin. Da ein solcher Ort keine äußere Grenze besitzt, sind die Übergänge hier fließend, und die Erfahrung, daß man am Ort ist, bleibt ambivalent. Hat man den Ort erreicht, wenn man unter die Baumkrone getreten ist oder sich in den Schatten der Säule gestellt hat, oder gar erst, wenn man diese berührt hat? Das Eintreten ist hier wohl ähnlich schwer zu fassen wie auch das Räumliche eines solchen Ortes, das nur andeutungsweise mit der wachsenden Raumdichte umschrieben wurde. Die Psychologie der Annäherung und des Betretens solcher Orte ist unvergleichlich komplexer und schwieriger, als dies bei einem »Raum-Ort« der Fall ist.[35]

Will man bei einem »Körper-Ort« mit architektonischen Mitteln den Zugang gestalten, so wird man an seiner »inneren Grenze«, also am Körpervolumen selber differenzierend eingreifen müssen, um in jeder Phase der Annäherung neue, das heißt detailliertere Aspekte seines Wesens freizulegen. Darüber hinaus wird man, wenn möglich, die Einsehbarkeit während der Annäherung auf ein bestimmtes Maß beschränken oder in überschaubare Abschnitte gliedern. In dieser Hinsicht oft aufschlußreich ist die Gestaltung alter Stadtsilhouetten und die Art und Weise des Zugangs zur Stadt.

Zusammenfassend ist festzuhalten, daß ein Ort immer eine Mitte hat sowie eine äußere oder innere Begrenzung, die ihn entweder zu einem Raumgefäß oder zu einem freistehenden Körper macht. In beiden Fällen wird seine Gestalt eindeutig als Ganzes wahrnehmbar sein müssen und seine absolute Größe ein bestimmtes Maß nicht überschreiten dürfen. Der Übergang von außen nach innen ist ein wesentlicher Bestandteil der Struktur des Ortes; er wird bei einem architektonischen Ort entweder als Eingang oder Zugang artikuliert werden müssen.

Bei der Unterscheidung der Orte in raumhaltige beziehungsweise körperhafte handelt es sich selbstverständlich um eine Reduzierung des Problems auf diese beiden Grenzfälle. In Wirklichkeit gibt es eine große Fülle von Zwischenmöglichkeiten sowie Ineinanderschachtelungen von abwechselnd gegensätzlichen Ortstypen, so etwa, wenn eine Stadt als körperhafter Ort erfahren wird, in ihrem Inneren aber der Marktplatz als Raum-Ort erlebt wird.

Über die Raumerfahrung

Ich möchte an dieser Stelle nicht vom Raum an sich sprechen, sondern auf die Bedeutung des Ortes für die Erfahrung des Raumes eingehen. Theoretisch wäre es nämlich ohne weiteres denkbar, den drei Grundelementen im Raum – Punkt, Linie, Fläche – jeweils eine spezifische Art der Raumerfahrung zuzuordnen, und ich werde weiter unten zeigen, daß diese Annahme durchaus plausibel ist.

Versuchen wir zunächst einmal, die abstrakten Kategorien von Punkt, Linie und Fläche mit konkreten Bedeutungen anzureichern, um sie für die Wahrnehmung greifbar zu machen. Wir sprechen zum Beispiel von Zentrum und Ort, Richtung und Weg, Bereich und homogenem Feld. Oder von Ruhe und Statik, Bewegung und Dynamik, Denken und Abstraktion, wobei die Faßbarkeit der letzten Kategorie Schwierigkeiten bereitet, weil sie sinnlich nicht mehr wahrnehmbar ist, sondern abstrakt konstruiert werden muß.

Sehen wir von dieser Inkonsequenz ab, so könnten wir die Raumerfahrung ausgehend vom Punktuellen als Orts-Raum oder Heimat bezeichnen; der Linie wäre der Weg-Raum oder der hodologische Raum (siehe unten) zuzuordnen, der letzten Kategorie würde dann ein abstrakter oder geistiger Raum entsprechen.

Der abstrakte Raum – setzen wir ihn zunächst mit dem dreidimensionalen Raum der euklidischen Mathematik gleich – ist homogen. Keine Stelle ist vor einer anderen ausgezeichnet, und er ist grundsätzlich unbegrenzt, das heißt unendlich. Wie bereits angedeutet, ist diese Raumvorstellung eine intellektuelle Konstruktion, die nicht mehr auf einer unmittelbaren sinnlichen Erfahrung beruht. Es ist dies die entwicklungsgeschichtlich jüngste Raumvorstellung, die sich erst durch einen langen Abstraktionsprozeß aus der Erfahrung des konkreten menschlichen Raumes ergeben konnte.[36]

[34] Gaudenz Domenig, »Weg – Ort – Raum«, *Bauen + Wohnen*, September 1968, S. 324.

[35] Theoretisch käme es zu einer langsamen Steigerung, die jedoch im konkreten Fall – je nach Dauer der Annäherung – nicht durchzuhalten ist. Ein längerer Weg wird durch innere Konflikte, Weghindernisse, Nachlassen des Interesses usw. beeinträchtigt. Vgl. z. B. Fred Fischer, *Der animale Weg*, Zürich 1972, insbesondere S. 15 und 36 ff.

[36] Siehe M. Jammer, *Concepts of Space. The History of Theories of Space in Physics*, Cambridge, Mass. 1954. – Der Osten ist auch in dieser Hinsicht andere Wege gegangen. In Japan z. B. wurde erst mit der Einführung der westlichen Zivilisation dieser abstrakte Raumbegriff verbreitet. Zu japanischen Raumdarstellungen siehe Günter Nitschke und Philip Thiel, »Anatomie der gelebten Umwelt«, *Bauen + Wohnen*, September 1968, S. 313 ff.

[37] Kurt Levin, »Der Richtungsbegriff in der Psychologie. Der spezielle und der allgemeine hodologische Raum«, in: *Psychologische Forschung*, Band 19, 1934. Der Begriff ›hodologischer Raum‹ wurde von Sartre weiterentwickelt und abstrahiert, wobei er ihn als Gegenposition zur menschlichen Beziehung zu Orten verwendete. Eine eingehende Diskussion des hodologischen Raumes findet sich in O. F. Bollnow 1963, S. 195 ff.

[38] Gaudenz Domenig liefert in seinem Artikel »Der Weg als parastatische Ergänzung des Ortes« (in: F. Oswald, Hrsg., *Urphänomene der Architektur*, Zürich 1977) eine interessante Untersuchung zu der Ort-Weg-Beziehung. Er weist nach, daß der Weg ursprünglich eindeutig auf den Ort bezogen war, auf ihn oder von ihm weg führte und nicht eigentlich von Ort zu Ort. Unterwegs (mittelhochdeutsch underwegen) würde dann tatsächlich ein »zwischen den Wegen« meinen. Der elementare Weg war also eine parastatische Ergänzung des abgeschlossenen Ortes – einseitig gebunden und einseitig offen.

[39] Siehe hierzu auch die poetisch-zeichnerische Auseinandersetzung von H. D. Schaal, *Wege und Wegräume*, Stuttgart 1978.

[40] A. E. Jensen, *Wettkampf-Parteien. Zweiklassensysteme und geographische Orientierung*. Zitiert in O. F. Bollnow 1963, S. 67.

8. Der abstrakte Ort: Martin Kers, »Beach 2«, 1983.

Selbst wenn man vom Extremfall des mathematischen Raumes absieht und sich bemüht, eine dreidimensionale Entsprechung zum homogenen städtebaulichen Bereich oder architektonischen Feld zu formulieren, sind die Verhältnisse grundsätzlich ähnlich. Ein realer Bereich ist zwar nicht unendlich, zum Feld wird er aber erst durch die Vielzahl von gleichen Elementen, die – in der Realität nacheinander erfahren – erst durch gedankliche Abstraktion zu einem übergeordneten Ganzen zusammengefügt werden.

Der Wegraum dagegen beruht auf der konkreten Erfahrung des gelebten Raumes. Man könnte behaupten, daß der Raum durch die Bewegung am Weg überhaupt erst erschlossen wird. Weglosen Raum können wir überhaupt nicht erfahren. Unter dem Begriff »hodologischer Raum« wurde diese Raumerfahrung von Kurt Levin in der Psychologie fixiert und von einigen Philosophen aufgegriffen.[37]

Hodologische Raumerfahrung beruht auf der Tatsache, daß die erlebte Umwelt strukturiert ist, da der natürliche oder künstliche Raum nicht homogen, sondern gegliedert ist und somit Richtungen und Wege vorgibt, an denen entlang wir durch Bewegung und Einsicht unsere Raumerfahrung machen. Wege verbinden die Ausgangs- und Zielorte und sind auf diese bezogen.[38] Sie passen sich bis heute weitgehend der Struktur der Landschaft an. In dem Maße, in welchem die Gliederung der Landschaft abnimmt, nähert sich auch der Weg im hodologischen Raum der mathematischen Verbindungslinie zwischen Ausgang und Ziel.[39]

Einen interessanten Aspekt der hodologischen Raumerfahrung offenbart die Bahn- und mehr noch die Flußfahrt. Die Wegstrecke wird trotz Krümmungen meist annähernd als geradlinig empfunden. Bei einem relativ eindeutig vorgegebenen Weg, ohne räumliche Gabelungen oder Kreuzungen, tritt die Linearität des Wegraumes so stark in den Vordergrund der Wahrnehmung, daß andere Aspekte zurücktreten. Dieses Phänomen wird bestätigt, wenn der Wegverlauf aus der Erinnerung nachgezeichnet werden soll und die tatsächlichen Krümmungen in der Regel nicht annähernd richtig getroffen werden.

Ist die natürliche Ausrichtung des Raumes so dominant, wie das bei großen Flußtälern oft der Fall ist, oder kommt noch eine existentielle Abhängigkeit von dem Fluß hinzu, mag das gesamte Raumkonzept aus einem solchen Wegraum entwickelt werden. So gliedern die Yurok-Indianer den Raum nicht nach den vier Himmelsrichtungen, sondern unterscheiden die beiden Hauptrichtungen flußaufwärts und flußabwärts.[40] Ähnlich dominant war der Nil für die alten Ägypter, deren Weltbild auf einer glücklichen Übereinstimmung der kosmologischen Vorstellung von den vier Weltgegenden mit den geographischen Gegebenheiten des Nilverlaufs von Süden nach Norden beruht.

Die traditionelle japanische Raumvorstellung, die bis heute lebendig geblieben ist, geht von einem beweglichen Augpunkt, also von einer Wegerfahrung aus. Darauf deutet schon das chinesisch-japanische Ideogramm für »sehen« hin, das ein Auge auf zwei Beinen darstellt. Darauf wei-

9. Chinesisch-japanisches Ideogramm für »sehen«.

Auge   2 Beine   »sehen«

10. Wegraum und Ortsraum kombiniert: Hans Dieter Schaal, »Wegsystem als Bezugssystem mit Dingen und Wünschen«, 1978.

sen aber auch die japanischen Rollbilder und andere Raumdarstellungstechniken hin, die Günter Nitschke und Philip Thiel in dem oben zitierten Aufsatz beschreiben.[41]

Der Ortsraum (um zunächst einmal bei diesem etwas schwerfälligen Begriff zu bleiben) steht für die wohl elementarste Raumerfahrung – der Raum wird hier im Bezug zu einem Netz bekannter und vertrauter Orte konstituiert. Je engmaschiger dieses Netz ist, desto dichter ist auch der gelebte Raum des Menschen. Der Ortsbezug dieser Raumvorstellung drückt etwas Statisches aus, doch aus dem Zusammenspiel von Kraftfeldern verschiedener Orte ergibt sich auch in dieser ortsbezogenen Raumerfahrung ein dynamisches Element.

So erscheint zunächst die Annahme vernünftig, daß sich der gelebte Raum aus Orten und aus den die Orte verbindenden Wegen und Beziehungen aufbaut. Der Bereich oder das Feld wäre dann das relativ homogen strukturierte Netz aus eben jenen Orten und Wegen. Dies entspricht auch den elementaren Lebenszuständen von Ruhe und Bewegung, auf deren psychologische und philosophische Relevanz ich hier nicht eingehen möchte. Als Hinweis soll genügen, daß das Raumverständnis wohl immer schon das Modell für geistige Zusammenhänge abgegeben hat.

Trotzdem kann man – zumindest entwicklungsgeschichtlich (und Jean Piaget hat es parallel für die Entwicklung des Kindes nachgewiesen[42]) – dem Ort eine Priorität bei der Raumerfahrung und bei der Entwicklung von Raumvorstellungen einräumen. Schon die grundsätzliche Tendenz der menschlichen Entwicklung von der relativen Unbeweglichkeit zur Dynamik scheint auf den zeitlichen Vorrang des Ortes hinzuweisen. Raum wird sicherlich zunächst lokal durch die Nähe zum konkreten Ort erfahren. Sich auf den Weg zu machen, bedeutet immer, erst einen Ort zu verlassen, setzt die Sicherheit des Ortes und die Rückzugsmöglichkeit voraus. Was über Ort und Weg hinausreicht, gehört in den Bereich der Abstraktion. Auch von daher gilt also Heideggers Axiom, daß »die Räume ihr Wesen aus Orten und nicht aus dem Raum«[43] empfangen.

So bleibt zuletzt die Frage zu klären, ob nicht Raumerfahrung schlechthin auf Ortserfahrung zurückzuführen sei. Es wurde eingangs behauptet, daß der abstrakte Raum nicht mehr direkt erfahrbar sei, sondern aus den erfahrbaren Ebenen – also aus dem Orts- und dem Wegraum – durch einen Prozeß der Abstraktion entwickelt wurde. So reduziert sich die obige Frage dahingehend: ob nicht auch die Wegerfahrung auf der Erfahrung des Ortes basiert – etwa entsprechend dem Bild einer Perlenschnur; ob also das Wegerlebnis nicht als eine Folge von Ortserlebnissen zu deuten ist.

Es liegt mir fern, die elementaren Haltungen von Ruhe und Bewegung auf ein gemeinsames Prinzip zu nivellieren. Aber ist nicht das Gleichsetzen von Ort und Ruhe sowie Weg und Bewegung zu vordergründig? Lassen sich doch bei näherem Betrachten beim Ort wie beim Weg statische wie auch dynamische Elemente feststellen (freilich jeweils verschieden stark ausgeprägt). Das bereits erwähnte Prinzip der progressiven doppelten Verneinung bei der Erschließung eines Ortes von Gaudenz Domenig regt hier zu weiteren Überlegungen an. »Was eine Ortfolge im Erlebnis zum Weg macht«, sagt er, »sind letztlich nur diese Sekunden der Überraschung und Ernüchterung...«[44]. Der Ort erschließt sich also dem Ankommenden durch die »innere Bewegung«, die der Eintritt in ihm verursacht. Und ist letztlich nicht der Weg eine pulsierende Bewegung, bestehend aus der Ortung von Etappenzielen, das heißt Orten, die uns anziehen, an denen wir bereits schon anwesend sind, während wir noch unterwegs sind? Es gehört zum Wesen unseres Denkens an solch einen Ort, sagt Heidegger, »daß dieses Denken in sich die Ferne zu diesem Ort durchsteht ... nur weil die Sterblichen ihrem Wesen gemäß Räume durchstehen, können sie Räume durchgehen. Doch beim Gehen geben wir jenes Stehen nicht auf. Vielmehr gehen wir stets so durch Räume, daß wir sie dabei schon ausstehen, indem wir uns ständig bei nahen und fernen Orten und Dingen aufhalten.«[45]

Dieses »Stehen«, also Ruhen im Gehen, wird durch den visuellen Kontakt mit dem Zielort noch verstärkt, wobei unter Zielort jede Inhomogenität am Weg gemeint ist, mit welcher der Wanderer visuell oder mental Kontakt aufnimmt. Hat er sie einmal durchschritten (und dabei kommt es unter Umständen zu einer Ortserfahrung – siehe oben), so wird seine Vor-Sicht eine neue Stelle im Gelände ausfindig machen, zu der es ihn weiterzieht, da er sich bereits dort befindet.

Eine »echte« hodologische Raumerfahrung, eine solche nämlich, die ohne die Vorstellung einer Ortfolge am Weg auskommt, scheint mir erst mit der Entpersönlichung der Bewegung möglich zu sein. Nicht von ungefähr habe ich bis jetzt vom Gehen gesprochen, einer Bewegungsart also, bei der die Körperachse, das heißt die Sichtachse mit der Bewegungsrichtung übereinstimmt. Nur hier gilt das oben Gesagte uneingeschränkt: Man läßt Vor-Sicht walten, richtet sich nach dem Wegverlauf aus und trifft persönliche Entscheidungen, indem man auf die Besonderheiten des Weges ein-geht. Erst bei einer »entpersönlichten«, passiven Bewegung, bei der uns die Vor-Sicht und die persönliche Reaktion abgenommen wird, ist eine Sicht, die von der Bewegungsrichtung abweicht (zum Beispiel der Ausblick aus dem Zugfenster), möglich und damit, wie ich meine, erst die Voraussetzung für eine Erfahrung »en passant«, das heißt eine unmittelbare Erfahrung des hodologischen Raumes gegeben. Das Gesagte soll lediglich als Andeutung des Wegproblems verstanden werden, bis eine fundierte Psychologie des Weges gesichertere Einsichten liefert.[46]

»Psychologie des Ortes«

In diesem Abschnitt möchte ich nicht noch einmal die Psychologie der Ortswahrnehmung behandeln, wie etwa das bereits erwähnte Problem des Eintritts in einen Ort, sondern auf die Relevanz und Bedeutung des Ortes bei der Entwicklung der menschlichen Persönlichkeit hinweisen.

Anfangs könnte die grundlegende These aufgestellt werden, daß die Permanenz der Orte jene wesentlichen Bezugspunkte schafft, welche die Entwicklung von Umweltschemata ermöglichen. Solche Schemata sind für das Fußfassen in einer viel zu komplexen Welt unerläßlich. Diese These, von Jean Piaget an Hand der kindlichen Entwicklung hinlänglich belegt, wurde von Christian Norberg-Schulz aufgegriffen und in architektonisch relevanten Begriffen diskutiert. Von beiden unabhängig hat Gaston Bachelard die poetischen Tiefen der Ortserfahrung ausgelotet und kam zu ähnlichen Ergebnissen.[47] Ich möchte mich hier auf diese drei Quellen beschränken, um psychische Grunderfahrungen wie Geborgenheit, Intimität, Vertrauen, Identität usw. in Beziehung zu den Orten zu setzen.

Eine der elementarsten kindlichen Erfahrungen ist, daß Orte und Dinge permanent sind und daß es neben den bewegten Dingen auch solche gibt, die einen festen Bezug zu diesen Orten haben. Ob nun das Kind, zunächst unbeweglich, in seinem beschränkten Gesichtsfeld zu unterscheiden lernt zwischen vorbeiziehenden, wiederkehrenden und permanenten Objekten, oder später herumgetragen oder selbst bewegt, immer wieder auf dieselben Dinge am selben Platz stößt – es geht dabei stets um »die Konstruktion von permanenten Objekten unter den bewegten Bildern der unmittelbaren Wahrnehmung«. Das Kind baut sich so eine Welt auf aus einem »Aggregat von permanenten Objekten, die untereinander durch logische Beziehungen verbunden sind und vom Subjekt unabhängig in Raum und Zeit fixiert sind«[48].

Man kann behaupten, daß das Kind gerade durch die Permanenz der Dinge und Orte Vertrauen lernt, und selbst wenn ihm dieses als Urvertrauen in die Wiege gelegt sein sollte, so erfährt und bestätigt es seine Tragfähigkeit an der permanenten Realität der Welt. Bei seinen ersten Erkundungen ist es gerade dieses Vertrauen in die Permanenz des Ausgangsortes und nicht so sehr das Wissen um den Rückweg, das ihm das Abenteuer erträglich erscheinen läßt. So erschließt

[41] G. Nitschke, P. Thiel 1968. Siehe dort auch den Hinweis auf einen besonderen Gartentypus – Ikesen-Kaiyushiki –, was soviel heißt wie: Teich – Bach – Garten zum Herumspazieren.

[42] Jean Piaget, *The Child's Construction of Reality*, London 1955; Jean Piaget, B. Inhelder, *The Child's Conception of Space*, London 1956. Siehe die Diskussion der Ergebnisse in Zusammenhang mit seinem Konzept des existentiellen Raumes bei Christian Norberg-Schulz, *Existence, Space and Architecture*, New York 1971, S. 17 ff.

[43] M. Heidegger 1954, S. 155.

[44] G. Domenig 1968. Aus demselben Aufsatz siehe auch das Zitat unter Anm. 34.

[45] M. Heidegger 1954, S. 157 f.

[46] Vgl. auch O. F. Bollnow 1963, S. 96–122.

[47] J. Piaget 1955; Chr. Norberg-Schulz 1971; Gaston Bachelard, *Poetik des Raumes*, Frankfurt/M. 1975.

[48] J. Piaget 1955, S. 91 und 351.

sich das Kind nach und nach durch ein ständiges Weggehen und Zurückkehren an den vertrauten Ort seine eigene Welt, die notwendigerweise im Heim zentriert ist. »Eine sich ständig ändernde Welt würde die Etablierung von Schemata verhindern und so die menschliche Entwicklung unmöglich machen.«[49]

Dieser prominente zentrale Bezugspunkt – als Haus oder Wohnung –, an den wir hingehören, prägt auch unsere gesamte Beziehung zum Raum, zu der Räumlichkeit unseres Lebens. Im Bild des Hauses konzentriert sich das psychologische Wesen des Ortes. Gaston Bachelard beschreibt es auch folgerichtig als ein vertikales und konzentriertes Wesen, beides Eigenschaften, welche bereits als wesentliche Strukturelemente des Ortes herausgestellt wurden. Haben wir diesen Bezugspunkt verlassen, so kehren die Erinnerungen doch zurück, und wir reisen »im Lande der unbeweglichen Kindheit, unbeweglich wie das Unvordenkliche. Wir erleben Fixierungen, und es sind Fixierungen des Glückes. Wir trösten uns, indem wir Erinnerungen an Geborgenheit nacherleben ... Bevor er in die Welt geworfen wird, wie die eiligen Metaphysiker lehren, wird der Mensch in die Wiege des Hauses gelegt. Und immer ist das Haus in unseren Träumen eine große Wiege ... Das Leben beginnt gut, es beginnt umschlossen, umhegt, ganz warm im Schoße des Hauses«.[50]

Das Verdienst Bachelards liegt gerade in der Entwicklung dieser Phänomenologie der glücklichen Orte. Seine »Topo-Analyse« der Intimität ist eigentlich die Anleitung zu einer Topo-Philie, durch die uns die Welt zur Heimat werden kann. Diese Orte als Häuser, Schubladen, Truhen, Nester, Muscheln oder Winkel sind klein und doch unermeßlich weit, sie beschützen, schließen ein, und doch oder gerade deswegen ermöglichen sie die Kommunikation mit dem All. Alle sind sie Orte des Wohlseins, aus den Vorzeiten herübergerettet durch unsere Erinnerung. Sie bilden ein räumliches Koordinatennetz – eine »Topographie unseres intimen Seins«.[51]

Beachten wir, daß alle von Bachelard beschriebenen glücklichen Orte in der verwendeten Terminologie »Raumorte« sind, die uns oder unsere Gedanken empfangen, umarmen können – es sind mütterliche Orte der Geborgenheit. Doch kennen wir auch jene anderen Orte des Ausgesetztseins, die exponierten Lagen der Körperorte. Wenn wir so alle erfahrenen oder denkbaren Orte in unserer Erinnerung passieren lassen, wird deutlich, wie wesenhaft die soziale Dimension dem Raum eigen ist. Alle Handlungen brauchen Raum, alles, was stattfindet (englisch: take place), bedarf des raumhaltigen Ortes. Menschliche Zuwendung und Kommunikation ist ohne die Konzentrierung, den Schutz und die Geborgenheit des Raumortes gar nicht denkbar. Die Raumhaltigkeit des Ortes empfängt die Menschen, bringt sie zusammen und macht sie kraft ihrer Raumdefinition zur Gemeinschaft. Der Raumort entäußert sich sozusagen selbst und wird zum Gefäß. Das Wesen eines Gefäßes aber ist, daß es versammelt und zusammenführt.

Der Körperort hingegen bindet die Aufmerksamkeit, zieht sie an sich. Er erzwingt sich die Zuwendung des Menschen, der sich damit von seinen Mitmenschen abwenden muß, und transzendiert sie gegebenenfalls durch seine Vertikalität, mit der er immer über sich hinausweist. Wenn er

11. Der »irdische« Aspekt des Raumorts: Jacques Antoine Vallin, »Die Versuchung des hl. Antonius«, 1826.

12. Der »transzendente« Aspekt des Körperortes: Der Säulenheilige in Luis Buñuels Film, »Simon in der Wüste«, 1965.

[49] Chr. Norberg-Schulz 1971, S. 19.
[50] G. Bachelard 1975, S. 38f.
[51] Ebd., S. 31.
[52] Das vielleicht extremste Beispiel für diesen Aspekt des Körperortes ist die Kaaba in Mekka, der sich die Moslems in der ganzen Welt zuwenden, ohne sie zu sehen. Der schwarze Stein ist so das Bindeglied des Islam, indem er die Zuwendung von Millionen von Gläubigen an sich zieht und sie transzendiert.
[53] Christian Norberg-Schulz, »Genius loci«, in: M. Schneider, Hrsg., *Entwerfen in der historischen Straße*, Berlin 1975, S. 18.
[54] Für weitere, insbesondere soziologische Aspekte des Ortes siehe Edward Relph, *Place and Placelessness*, London 1976.

Gemeinschaft bildet, dann eine von untereinander isolierten Gleichgesinnten, denen er einen gemeinsamen Bezugspunkt, das gleiche Ziel abgibt.[52]

Der Körperort ist zunächst unzugänglich, geheimnisvoll, abstrakt. Die Masse wurde von geistigen Mächten aufgerichtet oder drückt diese aus. Wenn einem letztlich solch ein Ort sich öffnet, dann hat er trotzdem keinen Innenraum, sondern es sind vielmehr Stollen, unterirdische Gänge, die zur höchsten, exponiertesten Stelle, zur Spitze führen. Der Torre in Siena ist ein archetypisches Beispiel für solch einen »raumlosen« Turmaufstieg. Und oben in der großen Einsamkeit des Raumes ist man – ungeachtet sonstiger Turmbesteiger – zwischen Himmel und Erde allein. Die stille Landschaft liegt rundum ausgebreitet bis zum Horizont. Wer kennt nicht die Abgehobenheit, Isolation und Einsamkeit der Gipfelbesteigungen? Das Bild des Heiligen auf der Säule ist nur die extreme Inkarnation dieser Erfahrung. Es ist wohl die geistige Verstiegenheit, die ihn auf die Säule treibt. Durchaus logisch dagegen wird der heilige Antonius in seiner Eremitenhöhle irdisch, das heißt sinnlich in Versuchung geführt.

Es sind die wohlbekannten, komplementären Gegensatzpaare, mit denen der Raum- beziehungsweise Körperort apostrophiert werden könnte: horizontal – vertikal, irrational – rational, warm – kalt, Erde – Himmel, weiblich – männlich, dunkel – hell, Materie – Geist, Gemeinschaft – Isolation, passiv – aktiv, Bindung – Freiheit. Und es sind besonders jene Orte, die beide Ortskomponenten in sich vereinen, welche uns mit ihrer Vielschichtigkeit unmittelbar und nachhaltig ansprechen; denn sie entsprechen der Komplexität unseres eigenen Wesens.

Mit diesen Aspekten komme ich zu der Diskussion der menschlichen Identität im Bezug zum Ort. Wir können uns mit einem Ort in dem Maße identifizieren, in dem seine innere Struktur unserer Persönlichkeitsstruktur entspricht, insofern er durch Resonanz Saiten in uns zum Erklingen bringt. Doch kann dies nur geschehen, wenn wir bereits früher, in unserer Kindheit, auch durch Orte geprägt wurden. Wir können letztlich nur jenes erkennen, wovon wir bereits geprägt wurden, was einen Ein-Druck in uns hinterlassen hat, wovon wir ein Bild in uns tragen. Wir haben also mit anderen Worten unsere Identität – diesen schwierigen Balanceakt des Gleichgewichts zwischen uns selber und der Welt – nicht zuletzt durch Identifikation mit Orten und Menschen von ausgeprägter eigener Identität erworben. »Menschliche Identität beruht (unter anderem) auf Identifikationen mit einem Ort«, sagt Norberg-Schulz kategorisch; sie »setzt die Identität des Ortes voraus.«[53]

Was aber die Identität eines Ortes betrifft, so scheint sie mir durch zwei Qualitäten begründet zu sein: zum einen durch seine Einmaligkeit beziehungsweise Unverwechselbarkeit, womit ich nicht das Vorhandensein eines einmaligen Elementes meine, sondern die einmalige Zusammensetzung vieler Einzelfaktoren, die spezifische Komplexität eines Ortes; zum anderen durch die Einprägsamkeit, also Erinnerbarkeit des Ortes – gestalttheoretisch gesprochen: durch die Prägnanz seiner Gestalt.[54]

13. Der heilige Ort: Sv. Nikola u Prahuljama bei Zadar, Kroatien.

Philosophie des Ortes

Das philosophische Interesse an Orten ist nicht sehr alt. Raum ist zwar immer schon ein Gegenstand philosophischer Überlegungen gewesen, als »gelebter Raum« [55] aber – und erst aus diesem Blickwinkel konnte der Ort als das zentrale Phänomen des Raumes bewertet werden – wurde er erst von der Existentialphilosophie beziehungsweise der Phänomenologie behandelt. Bedeutende Beiträge zum Thema Ort und Wohnen als Wesenszug der menschlichen Existenz waren das Fragment *La Citadelle* von Antoine de Saint-Exupéry, posthum erschienen 1948; *Bauen, Wohnen, Denken* von Martin Heidegger 1951; *Poetik des Raumes* von Gaston Bachelard 1958; *Mensch und Raum* von O.F. Bollnow 1963; sowie mehrere Beiträge von Christian Norberg-Schulz seit 1971.

Es scheint mir wichtig, zunächst einmal die Beziehung von Ort und Raum sowie das Verhältnis des Menschen zum Raum zu beleuchten. Hierbei ist der Ansatz Heideggers sehr hilfreich. [56] Wenn er nämlich sagt, daß »die Räume ihr Wesen aus Orten und nicht aus dem Raum« empfangen, dann bestätigt er, was hier schon öfters angedeutet wurde, daß die an sich abstrakte, »ausdruckslose« Kategorie des Raumes erst durch die Ausgrenzung im konkreten Ort ein Wesen gewinnt. Wesenhafte Aussagen über den erlebbaren Raum lassen sich nicht durch Deduktion aus einem Raumbegriff ableiten, sondern können nur aus der konkreten Ortserfahrung erschlossen werden.

Es sind also die Orte, durch die der Mensch überhaupt erst Bezug zum Raum und zu der Räumlichkeit gewinnt. Dieser »Bezug des Menschen zu Orten und durch Orte zu Räumen« beruht aber, wie Heidegger sagt, im Wohnen. Dieses Wohnen besagt, daß der Mensch an einem bestimmten Ort zu Hause ist, daß er an einer ganz bestimmten Stelle im Raum verwurzelt ist, daß dieser Ort den Bezugspunkt seines räumlichen Koordinatensystems darstellt. [57] In diesem fundamentalen Sinne wird es auch keine Ortsunabhängigkeit des Menschen geben, wie uns einige Deuter des Informationszeitalters nahelegen wollen. [58]

Diese Ortsbezogenheit des Wohnens findet ihre Entsprechung in der Ortsbezogenheit und im statischen Wesen des Bauens, so daß Heidegger die umfassende Gleichung von Ort, Bauen und Wohnen aufstellen konnte: »Das Wesen des Bauens ist das Wohnenlassen. Der Wesensvollzug des Bauens ist das Errichten von Orten durch das Fügen ihrer Räume. Nur wenn wir das Wohnen vermögen, können wir bauen… Das Wohnen aber ist der Grundzug des Seins.«

Wenn unser Bezug zu Orten (zum Raum) im Wohnen beruht, dieses Wohnen aber zum Bauen, das heißt zum Errichten von Orten führt, welche wiederum die Bezugspunkte des Wohnens darstellen, dann haben wir es mit einem geschlossenen Wirkungskreis von einer enormen inneren Dynamik zu tun, eben mit dem schöpferischen »Grundzug des Seins«. In unserem Bezug zu Orten sind wir die existentiell Bedingten, in die Freiheit der Bindung Freigelassenen. Denn »die Grenze ist nicht das, wobei etwas aufhört, sondern … jenes, von woher etwas sein Wesen beginnt«.

Auch die mythisch-religiöse Urerfahrung des Raumes, wie sie uns von der Religionswissenschaft beschrieben wird, beleuchtet gewisse Aspekte der Ort-Raum-Beziehung, die man nach Mircea Eliade als den Gegensatz von heiligem und profanem Raum apostrophieren könnte. Der profane Raum ist demnach homogen und unstrukturiert, man kann über ihn keine qualitative Aussage machen, denn sobald er Eigenschaften aufweist, die wahrgenommen werden können, weil sie sich vom homogenen Grund abheben, haben wir es bereits mit einem besonderen, einem heiligen Raum zu tun. Der natürliche Raum als Landschaft ist frelich nicht homogen, er weist Unstetig-keitsstellen, Brüche, besondere Bereiche mit eigenem Charakter auf. Diese besonderen Stellen im Raum sind in der mythischen Welterfahrung heilige Orte mit einem eigenen Wesen, prädestiniert für das besondere Geschehen. Nach demselben Schema wurden auch vom Menschen Orte ge-schaffen, die dadurch Heiligkeit erfahren, daß aus der großen Ausgedehntheit der Welt ein be-stimmter Bereich ausgegrenzt, herausgenommen wurde. [59]

In der Ganzheitlichkeit des mythisch-religiösen Denkens ist jede Gestalt – als Gegensatz zum gestaltlosen Chaos – wesenhaft gedacht und als solche bereits heilig. Ein Wesen aber, welches wirken kann, zwingt zur Auseinandersetzung, sei es durch Bejahen oder Ablehnen; in jedem Fall erzwingt es eine Beziehung. Erst wenn wir einer Person oder einer Sache das Wesen absprechen, beziehungsweise sie überhaupt nicht als ein Wesen ansehen, kann es zur Beziehungslosigkeit – zur Ignoranz – kommen. Die wesenhaft gedachten Orte dagegen heiligen den gestaltlosen Raum, indem sie darin ein Beziehungsnetz auslegen. So entsteht eine Landschaft.

Der Ort als heilige Stelle im Raum, als »Fuge zwischen Erde und Weltall«, wie Rudolf Schwarz sagt, »als Angesicht der Erde, die ihn aus ihren Adern durchblutet, und auch als Niederlassung des Weltalls doppelt gesichtet nach beiden Seiten hin« [60] ist die eigentliche Stelle der Begegnung zwischen Himmel und Erde. Nur an Orten ist eine Epiphanie möglich, nur hier der Austausch zwi-schen den drei horizontal übereinandergeschichteten Welten (Himmel, Erde, Hölle) denkbar. [61] Der Austausch vollzieht sich natürlicherweise entlang einer vertikalen Achse, welche die Mitte im-pliziert (und umgekehrt). Und es gehört zum Wesen eines jeden Ortes, daß er ein Zentrum mar-kiert und immer etwas von der Vorstellung einer Axis mundi vermittelt.

Die Vertikalität – ohnehin die einzige auch natürlich herausgehobene Dimension des Raumes – gewinnt am Ort eine sakrale Bedeutung. Das Herabsteigen bezeichnet die Richtung der Epipha-nie; Aufstieg (Himmelfahrt), das heißt Bezwingung der Erdanziehung ist dagegen die Richtung der Transzendenz. Wird der gelebte Raum durch den Horizont begrenzt und offensichtlich vornehm-lich horizontal erfahren, so scheint die Vertikalität eine wesentliche Qualität des Ortes zu sein.

Oft werden solche und ähnliche Gedankengänge als unzeitgemäß abgetan. Gegen diese Hal-tung möchte ich hier jedoch nicht argumentieren, denn die Frage nach dem »Zeitgemäßen« wird in der vorliegenden Untersuchung ausdrücklich nicht gestellt. Vielmehr gehe ich davon aus, daß die Existenz eines Phänomens, das wir mit »Ort« bezeichnen, außer Zweifel steht und daß die Menschen im Laufe der Geschichte ihm gewisse Qualitäten zugesprochen haben. Einmal erfah-ren, sind diese Qualitäten im Fundus der kollektiven Erinnerung präsent, unabhängig davon, ob sie gegenwärtig empfunden oder genutzt werden. Sie alle gehören (in der phänomenologischen Sicht der Dinge) zum Phänomen Ort, unabhängig von dem jeweils herrschenden Zeitgeist.

[55] Als Vorläufer dieser Fragestellung können gelten: Graf K. von Dürckheim, »Untersuchungen zum gelebten Raum«, *Neue psychologische Stu-dien*, Bd. 6, München 1932; E. Minkowski, *Vers une cosmologie*, Paris 1936; E. Cassirer, *Philoso-phie der symbolischen Formen*, Berlin 1923–29. Die bereits erwähnte Raum- bzw. Orts-Theorie des Aristoteles kann man in diesem Zusammen-hang nicht aufführen.

[56] Die folgenden Stellen sind dem Aufsatz »Bauen, Wohnen, Denken«, Pfullingen 1954, S. 155–161 entnommen.

[57] Ähnlich Antoine de Saint-Exupéry, *La Citadelle, die Stadt in der Wüste*, Frankfurt/M. 1975, S. 21: »Ich habe eine große Wahrheit entdeckt. Diese: daß die Menschen wohnen, und daß sich der Sinn der Dinge für sie wandelt, je nach dem Sinn ihres Hauses.«

[58] Als frühe Stimmen siehe z.B. M. Webber, »The Urban Place and Non-Place Urban Realm«, in: *Ex-plorations into Urban Structure*, Pennsylvania 1964; H. Cox, *The Secular City*, New York 1965; aus neuerer Zeit z.B. G. Franck, »Die informations-technische Transformation der Stadt – Fortsetzung ihrer Modernisierung mit anderen Mitteln?« *Bau-welt*, 32, 1987; Vilém Flusser, mehrere Beiträge in *Arch+*, 3, 1992. Der Argumentation, daß der Infor-mationsaustausch ortsunabhängig wird und inso-fern Einfluß auf die Stadt (als Ausdruck menschli-cher Gemeinschaft) haben wird, ist unbedingt zu folgen. Zu weiterreichenden Folgerungen in Rich-tung auf »Ortsunabhängigkeit der menschlichen Existenz«, insbesondere zum Verzicht auf bauliche Fixierung von Orten, sehe ich aber keine Veranlas-sung.

[59] Siehe E. Cassirer 1929, Band II, S. 123; G. van der Leeuw, *Phänomenologie der Religion*, Tübin-gen 1955, S. 445; O. F. Bollnow 1963, S. 139ff.

[60] Rudolf Schwarz, *Von der Bebauung der Erde*, Heidelberg 1949, S. 28.

[61] Mircea Eliade, *The Myth of the Eternal Return*, Princeton 1965, S. 13.

4. Zu einer Phänomenologie des Genius loci

»Wenn ich sagen kann: ›Allmählich erkenne ich das Geheimnis dieses Ortes‹ (das heißt ich erfahre seine Topographie samt Ecken, Winkeln, Flurzeichen), dann decke ich dieses Geheimnis nicht etwa auf oder verrate es, sondern behaupte es, bewahre es (gerade dann).«

Peter Handke[62]

Bislang war von den allgemeinen, generell gültigen Eigenschaften des Ortes die Rede, immer wieder von seiner Struktur, seiner Größe und seiner Beziehung zu Weg und Raum. Auch bei der Diskussion der menschlichen Beziehung zu Orten wurde vorwiegend auf seine strukturellen Eigenschaften Bezug genommen. Was einem realen, individuellen Ort noch abgeht, sind die ganz konkreten Wesenszüge, »persönliche« Eigenschaften, die ein lebendiges Wesen ausmachen. Es fehlen jene Elemente, die den Veränderungen der Zeit unterworfen sind. Und schließlich – wollen wir das Bild vom personalisierten Ort voll ausschöpfen – muß uns dieser als ein handelndes und wirkendes Gegenüber, als ein kommunikationsfähiges »Du« entgegentreten. Erst wenn zu den permanenten, allgemeingültigen, strukturellen Eigenschaften konkrete Wesenszüge und zeitbedingte Wandlungen (als »Stimmung« und Geschichte), also »Lebenszeichen« hinzukommen, haben wir es mit einem beseelten Ort, mit einem Genius loci zu tun.

Dabei möchte ich hier Abstand nehmen von der romantischen Auffassung, die dem Genius loci vornehmlich die stimmungsmäßigen, schwer faßbaren Aspekte eines Ortes zuschreibt, genauso aber auch von jener Sicht, die den Genius loci auf einen psychischen Erlebnisvorgang reduzieren will. Wie jede andere Wahrnehmung ist auch das Erleben des Ortes zwar subjektiv und darüber hinaus kulturell bedingt, nicht jedoch unabhängig von der materiellen wie auch immateriellen Sedimentation des Ortes, wie sie im Genius loci manifest wird. Diese Ablagerungen am Ort sind auch der Grund dafür, daß viele Phänomene von den meisten Menschen archetypisch erfahren werden.

Ich kann nicht umhin, an dieser Stelle die vielzitierte klassische Schilderung eines berühmten Genius loci in voller Länge wiederzugeben, um das Gesagte zu konkretisieren. Es ist die Stelle bei Virgil, wo Euander dem Aeneas den Gründungsort Roms erklärt:

»Als er dieses gesagt, da zeigt er im Gehn den Altar ihm
Und das carmentalische Tor, das gepriesen von allen
Römern noch heute, ein ehrendes Denkmal der Nymphe Carmentis,
Jener Prophetin, welche zuerst des aeneischen Stammes
Künftige Macht und den Ruhm des Pallanteum verkündet.
Dann den gewaltigen Hain, den zur Freistatt machte der tapfre
Romulus, auch das Lupercal am Fuß des eisigen Felsens,
Wie's in Arkadien Brauch, nach dem Pan vom Lykeios es nennend.
Ferner zeigt er den Wald des grausigen Argiletum,
Weist ihm die Stätte, erzählt ihm des Gastfreunds Argus Ermordung;
Auch zum tarpeischen Fels und zum Kapitolium führt er,
Das, nun golden, voreinst von wilden Dornen umstarrt war.
Damals schon schreckt ein heiliges Graun vor dem Ort das verzagte
Landvolk, damals schon sah es mit Beben den Wald und den Felsen.
›Dort im Haine‹, so sprach er, ›und hoch auf dem schattigen Hügel
Wohnt ein Gott, doch welcher, ist ungewiß . . .‹ «[63]

Diese Beschreibung des römischen Genius loci geht auf alle auch hier als wesentlich erkannten Elemente ein: Die eigenartige Physiognomie des Ortes wird angedeutet, seine wechselvolle Geschichte wird erzählt, der Ort vermittelt Stimmungen und weckt Gefühle und wird eindeutig als Wesen erkannt. Wenn man den Text genauer analysiert, lassen sich beinahe alle Kategorien herausschälen, anhand derer ich im folgenden die Wirkung des Genius loci untersuchen möchte. Die **natürliche Beschaffenheit** des Ortes wird als gewaltiger Hain, Wald, Fels und Hügel angegeben; **das Atmosphärische** drückt sich etwa im eisigen Felsen und schattigen Hügel aus; die **Geschichte** ist auf Schritt und Tritt gegenwärtig; eine **architektonische Fassung** der geheiligten Stellen wird angedeutet als Altar, Tor und das »goldene« Kapitolium. Und schließlich wirkt sich der Genius loci auch in der Art und Weise aus, wie der Ort bevölkert wird, wie er durch **Menschen** und Tiere in Besitz genommen wird. Und doch bleibt oft etwas **Unfaßbares** übrig, etwas Geheimnisvolles, das sich präziser Benennung entzieht, etwa wenn das Landvolk mit Beben den Wald und den Felsen anschaut und von einem heiligen Grauen ergriffen wird.

1. Bahnunterführung in Paris.

Bevor ich jedoch auf eine detaillierte Diskussion des Phänomens Genius loci anhand der oben skizzierten Kriterien eingehen kann, ist es angezeigt, die grundlegende Arbeit zu diesem Thema, das Buch Genius loci von Christian Norberg-Schulz, kurz zu besprechen.[64]

Um den Genius loci zu fassen, untersucht auch Norberg-Schulz zunächst das Phänomen Ort. Er bezeichnet es als ein »qualitatives Gesamt-Phänomen«, das aus konkreten Dingen besteht und einen eigenen Charakter besitzt. Die **konkreten Dinge** als Landschaft, Siedlung usw. sind räumlicher Natur und werden auf ihre topologischen, strukturellen und gestaltrelevanten Eigenschaften hin untersucht. Der **Charakter** wird einerseits wiederum durch »die konkrete Form und Substanz der raumdefinierenden Elemente« bestimmt – dies sind letztlich wieder die oben genannten konkreten Dinge des Ortes, diesmal jedoch feinmaschiger eingefangen – und andererseits als »eine allgemeine Gesamtstimmung« definiert. Hier wird deutlich, welche Schwierigkeiten es bereitet, den Begriff Charakter im Falle des Ortes zu konkretisieren.

Das Verhältnis des artifiziellen Ortes zur Natur wird in drei Kategorien aufgeteilt und mit Visualisieren, Ergänzen und Symbolisieren bezeichnet.[65] Die Beziehung des Menschen zum Ort aber faßt Norberg-Schulz entsprechend der Terminologie des Existentialismus – und hier besonders bezugnehmend auf Heidegger – in dem Wort »Wohnen« zusammen. Entsprechend der getroffenen Unterscheidung nach Raum und Charakter sind also **Orientierung** und **Identifikation** die beiden für das Wohnen relevanten psychischen Funktionen, die durch den Ort befriedigt werden müssen.

Daraufhin behandelt er den natürlichen und artifiziellen Ort getrennt, wohl um die jeweiligen Phänomene konkreter fassen zu können, obzwar beide nach denselben Kriterien untersucht werden. Vorausgeschickt werden » fünf Grundweisen des mythischen Verstehens«, mit deren Hilfe der Mensch in eine sinnvolle Beziehung zu seiner Umwelt tritt. Danach wurden zunächst Naturkräfte mit konkreten Naturelementen identifiziert, sodann eine »systematische kosmische Ordnung« aus den Einzelerscheinungen abstrahiert und drittens Naturerscheinungen anthropomorph charakterisiert. Soweit lassen sich diese Grundweisen des mythischen Verstehens kultur- beziehungsweise religionsgeschichtlich einordnen. Überraschenderweise kommt nun aber Licht und Zeit hinzu, die ich als Grundweisen des Naturverstehens nicht in einer Entwicklungsreihe mit den drei Erstgenannten zu sehen vermag. Als »Ding, Ordnung, Charakter, Licht und Zeit« (die ersten vier dem »Geviert« Heideggers – Erde, Himmel, die sterblichen Menschen und die Göttlichen – in etwa verwandt) werden diese freilich zu konkreten Dimensionen eines Ortes, in denen der Genius loci zum Ausdruck kommt.[66]

Eine gewisse Verwirrung stiftet auch die Verwendung des Wortes »Ort« für Landschaften, Länder und sogar Kontinente. Das Kriterium der Überschaubarkeit eines Ortes spielt hier offensichtlich keine Rolle, obwohl an einer anderen Stelle die klassische Landschaft »als sinnvolle Ordnung selbständiger, einzelner Orte« mit dem schönen Zitat von Ludwig Curtius illustriert wird: »Die einzelne griechische Landschaft ist jedesmal ein höchst klar durch die Natur abgegrenztes, mit dem Auge übersehbares geschlossenes Gebilde …« Ich denke bei dieser Beschreibung etwa an die

[62] Peter Handke, *Die Geschichte des Bleistifts*, Salzburg 1982.
[63] Publius Vergilius Maro, *Aeneis*, Stuttgart 1979, VIII, 337–352.
[64] Christian Norberg-Schulz, *Genius loci*, Stuttgart 1982. Die nun folgenden Zitate sind diesem Buch entnommen.
[65] Vgl. die geomorphe, repräsentative und rationale Haltung bei Tomáš Valena, *Stadt und Topographie*, Berlin 1990, S. 15f.
[66] Vgl. auch die hier verwendeten Kategorien: Natürliche Beschaffenheit, das Atmosphärische, Geschichte, architektonische Fassung, das Bewegte und das Unfaßbare.

Argolis, die man trotz ihrer recht großen Ausdehnung vielleicht gerade noch als Ort erfahren kann, weil sie eben übersehbar, überschaubar ist.

Folgerichtig spricht Norberg-Schulz dann auch eher von Landschaften (um nicht zu sagen »Landschaftstypen«) als von Orten und beschreibt die romantische, kosmische und klassische Landschaft, denen er die Maßstabsebenen mikro, makro und mittel zuordnet und die er auch geographisch lokalisiert als nordische Landschaften, als Wüsten und als klassische Landschaften des Mittelmeerraumes, allen voran Griechenland. Man beachte, daß diese drei Typen auch den ersten drei »Grundweisen des mythischen Verstehens« der Natur exakt entsprechen.

Das unbestreitbare Verdienst von Norberg-Schulz ist das Herausarbeiten der Charaktere dieser Landschaftstypen und deren Beziehung zu den artifiziellen Orten.

Doch selbst wenn die Einbindung des Genius loci in einen bestimmten Landschaftscharakter nur eine Seite seines Wesens offenbart, so gilt die Feststellung uneingeschränkt, daß »der jeweilige Genius loci ... in einem hierarchischen System (steht) und nur in diesem Kontext ganz verstanden werden (kann)«.

Zur Konkretisierung wird der Genius loci von Prag, Khartum und Rom ausführlich beschrieben. Abschließend werden die Erkenntnisse über Ort und Genius loci zusammengefaßt. Dabei werden einige Aussagen gemacht, deren Anspruch auf Allgemeingültigkeit ich nicht uneingeschränkt folgen kann. Daß sich der Sinn des Ortes in dem, was er versammelt, manifestiert, leuchtet ein. Daß aber nur »die Sinngehalte, die durch einen Ort versammelt werden, dessen Genius loci konstituieren«, ist sicherlich eine Verkürzung der komplexeren Aussage des Buches, wo ja großer Wert gerade auf die ganz konkreten Eigenschaften des Ortes gelegt wird. Versammeln heißt, Dinge von verschiedenen Orten zusammentragen. Dies geschieht in der Regel durch Symbolisierung. »Die Sinngehalte, die sich an bestimmten natürlichen Orten offenbaren, wurden in Bauwerke umgesetzt und durch Errichtung ähnlicher Bauwerke in der Stadt dorthin gebracht.« Hier wird schlicht die Transformation einer konkreten Erfahrung zur allgemeingültigen, übertragbaren, also typisierten Lösung beschrieben. So kann man sich im allgemeinen die Entstehung dessen vorstellen, was ich weiter oben mit der Sammelbezeichnung Typus umschrieben habe. Daß der Genius loci aber ausgerechnet oder sogar ausschließlich durch Elemente des Typus konstruiert werden sollte, leuchtet nicht ein. »Versammelt« wird nicht nur mittels Symbolisierung von fernen Dingen, sondern ebenso durch die Visualisierung (um in der verwendeten Terminologie zu bleiben) der Eigentümlichkeiten des Ortes. In dieser Hinsicht vermag ich auch die starke Differenzierung zwischen dem dörflichen und dem städtischen Ort nicht nachzuvollziehen, da ich in beiden die Elemente des Typus wie des Topos vertreten sehe.

Dennoch ist das Buch von Norberg-Schulz in jeder Hinsicht anregend, und es bleibt sein großes Verdienst, diese Dimensionen der Architektur systematisch zur Sprache gebracht zu haben. Man wird auch in Zukunft an dieser Arbeit nicht vorbeikommen, wenn Ort und Genius loci in der Architektur thematisiert werden.[67]

Im folgenden möchte ich versuchen, die im engeren Sinne örtlichen Wesenszüge des Genius loci konkret zu beschreiben. Dabei werde ich in der Reihenfolge einer wahrscheinlichen Entwicklung eines Ortes jeweils neue Schichten hinzufügen.

Wie alles andere auch, ist der Genius eines Ortes von Anfang an der Zeit unterworfen. Die ersten beiden Schichten – eigentlich ein einziges komplementäres Paar von Himmel und Erde – sind vom Augenblick der Schöpfung an (als sie aus dem Chaos geschieden wurden) dem Wandel der Zeit unterstellt. Mit dem Auftreten des Menschen fängt die »menschliche« Geschichte des Genius loci an, denkbar auch ohne jegliches Eingreifen am Ort, als reine Erinnerungsspur. Setzt sich der Mensch bauend mit dem Ort auseinander oder besiedelt er ihn gar, so kommen zwei weitere Elemente hinzu: Architektur als die artifizielle Schicht des Ortes und die Präsenz des Menschen mit ihrer eigentümlichen Dynamik. Oft jedoch bleibt von der Komplexität des Ortes ein Rest übrig, der nicht richtig zu fassen ist. Diesen möchte ich am Schluß andeuten.

Die natürlichen Wesenszüge eines örtlichen Geistes lassen sich innerhalb der Kategorien Topographie und Vegetation beschreiben. Diese wiederum können – wie alle anderen räumlichen Phänomene auch – nach Struktur, Gestalt und Oberflächenbeschaffenheit untersucht werden.

Das Oberflächenrelief (Topographie)

Das Oberflächenrelief der Erde ist im allgemeinen durch die Einwirkung von Wasser und Erdanziehung hierarchisch gegliedert. Jedes einzelne Flußsystem gibt das zweidimensionale Bild einer Baumkrone ab – kleine Kapillareinschnitte sammeln sich in immer größeren Mulden, bis sie sich

30

2. Der hohe Ort: Berggipfel in den Alpen.

in die undifferenzierten Ebenen ergießen. Analog – als Umkehrform sozusagen – kann man sich das System der Grate des Gebirges vorstellen. Dieses komplementäre System liefert die Grobstruktur der Erdoberfläche und reicht aus zur Erklärung der meisten topographisch bestimmten natürlichen Orte (Berg, Tal, Talschluß, Bergrücken, Bergausläufer, diverse Randlagen usw.). Durch geologische Besonderheiten kann eine weitere Reihe analoger Phänomene (freistehender Berg, Kessel, Höhle usw.) erklärt werden. Die Uferkante als Scheidelinie zwischen Land und Wasser definiert dabei die wohl markantesten Naturorte (Insel, Flußschleife usw.).[68]

Im nächsten Schritt müßten nun diese topographischen Einzelphänomene, die als Orte auftreten, als konkrete Gestalten beschrieben und deren Wesen und Wirkung aufgezeigt werden. In derselben Art und Weise müßte man mit den Phänomenen der Vegetation, des Atmosphärischen, der Architektur usw. verfahren und würde am Ende so etwas wie eine **Phänomenologie der Wesenszüge und Wirkungsweisen des Genius loci** erhalten, die zum Verständnis eines konkreten Genius loci zwar unerläßlich, aber nicht ausreichend wäre. Diesem kann man sich letztlich nur durch die Beschäftigung mit dem konkreten Ort nähern. Intim mit einem Genius loci wird man allerdings erst durch einen schöpferischen Umgang mit dem Ort.

So notwendig eine derartige Phänomenologie des Genius loci auch wäre, übersteigt sie doch bei weitem den Rahmen dieser Arbeit. Daher möchte ich wenigstens auf die wichtigsten relevanten Phänomene hinweisen, gegebenenfalls skizzenhaft auf Probleme eingehen sowie auf bereits vorhandene Ansätze verweisen.

Die topographischen Gestalten, welche Orte bilden, kann man generell in Erhebungen, Niederungen, Phänomene, die zwischen diesen beiden vermitteln (Hang), und Orte, die vom Wasser gebildet werden, unterteilen. Das topographische Phänomen der vollkommenen homogenen Ebene bildet nach Definition keine Orte aus eigener Kraft. Immer sind zusätzliche Elemente, etwa ein Baum, eine Flußschleife oder ein Höhenunterschied, nötig, um einen Ort zu begründen.

Erhebungen treten als Berg, Hügel (hier insbesondere als Gipfel) auf, wobei man je nach Maßstabsebene auch an einzelne Felsen oder Steine denken kann. Ist die Erhebung gedehnt, sprechen wir vom Bergrücken, bei entsprechender Schärfe des oberen Abschlusses vom Grat oder Kamm. Läuft ein Bergrücken in die Ebene aus, so entsteht ein ausgeprägter Ort als Berg- oder Gebirgsausläufer. Ein Plateau (bei einer nicht allzu großen Ausdehnung zum Beispiel ein Tafelberg, eine Mesa) ergibt mit seinen meist scharfen Grenzen einen wohldefinierten Ort.

Ein markanter, seine Umgebung überragender, vor allem aber ein freistehender Berg versammelt die umliegende Landschaft und bringt sie in einer Intensität zum Ausdruck, wie es Erhebungen einer hügeligen Landschaft nicht vermögen. (Insofern ist die Wirkung eines hohen Ortes durch die Landschaftsstruktur bedingt.) So sind es schon immer vor allem diese freistehenden, sozusagen übriggebliebenen Berge gewesen, wo besondere Geister oder sagenumwobene Gestalten gewohnt haben: König Barbarossa unter dem Kyffhäuser in Thüringen, die Blaník-Ritter unter dem Berg Říp in Böhmen; der Devil's Tower, ein frei aufragender Basaltstock in Wyoming, USA, oder der Ayers Rock in Australien.

[67] Zur Vervollständigung der Diskussion über das Buch von Norberg-Schulz verweise ich auf den Artikel von Luisa Martina Colli, »Der Verlust des Ortes – eine kritische Auseinandersetzung mit Christian Norberg-Schulz«, archithese, 5, 1984, sowie die eher kritische Haltung der archithese-Hefte 3–5, 1984.
[68] Siehe auch die Besprechung der Phänomene Ebene, das Hohe, das Niedrige, der Hang und das Wasser im Zusammenhang mit Stadtstrukturen, in: T. Valena 1990, Anm. 65, S. 19 f.

Die Berge ragen zum Himmel empor und sind dem Göttlichen auch dadurch näher, weil sie die sakrale Dimension der Vertikalität verkörpern. So sind sie nicht nur Wohnorte der Götter, sondern ermöglichen auch die Kommunikation mit ihnen.[69] Diese widerfuhr zum Beispiel dem Elija auf dem Berge Horeb, wo ihm der Herr im sanften Windhauch begegnete.[70]

Für Talbewohner gehören Berge zu den eher fernen, entrückten Orten, visuell zwar präsent, tatsächlich aber jenseits der Reichweite der Alltagswelt. In ihren extremen, lebensfeindlichen Formen (zum Beispiel als Fels und Eis) drücken sie Unnahbarkeit und geheimnisvolle Isolation aus und lassen uns erschaudern; ihr Genius loci erscheint uns gewaltig und majestätisch, ein unangefochtener Herrscher seines Ortes.

Selbst bei kommunikationsfreundlicheren Hügeln und Bergen bedarf es immer einer körperlichen und geistigen Anstrengung (Selbstüberwindung), um den Berg zu ersteigen. Der Aufstieg (mit allen Konnotationen, die der Aufwärtsbewegung eigen sind) ist somit gleichzeitig eine Läuterung, eine Transzendierung der gewöhnlichen Realität, und man wird am Gipfel auch mit einer Rundum- und einer Weitsicht belohnt. Der Geist des hohen Ortes ist in der Tat ein »erhebender«, er weitet das Herz und macht es geräumig, um die ganze Landschaft zu fassen. Wie schon erwähnt, ist der Berg nicht der Ort, der Menschen zueinanderführt, sondern eher einer, der sie nach außen kehrt und sie bereit macht für die Kommunikation mit dem Kosmos. Indem der Gipfel die Bewegungsfreiheit einschränkt, konzentriert er das Wesen und weitet den Geist.

Sofern ein Berg von dem archetypischen Schema eines Kegels mit einem punktförmigen Gipfel abweicht und sich der Gipfel einem flachen Plateau nähert, wandeln sich auch die eben beschriebenen Wesenheiten des Ortes. Die Konzentration des Gipfelpunktes kommt nicht auf, ein neuer Horizont des Plateaurandes schmälert die Sicht, Raumausdehnung und Grenzdefinition des Ortes nehmen zu, der Genius eines solchen Ortes lädt zum Wohnen ein.

Solitäre Felsen, große freistehende Steine oder auch Kristalle stellen eine besondere Kategorie der Erhebungen dar. Seit Urzeiten haben sie den Erdgeist verkörpert. Der Stein scheint durch seine Dichte, Härte und Beständigkeit das Wesen des Ortes konzentriert, sozusagen als Essenz, zum Ausdruck zu bringen. Ein aus seiner Umgebung herausragender Stein zieht an und konzentriert die Aufmerksamkeit; das Herausgehobensein und sein Bezug zu den Tiefen verleiht ihm eine magische Aura. Die Erdkräfte des Ortes werden hier gebündelt erfahren. Der Geist, der hier wohnt, ist nicht unnahbar, aber auch keinesfalls harmlos. Wo solche konzentrierten Orte fehlen, hat der Mensch seit jeher nachgeholfen und künstlich Steine aufgerichtet, um den Erdgeist am Ort zu binden.[71]

Das Wissen um das langsame Wachstum der Kristalle in Erdzeitaltern der Stille verleiht ihnen eine fast biologische Lebendigkeit, und wir werden an diesem Beispiel gewahr, wie essentiell der Aspekt der Entwicklung und Veränderung für die Definition des Lebendigen ist.

Niederungen sind in mancher Hinsicht der Gegensatz zu den Erhebungen, und viele Wesenheiten des niederen Ortes könnte man bereits aus diesem Gegensatz erklären. Der hohe Ort ist exponiert, sein Element ist die Luft, der Wind, den man nicht fassen kann; der niedere Ort ist ge-

3. Der niedrige Ort: Logarska dolina, Slowenien.

[69] Zu jüdisch-christlichen Theophanien auf Bergen siehe D. Forstner, *Die Welt der christliche Symbole*, Innsbruck 1986, S. 87 ff. Zu Bergen siehe weiterhin N. Pennick, *Die alte Wissenschaft der Geomantie*, München 1982, S. 29 ff.; Jan Pieper, *Ähnlichkeiten*, Krefeld 1986, S. 48 ff.; C. W. Ritter, *Beschreibung merkwürdiger Berge, Felsen und Vulkane*, Leipzig 1806.

[70] *Das Alte Testament*, 1. Buch der Könige, Kap. 19, 11–13.

[71] Das Thema »Erdgeist« wird im Zusammenhang mit der Architektur im nächsten Kapitel ausführlicher besprochen.

[72] Solche Stellen waren von jeher die Wohnorte der Erdgeister, später oft als Nabel der Welt oder Orakelstätten verehrt, wie zum Beispiel die berühmte Orakelstätte in Delphi.

[73] Noch deutlicher empfindet man diese Bedrohung unterhalb von künstlichen Staudämmen.

schützt, von Wänden umgeben, sein Element ist das Wasser, es fließt im Talboden oder sammelt sich in der Senke zum See. Dies ist der klassische Gegensatz des Körperortes und des Raumortes.

Sagen wir Niederung, so denken wir zunächst ans Tal – an die gerichtete Niederung, die weniger die Statik des Ortes als die Dynamik des Flusses und der Bewegung vermittelt. Um Ort zu werden, bedarf das Tal zusätzlicher Fixpunkte oder Richtungsänderungen, die überschaubare Raumabschnitte schaffen. Trotzdem wird der Talort immer von der Dynamik des Weges überlagert bleiben. Von den Hängen zweiseitig begleitet und räumlich begrenzt ist der Talort nach den zwei anderen Richtungen offen. Dieses Gleichgewicht zwischen Offenheit und Geschlossenheit ist ein Wesenszug des Genius loci eines Talortes. So verwundert es nicht, daß die meisten klassischen lieblichen Orte (Loci amoeni) in nicht allzu schroffen Tälern angesiedelt waren.

Das Wesen des Talortes ist sehr stark vom Talprofil, seiner Enge oder Weite, von Neigung und Beschaffenheit der Wände und ihrer Höhe abhängig. Schon die entsprechenden Bezeichnungen wie Schlucht oder Klamm vermitteln phonetisch etwas von der Bedrohlichkeit – der Beklemmung – enger und tiefer Einschnitte. Die Unwegbarkeit solcher Orte entrückt sie noch zusätzlich der Erfahrungswelt und steigert den Schrecken der Bodenlosigkeit. Solchen unwegsamen Schluchten oder Spalten nähert man sich immer von oben und mit Vorsicht, um nicht abzustürzen und von den Erdtiefen verschlungen zu werden. Hat eine Schlucht – wenigstens theoretisch – irgendwo ihre zwei Ausgänge, so sind die Erdspalten und Karsteinbrüche ausweglos, unterirdische Labyrinthe, den Höhlen verwandt. Ihr Geist ist chthonisch, unberechenbar, man erschaudert in seiner Nähe.[72]

Ist das Tal zweiseitig offen, das heißt durchgängig, so wird der Talschluß an einer zusätzlichen Stelle von Erhebungen begrenzt, es gibt nunmehr einen klar definierten Zugang, man kann hier in die Enge getrieben werden. Der Ort ist eindeutig fixiert auf Kosten des Gleichgewichts. Es ist schwierig, Allgemeines über den Charakter des Talschlusses auszusagen.

Zuviel hängt vom Maßstab und von der Beschaffenheit der Talwände ab. Für den Wanderer ist ein Talschluß im Hochgebirge in erster Linie ein schwer überwindbares Hindernis.

Denkt man an einen solchen Ort, so nähert man sich immer von unten, wird von der Frontalansicht der aufragenden Berge überwältigt und in der Bewegung gestoppt. Es ist ein abweisender Geist, der hier wohnt. Wichtig für die Wirkung des Talschlusses ist auch die Art und Länge des Zugangs durch das Tal. Ist der Zugang lang und steigt er im letzten Teil stärker an (wie das bei Hochgebirgstälern oft der Fall ist), so wird eine Felswand im Talschluß nach dem langen mühevollen Weg nicht nur abweisend, sondern wegen der gesamten Gebirgsmasse, die man hinter ihr vermutet, auch bedrohlich wirken.[73] Ist dagegen der Weg kurz, das Talende womöglich von einem großräumigen Talraum direkt einzusehen und das gesamte Oberflächenrelief nicht allzu dramatisch, dann kann ein solcher Talschluß zum schützenden Amphitheater, einem intimen Nest mit einem freundlichen Genius werden, wovon viele Stadtlagen gutes Zeugnis geben.

Völlig abgeschlossene Niederungen wie Kessel, Krater, Karstdolinen oder Trichter sind die perfekten, in sich ruhenden Raumorte – die eigentlichen Gegenpole zu freistehenden Bergen. Ist das Tal durch seine Durchgängigkeit gekennzeichnet (oft durch das fließende Wasser noch veranschaulicht), kann man den Talort also aufsteigend wie auch absteigend erreichen, und muß man zum Talschluß aufsteigen, so steigt man zu einem Kessel beziehungsweise zu einem natürlichen Raumort immer ab. Und das Phänomen des Zugangs ist, wie wir gesehen haben, ein wesentliches Charaktermerkmal des Ortes.

Der vollkommene, natürliche Raumort ist die Höhle. Vollständig von Gestein umgeben, in der Erde begraben, stemmt sie sich dennoch scheinbar mühelos mit ihrer konkaven, endlosen Raumschale gegen den ungeheuren Druck. Sie schafft Raum im schier Raumlosen und bietet so Schutz, doch die unberechenbare Gefahr, zusammengedrückt zu werden, ist allgegenwärtig. Diese Dichotomie ist der Wesenszug der Höhle.

Die immerwährende Dunkelheit macht den Höhlenraum nicht existent, erst durch das mitgeführte Licht mit seinen langen Schlagschatten wird er erschaffen, jedoch in einer recht begrenzten Ausdehnung – einige Schritte weiter beginnt die unausgelotete, unheimliche Tiefe des Raumes. Der Geist, der hier wohnt, ist unberechenbar, hält sich im Hintergrund auf, und wir bleiben auf der Hut. Die eigentliche, vollkommene Höhle lebt in unserer Vorstellung völlig introvertiert mitten im Berg, und keiner kennt den Zugang (gibt es ihn überhaupt?). Und selbst die bekannten, zugänglichen Höhlen drängen sich nicht auf, man muß schon ihren Eingang suchen; ist man aber einmal eingetreten, wird man von ihrer Totalität vereinnahmt. Diesem Bann ist schwer zu entkommen – man schweigt noch eine Weile, nachdem man wieder ans Tageslicht getreten ist, bevor sich die konzentrierende Wirkung des Höhlenraumes ganz verflüchtigt hat.

Die Höhle als der Mutterschoß der Erde ist aber gleichzeitig auch der Sitz lebenspendender, unsichtbarer Mächte. An diesen dunklen und feuchten unterirdischen Orten, denen oft Quellen und Flüsse entspringen, in denen die Metalle wachsen, vollzieht sich die Schöpfungsarbeit der Erde. So war der Abstieg ins Erdinnere immer auch ein lebenskraftsteigerndes Ritual.[74]

Der Hang vermittelt zwischen den hohen und den niedrigen Orten. Das Wesen des Hangortes ist zum Teil aus dieser Mittlerrolle zwischen den Extremen zu erklären – er ist gegenüber seiner Umgebung immer hoch und niedrig zugleich, er ist einseitig geschützt und einseitig exponiert. Das eigentlich Spezifische des Hanges läßt sich aber dadurch nicht erklären – es liegt in dem eigenartigen Phänomen der schiefen Ebene begründet. Die geneigte Fläche differenziert mit Hilfe der Erdanziehung zwei dominante Richtungen aus der ganzen Fülle möglicher Richtungen heraus: die Fall- und die Höhenlinie. Welche grundverschiedenen (Welt-)Erfahrungen damit verbunden sind, mag sich jeder selber vergegenwärtigen, indem er sich an entsprechende, ihm vertraute Gebirgspfade erinnert: der mühevolle, zielstrebige Anstieg über die Direttissima, nur den Hang (die Wand) und das Ziel vor Augen, und der Panoramaweg, den Faltungen des Hanges folgend, ohne Anstrengung und Zielfixierung – so bleibt der Geist und das Auge frei für immer neue Fernblicke. Eine Hangquerung wird aber – eben weil sie nicht auf ein Ziel fixiert ist – immer einen »vorübergehenden« Charakter behalten. Wenn es also in der Dynamik des Hanges trotzdem stabile Orte gibt (und ich werde weiter unten auf die zusätzlich benötigten Eigenschaften eingehen), dann wird die Art des Zugangs für den Charakter des Ortes von entscheidender Bedeutung sein.

Der Hang als schiefe Ebene ist also ein ausgesprochen dynamisches Element, dem je nach der Neigung eine mehr oder minder große Instabilität eigen ist, die man bedrohlich empfinden kann. Der Hang ist im Grunde haltlos. Die Angst auszurutschen, sich nicht mehr fangen zu können, ist archetypisch für das geneigte Gelände – man verspürt das Bedürfnis, sich festzuhalten. Der Boden selbst könnte uns unter den Füßen wegrutschen, und Erd- oder Schneemassen könnten auf uns einstürzen. Der Hang kann so steil werden, daß er von unten als eine abweisende, weil unwegsame Wand erscheint, die von oben als Abgrund erfahren wird.

Wie sind also in dieser bedrohlich instabilen Situation Orte möglich, wie kann man im Hang überhaupt Halt finden? Erinnern wir uns der strukturellen Definition des Ortes – es waren wohl immer Diskontinuitäten des Raumes, die einen Ort erst ermöglicht haben. Ein freistehender Baum oder eine besondere Felsformation im Hang haben sicherlich das Potential, einen Ort zu schaffen. Das Geländerelief selber schafft mit seinen Kanten und Längs- beziehungsweise Querfaltungen etliche natürliche Orte: die unteren und oberen Hangkanten, die konkav beziehungsweise konvex gebogenen Hänge (Mulden, Rippen, Hangterrassen und Sattellagen).

Variiert die Hangneigung, so entstehen flachere Stellen, die von den steileren Bereichen mehr oder minder klar abgegrenzt sind – auf diesen Terrassen kann man sich entspannen, das krampfhafte Bedürfnis, sich festzukrallen, löst sich. Selbst eine geringfügige Abflachung empfindet man als wohltuend, und Bergsteiger wissen, wie geräumig und wie stark im Ortscharakter eine schmale Felsbank in der Steilwand sein kann, an der man gerade noch stehen kann. Wo er keine

[74] Hierzu einige Titel aus der umfangreichen Höhlenliteratur: R. Binder, »Anschauungen über die Entstehung unserer Höhlen«, *Jahreshefte für Karst- und Höhlenkunde* 4, S. 137–153, München 1963; J. Gaffarellus, *Librum de Cryptis toto orbe celebrius*, 1637; A. Götze, *Die Schatzhöhle, Überlieferungen und Quellen*, Heidelberg 1922; H. Güttenberg, *Der Einsiedler in Geschichte und Sage*, Wien 1928; B. Helmich, »Eine Sammlung alter Höhlenbeschreibungen«, *Speleologisches Jahrbuch*, 10/12, 71, 1929–31; A. Kircher, *Mundus Subterraneus*, Amsterdam 1665; J. Pieper, *Das Labyrinthische. Über die Idee des Verborgenen, Rätselhaften, Schwierigen in der Geschichte der Architektur*, Braunschweig 1987; R. Pirker, »Gaffarell's ›Die unterirdische Welt‹«, *Die Höhle*, 1, S. 24–27, Wien 1950; C. W. Ritter, *Beschreibung der größten und merkwürdigsten Höhlen des Erdbodens*, Hamburg 1801–06; C. W. Ritter, *Blicke in die Eingeweide der Erde*, Hamburg 1806; J. C. Rosenmüller, W. G. von Tilesius, *Beschreibung merkwürdiger Höhlen*, Leipzig 1799–1805; R. Srbik, »Höhlenkundliche Anschauungen«, *Zeitschrift für Karst- und Höhlenkunde*, 2–10, Berlin 1942–43; H. Trimmel, *Höhlenkunde*, Braunschweig 1968. – Phänomenologisch sehr aufschlußreiche, oft delirische Höhlen- und Unterweltbeschreibungen finden sich in I. R. R. Tolkien, *The Hobbit* und *The Lord of the Rings*.
[75] Auch das chinesische Feng-shui sieht in dieser Situation die ideale Lage für ein Haus bzw. eine Siedlung. Ausführlicher zum Feng-shui im nächsten Kapitel.
[76] R. Schwarz 1949, S. 53.

4. Steilhang, mit Maschendraht gegen Abrutschen gesichert.

Terrassen vorfindet, baut der Mensch sie selber, will er im geneigten Gelände überhaupt bestehen. Der Geist, der hier wohnt, ist schwer zu fassen, zumal er die Eindeutigkeit des hohen beziehungsweise des niederen Ortes nicht besitzt. Obwohl wir freundliche Aufnahme gefunden haben, ist es ein Bleiben auf Widerruf – die dem Hang wesenseigene Unbeständigkeit ist noch präsent, die Bedrohung allgegenwärtig.

Ist der Hang konkav gebogen, entstehen Mulden, Amphitheater, geschützte Nestlagen mit wohltuender Raumhaltigkeit, die den Zwiespalt der Hangsituation aufzuheben scheinen. Es ist diese Raumhaltigkeit, die den Charakter des Ortes stabilisiert und ihm Halt gibt, ähnlich einer Schale, die das Wasser zusammenhält. Konvexe Biegungen unterstützen die Entstehung eines Körperortes, die Hänge steigern hier eher die Wirkung der Gipfel und Grate, als daß sie selber einen Ort darstellen würden.

An Eindeutigkeit lassen ausgeprägte Hangkanten (unten und oben) nichts zu wünschen übrig, sind sie doch dem Tal beziehungsweise dem Hochplateau unzweideutig zugeordnet, wo sie jeweils die äußerste Randlage markieren (eine zusätzliche Fixierung entlang der Randlinie ist freilich nötig, um einen Ort zu schaffen). Der Hang ist an seinem unteren Rand fest im Talboden verankert, wenn dieser vollkommen eben ist und der Hang darin scharf einschneidet. An solch einem Ort steht man mit beiden Füßen fest auf dem Boden, hat einen geschützten Rücken und weite Aussicht ins Tal. Oft entspringen hier Quellen und tragen zusätzlich dazu bei, daß wir diesen Ort im Sinne der Antike klassisch nennen dürfen.[75]

Der Sattel ist ein topographisches Phänomen, welches zwischen Berg und Tal angesiedelt ist und Eigenschaften beider Extreme aufweist, ohne jedoch die Instabilität des Hanges zu teilen. Vom Tal her aufsteigend, erfährt man ihn als Gipfel, den man nach dem Kulminationspunkt auf der anderen Seite wieder im Abstieg verlassen kann; vom Gipfel absteigend wirkt er wie eine Talsenke, denn gegenüber steigt eine weitere Erhebung an. Der Sattel ist ein wohldefinierter Ort, an dem man das Equilibrium der Kräfte einer Landschaft vielleicht am deutlichsten spürt.

Das Wasser

Wasser nimmt bei der Gestaltung des Oberflächenreliefs und seiner Beschaffenheit eine Sonderstellung ein: Zum einen hat es in seiner bewegten Form das Relief durch beständige Erosion in seine jetzige Gestalt gebracht, zum anderen bildet es durch das Ziehen scharfer Trennlinien zum Festland markante Orte, und, was für die vorliegende Betrachtung des Genius loci vielleicht das entscheidendste ist: Es bringt im Kontrast zu den statisch beständigen Elementen des Oberflächenreliefs dynamisch lebendige Dimensionen der Bewegung, der Geräusche, von der Witterung abhängige Transparenz beziehungsweise Spiegelungen und jahreszeitliche Metamorphosen als Eis und Nebel hervor, alles Phänomene, die das lebendige Wirken eines Genius loci noch unterstreichen. Darüber hinaus ist mit dem Wasser die Vorstellung vom Ursprung des Lebens, vom Lebensquell, verbunden, was den Aspekt des Lebendigen oft bis ins Sakrale steigert.

Eine schöne Beschreibung der verschiedenartigen Erscheinungsformen und Wesenszüge des Wassers findet sich bei Rudolf Schwarz. Ich möchte sie in voller Länge bringen, weil sie mir für die folgenden Erörterungen der »Wasserorte« relevant erscheint:

»Einfallsreich ist das Wasser, wo es dem Festen begegnet. Da erfindet es um jeden Stein eine Form, Strudel und Schleier, Tropfen und Strahl, Rinnsal, Geäder, ohne Ende umspielt es das Feste, schmiegt sich ihm an und höhlt ihm die Mulde ein, in die es sich legt. Findet es aber sein Bett, dann ist es gleich wieder Teich und Spiegel. Unendlich in Formen verspielt ist es, aber es vergißt sie sogleich wieder, denn es hat kein Gedächtnis wie das Gestein, das sich nur langsam eine Form merkt und sie dann lange behält. Das Wasser behält nichts von all dem Formengeschwätz, das es mit Festem und Windigem hatte, es schmiegt sich allem Begegnenden an, weiß auf alles Antwort, aber es vergißt sogleich wieder Antwort und Form, wenn ihm etwas Neues begegnet, mit dem es sich anders vergnügt. Doch sich selbst vergißt es nicht. Ins Stille gekommen wird es gleich wieder Welle und Spiegel. Doch schon die Welle ist Begegnung mit dem Wind und dem Boden. In ihr wird das Wesen des Wassers ganz deutlich, das Formen aufbaut und darüber schon wieder den Abbau vorbereitet und eins ins andere vergißt. Doch das Wogen ist nur ein wenig Gekräusel über schweigender Tiefe.«[76]

Schreiten wir in Gedanken einen Wasserlauf entlang, so begegnen wir einer Reihe ausgeprägter natürlicher Orte: Quellen, Wasserfällen, Kaskaden, Katarakten, verschiedensten Uferlagen bis hin zu den fast geschlossenen Flußschleifen, Flußeinmündungen oder Zusammenflüssen. Kommt das Wasser in einem Becken überschaubarer Größe zur Ruhe, entstehen Weiher, Teiche und

5. Fluß mit Wasserfall in Norwegen.

Seen. Bei großen Waserflächen finden wir die komplementären Wasser- und Landorte als Buchten und Fjorde beziehungsweise Halbinseln und Landzungen vor. Die Insel schließlich ist der absolute Ort par excellence. All diese Wasserorte sind ohne ein bewegtes Gelände nicht denkbar, setzt doch das Scheiden von Wasser und Land die Differenzierung nach Erhebungen und Niederungen voraus. Das Wasser aber hält sich immer am niederen Ort auf.

Die Quelle sprudelt entweder sichtbar aus der Erde oder bildet in einer Mulde einen unbewegten Wasserspiegel, der unsichtbar gespeist wird. In jedem Fall steht sie für den Anfang, für den Ursprung schlechthin. In dieser Bedeutung ist uns das Wort Quelle auch geläufiger, nachdem wir kaum mehr auf die Erfahrung natürlicher Wasserquellen zurückgreifen können.[77]

Die Quelle wird aus der Erde geboren. Was für bewegliche Lebewesen die Geburtsstunde, ist für das Wasser eben dieser Geburtsort – die Quelle. Ihre pränatale Geschichte verliert sich im Dunkel der Erdschichten. Die Quelle ist abgelegen, als ob sie Ruhe und Sammlung bräuchte, bevor sie zum Fluß wird. Geht man über Land, so trifft man auf Bäche und Flüsse – nicht auf Quellen. Und es ist ein theoretisches Wissen, das uns die Quellen an die äußersten Punkte des verzweigten Flußsystems setzen läßt. Wann haben wir uns schon die Mühe gemacht, die Unwegsamkeit eines Bachlaufs in Kauf genommen, um wenigstens eine seiner Quellen zu suchen? Es gehört zum geheimnisvollen und zerbrechlichen Wesen der Quellen, daß sie der Alltagswelt entrückt sind. Und die Erinnerung an eine uns bekannte Quelle vermittelt das besondere Glücksgefühl des Eingeweihten.

»Ich kenne eine klare Quelle
wo der Wald am tiefsten ist,
dort wachsen dunkle Farne
und purpurnes Heidekraut.

Vögel und Rehe trinken dort
unter dem Ahornbaum,
die Vögel am hellen Tag,
die Reh' nur in der Nacht.

Wenn die tiefen Wälder einschlafen
und still wird's rundherum,
dann ist der Himmel und die Quelle
von goldnen Sternen voll.«[78]

Hat der Wasserlauf etwas Prozessuales, altert und beruhigt sich der Fluß auf seinem Weg von der Quelle zum Meer, so kann man sicherlich auf eine spielerische Natur und ein jugendliches Alter der Quellengeister schließen. Der konkrete Charakter des Quellenortes hängt freilich sehr stark

[77] Zur Bedeutung von Wasser und Quellen siehe z. B. J. Kotouč, *Das Wasser des Lebens, Märchen und Sagen vom Wasser*, Hanau 1981; F. Muthmann, *Mutter und Quelle, Studien zur Quellenverehrung im Altertum und im Mittelalter*, Basel 1975; N. Pennick 1982, S. 19 ff.; D. Forstner 1986, S. 69 ff.; G. Bachelard, *L' eau et les rêves*, Paris 1942.

[78] Lesní studánka, J. V. Sládek, *Zlaté slunce, bílý den*, Praha 1966. Übersetzung des Autors.

von seiner sonstigen Ausstattung ab: Entspringt die Quelle einer Grotte oder einem schattigen Hain, so wird man obligatorisch an die Nymphen (Feen) denken müssen – anmutige weibliche Wesen im jugendlichen Alter. Tatsächlich wurde genau diese Vorstellung vom Genius loci der Quelle baugeschichtlich im Typus des Nymphäums kanonisiert.

Wasserfälle und Kaskaden bringen zwei elementare Möglichkeiten eines ansonsten kontinuierlichen Wasserlaufs zum Vorschein: Die vertikale Zäsur und eine enorme Dynamik des fallenden Wassers. Zu den bereits beschriebenen Charakteristika der jähen Abstürze kommt die tatsächliche Vermittlung von oben nach unten durch den freien Fall des weichen Elementes Wasser. Unwillkürlich identifiziert man sich mit dem fallenden Wasserkörper, erleidet in Gedanken das unaufhaltsame Treiben bis zu der Absturzkante, das Grauen des freien Falles und das harte Aufschlagen im Tümpel – ein klassischer Alptraum der Psychologie. Bald jedoch realisiert man, daß das fließende und fallende Wasser nur das zeitliche Kontinuum versinnbildlicht, welches sich an einer räumlichen Inhomogenität (an einem Ort) seiner selbst für einen kurzen Augenblick bewußt wird. Es ist eben nicht der einmalige freie Fall, den man hier verfolgen kann, sondern die Dauer eines dynamischen Zustands, die gleichsam bereits raumdefinierend, statisch wirkt. Die Bewegung des zischenden und spritzenden Wassers, sein Getöse oder dumpfes Donnern, der oft auftretende Dunst oder Nebelschleier schaffen einen akustisch-dynamischen Raum um den Wasserfall.

Die vertikale Zäsur des Wasserfalls unterteilt den Fluß in einen oberen und einen unteren Lauf. Zwischen diesen beiden Teilläufen fließt er nicht, sondern fällt – eine Besonderheit, die den Wasserfall vor allen anderen Wasserorten auszeichnet.

Die enorme Kraft der fallenden Wassermassen höhlt am Fuße des Wasserfalls oft ein Becken aus, und so kommt es zu dem typischen Gegensatz der fallenden Wassersäule zu dem waagerechten Wasserspiegel des Tümpels. Erstaunlich schnell kommt so die gewaltige Energie der Bewegung zur Ruhe.

Offensichtlich hatte ich bei dieser Beschreibung den stereotypen Wasserfall vor Augen, der frei und tief in einem Strahl abstürzt, wie man ihn von gebirgigen Gegenden der Alpen oder aus Norwegen her kennt. Der Ortsgeist wird hier angesichts solcher Demonstration von Kraft eher Respekt einflößen. Natürlich wird die Wirkung breitgefächerter, von Moos und Gras bewachsener und nicht allzu wasserreicher Kaskaden anders sein.

Hatten wir es bei der Quelle und beim Wasserfall sozusagen mit einem Körperort zu tun (wo die Wirkung des Ortes von einem besetzten Zentrum ausging), so bilden konkav gebogene oder zusammenlaufende **Uferkanten** Raumorte, die von einer äußeren Begrenzung her ihr Wesen erhalten. Ich spreche an dieser Stelle zunächst nur von Flußufern, obwohl es topologisch gesehen an Seeufern die gleichen Ort-Phänomene gibt. Für das Wesen eines Genius loci ist es freilich von ausschlaggebender Bedeutung, ob der Ort von einem fließenden oder einem stehenden Gewässer umschlossen ist und ob die begrenzende Wasserfläche ein überschaubares Band oder eine unendliche Wasserwüste ist.

Das Wesen jedes Ufers aber ist die klare Scheidung zwischen Land und Wasser. Die Art und Weise der Kommunikation zwischen diesen beiden Elementen entlang der Uferkante ist für das Wesen des Ortes entscheidend. Ist das Ufer steil und hoch, wird sich der Ort eher vom Wasser abwenden und das übliche Dasein eines hohen Ortes führen. Im entgegengesetzten Fall wird er sich eher schicksalhaft mit dem Wasser verbinden. Es leuchtet ebenfalls ein, daß die Breite des Flusses und seine Fließgeschwindigkeit den Charakter des Ortes beeinflussen, und dies nicht nur wegen der Überquerungsmöglichkeit des Flusses und dem damit verbundenen Grad der Isolation des Ortes.

Die Gestalt (und phänomenologisch betrachtet auch der Charakter) der Orte hängt mit den Krümmungen des Ufers zusammen. Obwohl oft bereits eine geringe Flußbiegung genügt, um an der konkaven Seite den Ansatz zu einem Raumort zu markieren, wird natürlich in der Regel eine fast geschlossene **Flußschleife** den so gebildeten Ort wesentlich massiver bestimmen als ein relativ unverbindliches Flußknie, besonders dann, wenn das ganze so herausgeschnittene Territorium und die Wassergrenze von einer Erhebung aus überblickt werden können. Oft erreichen Orte in solchen Flußschleifen die Exklusivität und Prägnanz von Inseln. Und es sind ausgesprochen mütterliche, schützende Orte.

Die Konfluenz, der meist spitzwinkelige Zusammenfluß zweier etwa gleichwertiger Flüsse, bildet den (zumindest etymologisch) eigentlichen »Ort« an seiner Spitze. Nähert man sich zwischen den beiden Flüssen dieser Stelle, so kommt man tatsächlich ans »Ende der Welt«, das Wasser grenzt den Lebensraum aus, und wir müssen auf demselben Weg zurückkehren. Dieser Ort hat etwas Extremes, Scharfes an sich. Er grenzt nicht mit einer weichen Bewegung der Flußschleife einen Bereich aus – er schneidet ihn weg. Es ist auch nicht die vertraute Umarmung eines einzi-

6. Flußschleifen in Alaska.

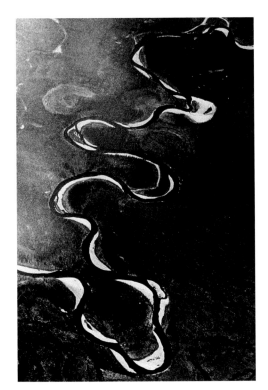

gen Flusses, sondern die Konkurrenz zweier die zwischen ihnen liegende Landzunge wegschleifender Flüsse. Anders als bei der Flußschleife, wo der gegenüberliegende Prallhang angegriffen wird, ist hier tatsächlich die Spitze der Landzunge – der eigentliche Ort – gefährdet.

Wieder eine andere Situation liegt vor, wenn ein untergeordneter Fluß in einen anderen nicht allzu steil einmündet. Der so begründete Ort ist von vornherein nach den beiden Seiten hierarchisch differenziert. Diese Dichotomie wird noch zusätzlich von der Vorstellung genährt, daß der kleinere Fluß seine Identität vollkommen aufgibt, indem er im größeren aufgeht.

Ein kleiner **See, Teich oder Weiher** ist ein Ort, den man nicht begehen (höchstens mit dem Schiff befahren) kann. Der Definition nach wäre er ein Körperort, ist aber eindeutig raumhaltig. Dieser scheinbare Widerspruch hängt mit den Eigenschaften des Wassers zusammen, das zwar die übliche Landnutzung ausschließt, die Raumerfahrung jedoch zuläßt.

Der besagte See oder der Teich liegt also wie ein Auge in der Landschaft, scharfkantig hineingeschnitten, von einprägsamer Gesamtgestalt, von außen voll überschaubar. Als perfekter Ort bleibt er jedoch unbetretbar und fern wie die feudale Burg des Mittelalters für die Landbevölkerung. Diese Exklusivität und Unnahbarkeit ist es auch, die sein Wesen ausmacht. Hinzu kommt noch der Spiegeleffekt der ruhigen Wasserfläche und seine entmaterialisierende Wirkung, die den See noch stärker unserem Zugriff entzieht.

Das überschaubare äußere Bild hat sein Pendant in den unberechenbaren Tiefen des Sees mit seinen unergründbaren Möglichkeiten. Immer wieder trifft man auf das geheimnisvolle, nie richtig gesichtete Lebewesen, das diese Tiefen bewohnt (zum Beispiel das Ungeheuer im Loch Ness oder der Riesenfisch im Walchensee) oder wenigstens auf einen Wassermann (üblicher in den seichteren Weihern und Teichen). Der Genius loci der Seen und Teiche ist jedenfalls ein Wassergeist und bewohnt die Abgeschiedenheit der Tiefen.

An der Verzahnungslinie von Land und ausgedehnten Wasserflächen entstehen Land und Wasserorte als **Halbinseln und Buchten**. Der absolut ebene Wasserspiegel ist immer tiefer gelegen, das Land als mehr oder minder deutliche Erhebung darüber – ein inniges Umarmen oder aggressives Vorstoßen in den Bereich des anderen? Innerhalb dieser Spanne bewegen sich tatsächlich die Charaktere der Küstenorte, wobei es entscheidend ist, ob die Wahrnehmung vom Land oder vom Wasser aus erfolgt. Grundsätzlich kann man aber sagen, daß eine hügelige Landzunge als Körperort wesentlich aggressiver ins Wasser vorstoßen kann als sich jemals zum Beispiel ein Fjord als Raumort ins Landinnere schieben wird.

Eine Bucht oder ein Fjord ist ein Wasserort ähnlich dem Teich oder dem kleineren See. Im Unterschied zu diesen aber sind es keine selbstgenügsamen Elemente, sondern die letzten Ausläufer eines umfassenden Wasserkosmos, über diesen potentiell mit allen Küsten der Welt verbunden. Daß eine Bucht durchaus als Ort erfahren werden kann, wird einem zum Beispiel in norwegischen Fjorden bewußt, insbesondere wenn man sich in die Mentalität eines seefahrenden Volkes zu versetzen sucht. Selbst wenn man von den wenigen natürlichen Küstenorten aus (meist flacher geneigte Schüttkegel unterhalb der steilen Fjordwände) die Umwelt erlebt, wird man die Einfügung in die Totalität des Fjordraumes nie aus den Augen verlieren. Diese Küstenorte sind hier eindeutig »Ableger« des umfassenderen Fjordortes, diesem wesentlich fester einverleibt als zum Beispiel die Küstenorte einer Halbinsel verbunden sein können (auch dies wieder ein logischer Unterschied zwischen einem Raum- und einem Körperort).

Wird die Bucht vom Land mütterlich umarmt, so ist eine ins Wasser vorgeschobene Landzunge, eine Halbinsel, im wesentlichen exponiert. Dies liegt nicht nur in der grundsätzlichen Landbindung des Menschen begründet, sondern hängt auch mit der Höhenentwicklung der Halbinsel zusammen. Man braucht nicht gleich an die extremen, in den Atlantik vorgeschobenen, seeumstürmten Felsspitzen der Bretagne zu denken, um die potentielle Bedrohung der Halbinsel einzusehen. Schon die dreiseitige Ausgrenzung durch die abstrakte Horizontale des scheinbar grenzenlosen Meeres stellt im wahrsten Sinne des Wortes eine existentielle »Grenzsituation« dar. Es ist eine Berührung mit dem absoluten Element der Landschaft. Der Geist, der einen solchen Ort bewohnt, ist beständig, von ernstem Naturell – man wird in seiner Nähe nachdenklich.

Die Insel schließlich ist der absolute Ort schlechthin. Mit einem scharfen Rand ist sie vom Wasser geschieden – rundherum ausgegrenzt ist sie der Inbegriff der Isolation. Die Vorstellung der Insel weckt Sehnsüchte: Besitzen wir sie nicht, ist sie unerreichbar weit – die Trauminsel. Ist sie uns gegeben, wird sie mit ihrer harten Grenze und Beschränkung bald zum Gefängnis, und wir sehnen uns nach der grenzenlosen Freiheit der übrigen Welt. Ein extremer Ort, an dem kein Mittelmaß gelingt. Entweder macht uns die Vorstellung der fernen Insel glücklich, oder wir leben dort unglücklich und stoßen uns an ihren Grenzen wie in einem Käfig. Thomas Morus hat seinen Idealstaat Utopia folgerichtig auf einer Insel angesiedelt, die es freilich, wie der Name sagt, nicht gibt.

7. Die Insel Sv. Djordje in der Boka Kotorska, Montenegro.

38

Und ich erinnere an die verschiedensten Schatzinseln (vgl. hierzu auch die Schatzhöhle) der Literatur oder an die ferne, palmenbewachsene Koralleninsel, die als Inbegriff des Wunschtraums von der Werbung ausgebeutet wird. Auf der anderen Seite sind reale Inseln wegen ihrer Isolation schon immer beliebte Gefängnis- oder Verbannungsorte gewesen: die Gefängnisinsel Alcatraz vor San Francisco, Elba oder Sankt Helena als Verbannungsorte Napoleons, oder Goli otok im ehemaligen Jugoslawien als Beispiel aus der jüngeren Geschichte. Vor nicht allzu langer Zeit war ganz Australien ein Verbannungsort, und schließlich war auch Robinson Crusoe ein Gefangener seiner Insel. Und geschieht es nicht immer wieder, daß die realisierte Utopie zur Insel und damit zum Gefängnis wird?

Vegetation

Ich habe bis jetzt Wesen und Wirkung der Orte beschrieben, so wie sie das Oberflächenrelief zusammen mit Wasser allein hervorbringen kann. Wenn nun die Vegetation hinzukommt und später noch etliche andere Elemente den Genius loci bestimmen werden, so wird das Unterfangen sehr komplex, und es erscheint mir methodologisch legitim, die neu hinzugekommenen Aspekte isoliert auf ihre Wirkung hin zu untersuchen. Dies ändert freilich nichts an der Einsicht, daß der Genius loci in seiner Komplexität unteilbar ist.

Die Vegetaion folgt im allgemeinen dem Geländerelief wie ein Tuch den Körperrundungen. Wegen ihres (relativ gesehen) kleineren Maßstabs prägt sie weniger die Struktur der oben beschriebenen natürlichen Orte als vielmehr ihre Oberflächenbeschaffenheit und damit den Charakter des Genius loci.

Anders verhält es sich bei Orten kleineren Maßstabs, wo Bäume und Waldränder durchaus auch raumbildend sind. So können kleine Haine, eine Baumgruppe, ein freistehender Baum, Busch oder sogar eine besondere Blume einen Körperort bilden, vor allem, wenn sie im Verlauf des Jahres Metamorphosen unterworfen sind oder Düfte verbreiten. Der Waldrand wird nach dem Prinzip der Uferkante Orte entstehen lassen, bis hin zu der Waldlichtung – dem archetypischen Raumort, der durch Rodung (»Räumung«) aus dem Un-Raum des Waldes gewonnen wurde. Strenggenommen sind es in einer Kulturlandschaft meist artifizielle Orte, die durch Vegetation gebildet werden, so daß man gleich auch den Garten hinzunehmen kann, der als ein gehegtes und gepflegtes Stück Natur durch klare Grenzziehung von der übrigen Landschaft getrennt ist. Und schließlich entstehen Orte durch verschiedene landwirtschaftliche Nutzung des Bodens, indem sich differenzierte Felder (Wiesen) gegeneinander absetzen.

Bevor ich diese vegetabilen Orte kurz beschreiben werde, möchte ich auf die texturale (Oberflächen-)Wirkung der Vegetation eingehen, denn diese bestimmt unmittelbar den Charakter des Genius loci. Die Vegetationsart steht in direkter Beziehung zum Klima und ist in ihrer Wirkung von den atmosphärischen Qualitäten des Lichtes und des Himmels nicht zu trennen. So kann man

8. Mischwald in Slowenien.

zum Bewuchs universelle Aussagen machen, die auf eine gegebene Klimazone zutreffen und den Charakter der Orte dieser Landschaft generell bestimmen. Ich denke hier etwa an den hellen und lichten Bewuchs der klassischen Mittelmeerlandschaften im Gegensatz zu der feucht-satten, etwas düster wirkenden nordischen Vegetation; oder an den Charakter der gemäßigten Klimazonen, denen man zum Beispiel die mitteleuropäischen Kulturlandschaften mit dem für sie typischen (leider heute selten gewordenen) aufgelockerten Mischwald zurechnen kann. Die Reihe ließe sich ohne Schwierigkeit ins Ferne oder ins detailliert Lokale endlos fortsetzen, was aber eine Aufgabe von konkreten Monographien ist.

An zwei Beispielen möchte ich doch konkreter werden und einerseits die Ausdruckskraft der Grasnarbe und andererseits die Palette der Baumcharaktere andeuten. Die **Grasnarbe** oder allgemein die bodenüberziehende Pflanzendecke ist für die Erfahrung des Ortes grundlegend, denn sie bestimmt die Art und Weise, wie man den Ort begehen und ihn erschließen kann. Im feucht-kalten Klima (Mittel-)Norwegens zum Beispiel gedeiht ein dicker, saftiger Teppich aus Moosgeflecht selbst dort noch, wo sonst keine Vegetation mehr überleben kann. Jeder Schritt versinkt tief in dieser feuchten und elastischen Bioschicht. Dreht man sich um, sind die Spuren bereits wieder verschwunden – wir waren eigentlich gar nicht da. Dieses mikroskopische Leben scheint eine ungeheure Vitalität zu besitzen.

So entwickelt man Verständnis für die nordischen Mythologien mit den unzähligen Geistern, Gnomen und Trollen, die diese Pflanzendecke bevölkern, und ist durchaus geneigt, auch den Genius loci in dieser Bodennähe zu vermuten. Auch die pflanzlich-tierischen Rankornamente an den alten Stabkirchen werden aus dieser Erfahrung des verfilzten Moosgeflechtes, in dem man undefinierte Gestalten vermutet, verständlicher.

Wie anders ist dagegen die Wirkung eines lockeren und lichten Unterholzes eines Laubwaldes oder einer ungemähten Sommerwiese im Voralpenland, oder weiter südlich in den Karstregionen des Mittelmeers, wo der graue Kalkstein die Bodenoberfläche dominiert und nur einen spärlichen, meist vertrockneten Bewuchs neben sich duldet.

Auch die **Bäume** stehen für ausgeprägte **Charaktere**, und diese prägen auch den entsprechenden Wald oder Hain. Was der biblischen Tradition die Libanonzeder, ist den Chinesen die Föhre – beide stehen für das Erhaben-Majestätische und für die Altersweisheit. Die Birke in ihrem leichten, silbrigen Glitzerkleid und mit dem weißen Stamm hat etwas unschuldig Mädchenhaftes, oft auch die Pappel. Die starre, knorrige Eiche dagegen steht für die Widerstandskraft – eher bricht sie, als daß sie sich biegen ließe. Die Windbuche hingegen paßt sich an, um zu überleben. Die immergrünen Nadelbäume mit ihrem beständigen dunkelgrünen Aussehen und den herunterhängenden Zweigen vermitteln etwas Ernstes, mehr noch die Zypressen, die wie nachtgrüne Stichflammen in den südlichen Ländern als Friedhofsbäume bestens geeignet erscheinen. Die windbewegte Trauerweide trägt das Lamento schon im Namen begründet, wohingegen der geduldige und gütige Ölbaum wegen seines Alters und seiner unaufdringlichen silbrigen Weisheit fast schon eine Aura der Heiligkeit trägt.

11. Baumort im Nebel: Windbuchen im Schwarzwald.

Man könnte so weiter fortfahren, doch möchte ich hier abschließend nur noch die Kastanie mit der Platane vergleichen. Der dunkle Stamm der Kastanie verliert sich sehr schnell in einer dichten Baumkrone, die dramatischen Metamorphosen im Jahreszyklus unterworfen ist: Das satte Grün wird bald von der weißen Blütenpracht und schließlich vom leuchtenden Gold des Herbstes abgelöst. Die Platane hingegen mit ihrer pastellfarbenen, heiter gesprenkelten Haut und ihrer hellen, transparenten Krone, die das große Volumen von innen spüren läßt, geht recht unauffällig und gelassen durch die jahreszeitlichen Veränderungen. Warum vergleiche ich diese beiden Bäume? Nun, sie sind südlich der Alpen fester Bestandteil städtischer Grünkultur, und es läßt sich an ihrem Gebrauch aufzeigen, daß dieser Charakter ganz bewußt mit eingesetzt wird. Jože Plečnik hat zum Beispiel Anfang der dreißiger Jahre in Ljubljana einen ganzen Kastanienpark gegen den Widerstand der Bevölkerung umlegen und mit Platanen bepflanzen lassen, um eben jene leichte und heitere mediterrane Stimmung zu erreichen, die diesen Bäumen innewohnt.

Bäume, Baumgruppen und kleine Haine bilden, wie oben bereits angedeutet, von außen gesehen Körperorte in der Landschaft und sind gleichzeitig raumhaltig, sie empfangen uns in ihrem transparenten grünen Innenraum, in ihrer Krone, in ihrem Schatten. Wer saß nicht schon einmal in einer Baumkrone zusammen mit Vögeln und Insekten und hat ungesehen Ausschau gehalten in die stille Landschaft! Der Baum beschützt, konzentriert und unterstreicht das Gefühl der Einsamkeit.

»Wenn ihr aus eurem Wasser steigt am Abend –
Denn ihr müßt nackt sein und die Haut muß weich sein –
Dann steigt noch auf eure großen Bäume
Bei leichtem Wind. Auch soll der Himmel bleich sein.
Sucht große Bäume, die am Abend schwarz
Und langsam ihre Wipfel wiegen, aus!
Und wartet auf die Nacht in ihrem Laub
Und um die Stirne Mahr und Fledermaus!«[79]

Ein freistehender Baum ist einsam. Gibt es neben dem Bild der Kerze im Fenster eines nächtlichen Hauses ein überzeugenderes Bild der Einsamkeit als einen blühenden Apfelbaum am Waldrand in der Abenddämmerung?

Der Genius des Baumortes braucht nicht erst nachgewiesen zu werden, da der Baum an sich schon ein lebendiges Wesen ist. Mit seiner Elastizität und Nachgiebigkeit tritt er uns im Wind dynamisch bewegt entgegen. Und jeder hat seine individuelle Bewegungsart: Die Birkenblätter zittern im leisesten Windhauch und zeigen ihre silbrigen Unterseiten, die Trauerweide wiegt ihre langen Haare langsam pendelartig hin und her. Jeder Baum hat auch seinen ganz individuellen Lebensweg vom Keimling bis zum Tod und meist auch seine jahreszeitlichen Metamorphosen. Nicht zu Unrecht ist er als Lebensbaum zum Symbol des Lebens geworden. Der Genius des Baumor-

79 Bert Brecht, »Vom Klettern in Bäumen« (Auszug), in: *Werkausgabe*, Band 8, Frankfurt/M. 1967, S. 209.

tes ist also auf jeden Fall mit dem Baumwesen identisch. Und Bäume wurden auch seit jeher als heilig verehrt, denn der Baum ist es (ähnlich wie der Berg), der mit seiner doppelten Wurzel Himmel und Erde verbindet.

Manchmal freilich wohnten auch Götter selber in den Bäumen, wie etwa Zeus in der Eiche von Dodona.[80] Auch menschliche Wesen wurden in Bäume verwandelt: Philemon und Baucis, oder Daphne in einen Lorbeerbaum und Mahulena – ihr slawisches Pendant – in eine Pappel. Die Vorstellung vom Baum als artverwandtem Wesen ist ein fester Bestandteil der Mythologie.[81]

Auch einzelne Büsche und Blumen können unter Umständen Orte bilden, wobei es nicht gleich der brennende Dornbusch sein muß.[82] Eine seltene Blume, in der Landschaft gefunden oder in einem Garten gepflanzt, verbreitet um sich eine besondere Aura der Anziehung, die für eine bestimmte Zeit durchaus einen Ortscharakter entstehen läßt. Die blaue Blume der Romantik schließlich, als Inkarnation einer unerfüllbaren Sehnsucht, wird zum rein literarischen Topos, vergleichbar der Utopia des Thomas Morus.[83]

Es bleiben am Ende noch zwei Orte, die es im Zusammenhang mit der Vegetation zu besprechen gibt: die Waldwildnis als locus terribilis und der (Paradies-)Garten oder locus amoenus. Diese archetypischen Vorstellungen des schrecklichen und lieblichen Ortes interessieren hier nicht vom kunst- oder literaturgeschichtlichen Standpunkt aus, sondern als nahezu kanonisierte Aussagen über bestimmte Naturerscheinungen, die, phänomenologisch verstanden, einen Beitrag zu deren Wesensschau leisten können, selbst wenn es sich um historische, das heißt nicht mehr aktuelle Bildvorstellungen handelt.

Die Waldwüste des Mittelalters[84] ist ein archetypischer »Un-Ort«. Sein äußerer Rand – geschlossen, düster und abweisend – läßt seine grenzenlose Ausdehnung ahnen. Es ist nicht der überschaubare, lichte Hain der Antike, geräumig und deswegen sinnvoll. Die Waldwildnis ist im Gegenteil dicht verwachsen, unwegsam und undurchdringlich – Wohnstätte wilder Tiere und Räuber. Sie ist so furcht- und schreckenerregend, daß normale Sterbliche sie nicht zu betreten wagen. Eremiten, Holzfäller und Honigsammler freilich dringen in sie vorsichtig hinein; doch gehören diese zu den Randgruppen der Gesellschaft.

Aus dieser Sicht ist das Innere des Waldes homogen und undifferenziert, was durch das beständige Rauschen der Bäume noch unterstrichen wird. Ein ortloser, bedrängender Raum. Die Enge folgt einem auf Schritt und Tritt, man fühlt sich eingeschlossen und beobachtet. Der befreiende Ausblick und der Horizont fehlen. Jeder Schritt tiefer in den amorphen Wald hinein ist ein Verlust der Erinnerung und der Identität – die Gefahr, sich zu verlieren, wächst und auch die Einsamkeit.[85] Diese Ur-Angst vor dem Un-Ort schwingt noch in vielen klassischen Kindermärchen mit: »Als es Abend wurde, kamen sie in einen großen dunklen Wald...« heißt dann etwa der stereotype Hinweis, und man sitzt beklommen in der Erwartung des Schrecklichen.

Doch hat auch der Wald seinen angenehmen Ort, es ist die **Lichtung** – die Insel des Festlandes. Anders als bei der Insel, die man lange vorher anpeilen kann, tritt man in die Lichtung unverhofft – plötzlich hat man wieder den Himmel über dem Kopf. Die unerwartete Raumfülle schafft Entspannung. Man ist dem Wald entkommen. Aber ist es nicht derselbe Wald, der uns hier weiterhin umschließt? Lauern nicht darin immer noch dieselben Gefahren? Die Lichtung ist zwar ein perfekter, aber in dieser Zerrissenheit kein endgültiger Ort – man muß den ganzen Wald durchwandern, um ihn wirklich durchzustehen.

Der nötige, diametrale Gegensatz zum Wald als dem schrecklichen Ort ist **der Garten** – der locus amoenus. Er ist nicht unermeßlich, sondern von übersichtlicher Größe, aus der feindlichen Grenzenlosigkeit der Welt herausgetrennt, und hat eine Mitte. Er weist so alle wesentlichen Eigenschaften des Ortes auf. In allen seinen Variationen vom Garten Eden über den arabischen Palastgarten, den mittelalterlichen Hortus conclusus, den Paradiesgarten der Renaissance und die unzähligen Lustgärten des Barock bis hin zu Plečniks Garten am Hradschin folgt er demselben Schema: Er ist umgrenzt, hat in der Mitte das lebenspendende Wasser und stellt gegenüber dem Chaos der Wildnis die verständlich geordnete und deshalb sinnvolle Welt dar.

Auch der seit der römischen Antike als locus amoenus beschriebene natürliche liebliche Ort entspricht diesem Typus.[86] Vom Wald oder von Talwänden begrenzt, besteht er aus einer Wiese mit einem oder mehreren Bäumen, einer Quelle oder einem Bach, das Ganze in einem mild-warmen Klima von einem Windhauch belebt. Der Genius loci solch eines seligen Ortes kann nur der Eros selber oder eine Göttin der Liebe sein. Es braucht nicht besonders betont zu werden, daß dieses Urbild des glücklichen Ortes genauso imaginär ist wie der furchterregende Nicht-Ort des Waldes. Letztlich sind es natürlich Bilder des Seins und Nichtseins, die eindeutige Hinweise auf die Ortsbezogenheit der menschlichen Existenz geben.

[80] Ludwig Weniger, *Altgriechischer Baumkultus*, Leipzig 1919, S. 11ff.

[81] Zu verschiedenen Aspekten des Baumes siehe N. Pennick 1982, S. 22ff.; D. Forstner 1986, S. 149–179; R. Baverreis, *Arbor vitae*, München 1938; G. Gollwitzer, *Bäume, Bilder und Texte aus drei Jahrtausenden*, Herrsching 1980 (hier auch weitere Literaturangaben); M. Lurker, *Der Baum in Glauben und Kunst*, Straßburg 1960.

[82] *Das Alte Testament*, Exodus, Kap. 3, 1–5.

[83] Siehe z. B. Jutta Hecker, *Das Symbol der Blauen Blume im Zusammenhang mit der Blumensymbolik der Romantik*, Jena 1931, S. 20ff.

[84] Aus der reichhaltigen Literatur zu diesem Thema nur zwei Titel: M. Stauffer, *Der Wald. Zur Darstellung und Deutung der Natur im Mittelalter*, Zürich 1988 (dort auch weitere Literaturhinweise); J. Le Goff, »Die Waldwüste im mittelalterlichen Abendland«, *Bauwelt*, 28–30, 1981, S. 1178–1184.

[85] Zu den phänomenologischen Dimensionen des Waldes siehe auch G. Bachelard 1975, S. 214 bis 218; O. F. Bollnow 1963, S. 217ff.

[86] Auf den architektonisch gefaßten locus amoenus möchte ich in diesem Zusammenhang nicht eingehen und verweise auf G. Goebel, »Locus amoenus, oder die Architektur der Lust«, *Kunstforum 69*, 1/1984; zu locus amoenus siehe außerdem A. Manguel, G. Guadalupi, *Von Atlantis bis Utopia*, München 1981; G. Schönböck, *Der locus amoenus von Homer bis Horaz*, Köln 1964.

[87] Diese »Universalität« deckt sich mit der Erfahrung des gelebten Raumes: Jeder »Standpunkt« auf der Erdoberfläche ist exklusiv; die durch den Horizont begrenzte Himmelswölbung (also der sichtbare Raum des Ortes) ist aber trotzdem vielen Standpunkten, d. h. Orten, gemeinsam.

[88] Willy Hellpach, *Geopsyche*, Stuttgart 1950 (1911), bietet nach wie vor eine der gründlichsten Studien über die Wirkung, Wahrnehmung und Erfahrung des Wetters und des Klimas.

[89] Vgl. die Beschreibungen der romantischen und der kosmischen Landschaften bei Ch. Norberg-Schulz 1982, S. 42ff.

[90] G. Bachelard 1975, S. 41.

Das Atmosphärische

Das Atmosphärische meint hier den Himmel, das Licht, alle klimatischen Faktoren sowie die damit zusammenhängenden tages- und jahreszeitlichen Veränderungen. Die meisten dieser Faktoren haben regionale Gültigkeit – sind also im engeren Sinne nicht ortsspezifisch. Trotz dieser »Universalität«[87] gehört das Atmosphärische zu den wirksamsten Elementen des Ortscharakters. Seine Wirkung ist zweifach: Wie alle anderen Faktoren auch, wirkt es direkt auf das betrachtende Subjekt; darüber hinaus aber bestimmt es weitgehend die Wahrnehmung des natürlichen wie des artifiziellen Ortes.[88] Oft verdichten sich atmosphärische Erscheinungen zu solcher Prägnanz, daß die entstehenden Stimmungen als direkte Lebensäußerungen des Ortsgeistes empfunden werden.

Der Himmel als der obere Abschluß des natürlichen Raumes kann nah oder fern sein. Jeder, der auf der nördlichen Halbkugel den nördlichen und südlichen Himmel kennt, wird die Attribute hoch (geräumig) und niedrig (flach) richtig zuzuordnen wissen. Den durch das gedämpfte Licht und die oft geschlossene, tief hängende Wolkendecke niedrig und drückend wirkenden nordischen Himmel könnte man vielleicht mit einer flachen Zimmerdecke vergleichen. Der südliche Himmel der trocken-heißen Region hingegen ist klar, geräumig, erscheint als Gewölbe mit dem Scheitelpunkt über dem Betrachter.[89] Von hier stammt auch die Vorstellung vom Himmelsgewölbe beziehungsweise vom Himmelszelt – beides Bilder einer geräumigen Abdeckung. In jedem Fall bleibt er aber der bergende Himmel, wir sind nicht schutzlos dem unendlichen Kosmos preisgegeben.

Entscheidend für den Charakter des Ortes ist die übliche Farbe des Himmels und seine Helligkeit. Es ist nicht ohne Bedeutung, ob sich die Farbpalette in den grauen oder blauen Tönen bewegt – die ganze Farbpsychologie kommt hier zur Anwendung.

Zwischen den geschilderten Extremen des nördlichen und des südlichen Himmels gibt es unzählige Variationen, die durch für verschiedene Jahreszeiten und Regionen typische Wolkenformationen noch unterstrichen werden. Wolken beleben die Landschaft, indem sie, großräumig gesehen, das einzige dynamische Element darstellen und so die Statik der Landschaft durch Kontrast betonen. Je nach Farbe, Auflockerung, Geschwindigkeit und Höhe können Wolken heiter oder bedrohlich wirken, Spannung, Trauer oder Melancholie vermitteln, wie etwa jene einzelnen weißen Wolken am nächtlichen Himmel. Und wie bereits oben angedeutet, werden die Gefühle und Stimmungen mit dem Ort, an dem sie erlebt werden, assoziiert. Für die Kenntnis der Intimität ist die räumliche Fixierung wichtiger als die Bestimmung der Daten, sagt Gaston Bachelard.[90] Ähnlich steht es mit dem nächtlichen Himmel: Über der Großstadt zeigen sich nur ein paar Sterne. Wie überwältigend ist dagegen der Himmel über jenem Ort auf dem Lande, mit Sternen übersät, mit der Milchstraße, die sich jedem freigiebig darbietet, der kommt, um sie zu sehen. Man möchte sich ins Gras legen und die ganze Unermeßlichkeit des Sternenhimmels an jenem Ort festhalten.

12. Schwere Wolken: Josef Šíma, »Heimkehr des Theseus«, 1933.

Licht ist sicher das wichtigste Phänomen des Atmosphärischen, hängt doch die gesamte Wahrnehmung des Ortes von seiner Qualität ab. Diese freilich läßt sich kaum naturwissenschaftlich fassen, sondern am ehesten mit Stimmungsbezeichnungen wie warm, kalt, heiter, hart, düster, geheimnisvoll, unheimlich usw. Diese Stimmungsqualität läßt sich zwar nach der Beschaffenheit der Luft (zum Beispiel dunstig, trüb, staubig), der atmosphärischen Brechung der Sonnenstrahlen (Mittags- und Abendsonne, Nord- und Südlicht) sowie nach der Intensität (helles, dunkles, diffuses oder Schräglicht) analysieren, zum Verständnis der Wirkungsweise von Lichtqualität trägt dies jedoch wenig bei. Wir haben es hier mit einem schwer faßbaren, oft flüchtigen Phänomen des Genius loci zu tun, das unmittelbar das Gemüt des Menschen anspricht.[91]

Licht wirft Schatten – je härter das Licht, desto härter der Schatten. Der Schatten aber steigert die Plastizität der Körper. Hierin liegt die völlig verschiedene Wirkung zum Beispiel der klassizistischen Architekturen im Süden und im Norden begründet. Darüber hinaus ist auch der Stellenwert des Schattens in südlichen und nördlichen Regionen verschieden. Ist im Süden die schattige Stelle wichtiger Bestandteil eines lieblichen Ortes, so kann dieselbe Qualität im Norden einen wesentlich unfreundlicheren Genius loci bedeuten.

Grundsätzlich müssen wir das natürliche, homogene Sonnenlicht von dem meist punktuellen künstlichen Licht unterscheiden. Fehlt das Licht, so kann auch der Raum beziehungsweise der Ort nicht wahrgenommen werden. Man könnte behaupten, daß Licht den Ort erst erschafft. Wie sehr dies zutrifft, zeigt das nächtliche Bild einer Laterne vor einem einsamen Haus recht anschaulich. Und es gibt illusionistische Orte beinahe immaterieller Natur, die nur durch Licht gebildet werden, wie zum Beispiel die Lichtdome von Albert Speer, die Filmorte des Kinos, die Multiprojektionen (wie die berühmte Prager Laterna magika), der Lichtzauber der Diskos[92] oder Erscheinungen der Fata Morgana.

Damit berühre ich das Problem des Tag- und des Nachtraumes, die je verschiedene Raum- und Ortserfahrungen bedeuten.[93] Grundsätzlich läßt sich behaupten, daß der Nachtraum gegenüber dem größeren (weil sichtbaren) Tagraum, der eventuell mehreren Menschen gemeinsam ist, zusammenschrumpft, im Extremfall auf den persönlichen Tast- und Greifraum (in dem man allein ist, auch wenn andere in der Nähe sind). Die Grenzen eines nächtlichen Ortes rücken näher zusammen, seine Stofflichkeit tritt so mehr in den Vordergrund der Wahrnehmung. Daß das Gesagte letztlich nur für kleinere oder vertraute Orte gilt, leuchtet ein. Umfassendere (Landschafts-)Orte können im Nachtraum erst gar nicht geortet werden.

Das Sonnenlicht bringt mit seinen qualitativen Veränderungen der Morgen-, Mittags- und Abendsonne sowie mit dem Wechsel von Tag und Nacht das Phänomen der zyklischen Zeit an den Ort. So trägt die Kenntnis verschiedener Lichtzustände und Stimmungen eines Ortes dazu bei, den Genius loci als ein lebendiges, wandlungsfähiges Gegenüber zu erleben. Jahreszeitliche Metamorphosen des Ortes sowie besondere Wetterstimmungen haben dieselbe Wirkung.

Die klimatischen Faktoren wie **Temperatur**, Niederschläge und Wind prägen entscheidend die atmosphärischen Stimmungen eines Ortes. Es ist nicht einerlei, ob man an einem Ort friert und Kälte in die Handschuhe und unter die Fingernägel kriecht, oder ob man an einem Ort leicht gekleidet einen lauwarmen Abend genießen kann.[94] Ich denke hier nicht so sehr an die einmalige, vielleicht recht zufällige Erfahrung eines uns fremden Ortes, sondern an die intime Kenntnis der extremen Ausdrucksmöglichkeiten der vertrauten Orte. Es sind, wie ich meine, gerade diese erinnerbaren, weil extremen Temperaturzustände, die das Wesen eines Ortes besser einfangen als die nicht merkbaren »Normaltemperaturen«. Es gibt freilich Orte, die von jahreszeitlichen Schwankungen ausgeschlossen sind und konstante, ortsspezifische Temperaturen aufweisen. So gehört zum Beispiel eine gleichbleibende feuchte Kühle zu den typischen Wesensmerkmalen der meisten Höhlen, und für die Hochgebirgsgipfel ist die dort herrschende eisige Kälte bezeichnend.

Besucht man einen Ort immer nur zu einer bestimmten Jahreszeit, wie es heute bei Urlaubsorten häufig der Fall ist, erlebt man vielleicht einen Schock, wenn man ihn zu ungewohnter Jahreszeit besucht und seine ungeahnte Wandlungsfähigkeit erfährt. Hinzu kommt der gerade bei Touristenorten übliche Wechsel der saisonbedingten Nutzung, was tatsächlich oft zu einer Persönlichkeitsspaltung des Ortes führt (mehr dazu weiter unten).

Niederschlägen als Regen, Schnee und Nebel ist gemeinsam, daß sie die Sicht behindern und somit dieselbe ortsverändernde Wirkung ausüben, wie es bereits für Dämmerung und Dunkelheit aufgezeigt wurde. Darüber hinaus verändern Schnee und zum Teil auch Regen die Oberflächenbeschaffenheit des Ortes. Regen weicht den Boden auf bis hin zum unbegehbaren Schlamm. Schnee verändert zudem das gesamte Aussehen der Landschaft. Das einheitlich weiße Kleid weitet den Landschaftsraum, deckt Ungleiches und Heterogenes zu. Der Gang im weichen (oder vereisten) Schnee führt zu einer völlig neuen Ortserfahrung.

13. Laterne vor einem einsamen Haus: René Magritte, »Das Reich der Lichter«, 1954.

91 Bereits H. Sörgel hat in seiner *Einführung in die Architekturästhetik*, München 1918, im Kapitel »Genius loci« in einem kurzen Absatz auf die Bedeutung des Lichtes hingewiesen, S. 279.

92 Seit den zwanziger Jahren werden diese illusionistischen Räume – die auch virtuell genannt werden – auf ihre architektonische Relevanz hin diskutiert. Siehe László Moholy-Nagy, *Von Material zu Architektur*, München 1929, S. 166 ff. und 194 ff.; Konrad Wohlhage, »Die Architektur des Leerraumes«, *Arch +*, 5, 1987, S. 66 ff.; Paul Virilio, *Ästhetik des Verschwindens*, Berlin 1986.

93 Auf die vielschichtigen Aspekte des Tag- und Nachtraumes möchte ich hier nicht weiter eingehen und verweise auf die Untersuchung von O. F. Bollnow 1963, S. 213–229.

94 Zur Wirkung verschiedener Temperaturen siehe W. Hellpach 1950, S. 23 ff.

95 Z. B. in O. F. Bollnow 1963, S. 221 ff.

96 Hermann Hesse, *Ausgewählte Gedichte*, Frankfurt/M. 1970, S. 45.

97 Vgl. O. F. Bollnow 1963, S. 219 ff.; W. Hellpach 1950, S. 17 ff.

98 »Plötzliche entstand vom Himmel her ein Brausen, wie wenn ein heftiger Sturm heranjagt …« – so wird in der Apostelgeschichte Kap. 2, 2–4 das Kommen des Heiligen Geistes angekündigt.

14. Schneegestöber in Zagreb.

Der Schneefall selbst kann die Umwelt bis zu einem Grade entmaterialisieren, daß es sie wahrnehmungsmäßig nicht mehr gibt. Die oft beschriebene »weiße Finsternis«[95], eine Helligkeit, in der man trotzdem nichts sieht, vermittelt das Erlebnis eines trüben (weil undurchsichtigen), aber dennoch leeren Raumes, des absoluten Nichts, mit dem man die Vorstellung des Todes assoziiert. Nicht immer jedoch weckt der Schneefall solche ernsten Bilder. Es sind nicht nur die Kinder, die das Hochgefühl der Freude beim ersten Schneefall kennen, der jeden Ort verzaubern kann, und man erinnert sich des Dichterwortes »... denn jedem Anfang wohnt ein Zauber inne ...«

Es wird nicht überflüssig sein, noch einmal darauf hinzuweisen, wie unmittelbar das Atmosphärische auf das Gemüt einwirken kann. Unsere Gemütsbewegungen aber sind die unmittelbarsten Antworten auf die Realitäten des Ortes. Regen, besonders der lang andauernde, nicht enden wollende Herbstregen, der keine Dramatik, sondern nur monotone Ausdauer kennt, stimmt melancholisch und traurig. Der Ort, der diesen Regen mit seinen undifferenziert grauen Tagen kennt, wird auch die Erinnerungen an manch eine schwermütig am Fenster verbrachte Stunde bergen. Ähnlich auch der Nebel, der zu bestimmten Jahreszeiten ganze Landstriche verwandelt. Er zerstört die großen gemeinsamen Orte der Menschen und atomisiert sie in einzelne »subjektive« (private) Örtlichkeiten. Es sind einsame Menschen, die hier leben. Dem Genius eines vom Nebel geprägten Ortes entkommt man nur schwer. Er prägt auch den Charakter der Menschen.

»Seltsam, im Nebel zu wandern!
Einsam ist jeder Busch und Stein,
Kein Baum sieht den andern,
Jeder ist allein.«[96]

So ist der neblige Ort klein, auf das wenige Sichtbare eingeschränkt und privat, das heißt nicht kommunikationsfähig. Die Welt ist hinter dem Gesichtskreis versteckt, in Nebel gehüllt und deshalb bedrohlich.[97]

Der Wind ist wie kein anderes das aktiv handelnde, uns persönlich gegenüberstehende Phänomen der Natur. Er hat so viel Eigenleben, daß er schon immer als Geist angesehen wurde, den Geist symbolisiert hat.[98] Ein Geist freilich, »der weht, wo er will«, ist nicht der örtliche Geist. Doch wir kennen auch »örtliche« Winde, die am frühen Nachmittag aus immer derselben Richtung kommen und den Ort mit ihrer Gegenwart erfüllen, oder jenen sanften Windhauch, der sich mittags in dem Kiefernhain am Meer regt, als ob er sich vom Mittagsschlaf erheben würde, den er hier immer zu machen pflegt. Wie einheimisch diese Winde sind, zeigen ihre vielen lokalen Namen: Schirokko, Bora, Mistral, Föhn, Feh, Virazon und andere.

Der Wind ist das persönliche Gegenüber an einem Ort, als Freund oder Feind, mit dem man sich auseinanderzusetzen hat. Eine solche Auseinandersetzung beschreibt Albert Camus in »Der Wind in Djemila«:

»Langsam schien der Wind, den man am frühen Nachmittag kaum fühlte, mit jeder Stunde zu wachsen und das ganze Land zu füllen ... Jetzt aber, stundenlang vom Wind gepeitscht und geschüttelt, betäubt und ermattet, ging mir das Gefühl für die Oberfläche, die meinen Leib zusammenhielt, verloren. Der Wind hatte mich geschliffen wie Flut und Ebbe einen Kiesel und hatte mich bis zur nackten Seele verbraucht. Ich war nur noch ein Teil von jener Kraft, die mit mir tat, was sie wollte, und mich immer entschiedener in Besitz nahm, bis ich ihr schließlich ganz gehörte, so daß mein Blut im gleichen Rhythmus pulste und dröhnte wie das mächtige allgegenwärtige Herz der Natur. Der Wind verwandelte mich in ein Zubehör meiner kahlen und verdorrten Umgebung; seine flüchtige Umarmung versteinte mich, bis ich, Stein unter Steinen, einsam wie eine Säule oder ein Ölbaum unter dem Sommerhimmel stand.

Dies gewaltsame Wind- und Sonnenbad erschöpft meine gesamte Lebenskraft, die kaum noch in mir die matten Flügel regt, kaum sich zur Klage aufrafft, kaum sich zur Wehr setzt. Schließlich bin ich, in alle Winde verstreut, alles vergessend, sogar mich selber, nur noch dieser wehende Wind und im Wind diese Säule und dieser Bogen, dieses glühende Pflaster und dieses bleiche Gebirge rings um die verlassene Stadt. Nie habe ich in einem solchen Maße beides zugleich, meine eigne Auflösung und mein Vorhandensein in der Welt, empfunden.«[99]

Der Wind ist also der, der uns packt, uns von der Seite angreift und uns umwerfen will, einer, der sich aber nicht greifen läßt; er trocknet den ganzen Körper aus und reibt uns durch seine Beständigkeit auf. Oder er ist spielerisch und umtänzelt uns, zerzaust das Haar oder kühlt die Stirn.

Obwohl unsichtbar, manifestiert sich Wind auf vielerlei Weise: durch Rauschen und Wiegen der Bäume, durch bewegte Wiesen und Felder, durch Wellen und Wanderdünen, durch Rauchfahnen, flatternde Vorhänge, Segel und Fahnen, er ist sozusagen verfestigt gegenwärtig in krummen, windgepeitschten Bäumen und Erscheinungen der Winderosion. Man kann ihn am Vogelflug oder an den steigenden Drachen erkennen und selbstverständlich an der ganzen Skala der Eigengeräusche vom Brausen des Sturmes bis zum leisen Säuseln. Wenn Wind weht, lebt der Ort auf. Man kann dies als ein Bild nehmen für den richtigen Umgang mit dem Genius loci. Dieser bedarf oft eines Anstoßes von außen, um zu seinem eigenen Ausdruck zu finden.

Aus der passiven oder aktiven Reaktion auf den Wind ist eine ganze Reihe von »Windarchitekturen« entstanden. Die Windmühlen sind dabei nur die bekanntesten Beispiele. Die weniger bekannte Architektur der Verkleidung, der textilen Umhüllungen, die sich im Wind bewegen, gehört zumindest architekturgeschichtlich wahrscheinlich an erste Stelle.[100] In den heißen Klimazonen sehr verbreitet sind bauliche Vorrichtungen zum Einfangen des kühlenden Windes, wie andererseits stürmische Winde durch Schutzbauten oder Pflanzungen gebrochen werden. In ihrer Haltung dem Wind gegenüber sind die klassischen Äolsharfen den neueren Windskulpturen verwandt.[101]

Der Wind bringt also die verschiedensten Charaktere der Orte auf mannigfache Weise hervor. Der innere Zusammenhang zwischen dem Wind, dem spezifischen Ort und seinem Charakter bleibt jedoch ohne eine gründliche phänomenologische Studie unverständlich.[102] So lasse ich es

[99] Albert Camus, *Hochzeit des Lichts*, Zürich 1954, S. 21ff.

[100] Auf die Sempersche Architekturtheorie, die den Beginn der Architektur im Weben und im Prinzip der textilen Umhüllung sieht (Gottfried Semper, *Der Stil*, Bd. 1 und 2, München 1878, 2. Aufl.), möchte ich in diesem Zusammenhang nicht näher eingehen.

[101] Susumu Shingu, »Wind + Architektur«, *Bauwelt*, 27, 1979, S. 1159–1162; J. Pieper, »Windarchitektur«, *Bauwelt*, 35, 1981, S. 1495 bis 1501; hierzu auch eine umfangreiche Materialsammlung des Autors.

[102] Siehe G. Bachelard, *L'air et les songes*, Paris 1943; L. Watson, *Heaven's Breath, a natural History of the Wind*, London 1984; Xan Fielding, *Das Buch der Winde*, Nördlingen 1988.

[103] *Das Alte Testament*, 1. Buch der Könige, Kap. 19, 11–13.

15. Henri Rousseau, »Tropischer Sturm mit Tiger«, 1891.

16. Das fahle Leuchten am Ende des Naerøfjorden, Norwegen.

hier nur bei einigen Hinweisen bewenden. Wind kann eine unheimliche Stimmung erzeugen, so etwa, wenn wir den Eindruck bekommen, jemand möchte uns etwas eindringlich mitteilen. Der Vorfrühlingswind bringt oft schon im Februar den fernen Duft der Erde, über der der Schnee schon geschmolzen ist – er erzeugt Erwartung und Unruhe im Herzen. Der Herbstwind mit den letzten fallenden Blättern stimmt melancholisch und wehmütig.

Von den vielen Bedeutungen ziehen sich zwei konstante Themen mit vielen Variationen wie ein roter Faden durch die Windsymbolik: zum einen Wind als Bild des Vergänglichen, des Unbeständigen, etwas, das weder voraussehbar noch greifbar ist, das ohne Bestand, also letztlich unwirklich ist – das Nichts. Zum anderen steht durch die Identifizierung von Wind, Luft und Atem der Wind als Lebensodem für das Lebendige schlechthin. Gott hauchte Adam das Leben ein. Viele nordamerikanische Indianer kennen die Vorstellung, daß der Wind ihnen den ersten Atem gibt und ihren letzten empfängt. So verwundert es nicht, daß Jahwe – als der Ursprung des Lebens – dem Elija am Berge Horeb in einem Windhauch erscheint. Heftiger Sturm, Erdbeben und Feuer gingen ihm voraus, doch der Herr war nicht darin zu finden. »Nach dem Feuer kam ein sanftes, leises Säuseln. Als Elija es hörte, hüllte er sein Gesicht in den Mantel, trat hinaus und stellte sich an den Eingang der Höhle.«[103]

Zum Abschluß möchte ich das komplexe Phänomen der atmosphärischen Stimmung eines Ortes an einem konkreten Beispiel veranschaulichen. Es war bei einer Schiffsfahrt durch den sehr engen Naerøfjord in Norwegen. Der Fjord hat ein schluchtartiges Aussehen, grün überwucherte Wände wechseln mit nacktem Fels ab und stürzen nahezu senkrecht in den dunklen, ruhigen Wasserspiegel. Abgesehen von den wenigen flachen Uferbänken ist der Fjord unbesiedelt. Durch viele Windungen wird er in mehrere übersichtliche Raumorte gegliedert – nach jeder Biegung ist man überrascht, daß es noch weitergeht. Der Himmel an jenem Nachmittag war bedeckt und niedrig, und man hatte den Eindruck, als ob seine graue Decke direkt auf den Fjordwänden auflagern würde. Es war kühl, ab und zu ging ein Regenschauer nieder und zernarbte die Wasseroberfläche. Der Fjord wurde immer enger, als er sich tiefer und tiefer in die Eingeweide des Festlands grub. Der Wind kam uns vom Inneren des Landes entgegen und wurde immer stärker, je weiter wir vordrangen. Ich stand auf dem obersten Deck und mußte mich kräftig festhalten, um nicht weggefegt zu werden. Der Sturm wurde immer gewalttätiger, und ich spürte, wie er meinen leichten Regenmantel hinter mir in Fetzen riß. Es hatte den Anschein, als ob sich der Geist des Fjordes gegen unser Vordringen mit aller Macht wehren würde. Plötzlich – als ob man ihn abschnitt – brach der Sturm ab, und eine vollkommene Windstille erfüllte den Fjord. Im selben Augenblick erschien hinter der Fjordbiegung vor uns ein gespenstisch fahles, weißgrünes Leuchten und tauchte ein kleines Stück der Fjordwand in ein gleißendes Licht ein, so daß man geblendet war. In zwei Minuten war der ganze Spuk vorbei, und wir liefen auch bald im Hafen ein.

Sicherlich eine nicht gerade alltägliche, dramatische Szene. Ich habe sie in der Absicht geschildert, die Macht des atmosphärischen Elements im Wesen des Genius loci deutlich zu machen.

17. Materielle und immaterielle Sedimentation jüdischer Geschichte: der Judenfriedhof in der Altstadt von Prag.

Geschichte

Um Mißverständnissen vorzubeugen, muß klargestellt werden, daß hier mit Geschichte die immaterielle geschichtliche Sedimentation eines Ortes gemeint ist (die materielle geschichtliche Sedimentation als Architektur wird im nächsten Abschnitt behandelt). Es sind also geschichtliche Ereignisse am Ort, die durch kollektive Erinnerung weitergegeben und somit zum immateriellen Bestandteil des Ortes geworden sind, oder anders ausgedrückt, es ist die Erinnerung des Genius loci, der hier seine eigene Geschichte erzählt.[104]

War bis jetzt im Zusammenhang mit dem Genius loci die Rede von einer Zeit im periodischen Sinne von Tag und Nacht und von den Metamorphosen des Jahreszyklus, dann kommt mit der Geschichte die Dimension der linearen zeitlichen Entwicklung hinzu. Die geschichtliche Erinnerung des Ortes – die materiell festgeschriebene wie auch die immateriell durch die kollektive Erinnerung oder den Genius loci tradierte – garantiert die Kontinuität des Ortes, ohne die auch keine menschliche Identifikation möglich wäre.

Obwohl der Ort seine eigene, quasi »vormenschliche« Geschichte hat, wird man sie aus praktischen Gründen erst dort ansetzen, wo die kollektive Erinnerung der Menschen beginnt. Alles ältere liegt dann sozusagen im Unterbewußtsein des Genius loci verborgen. Diese Urschichten der Vorerinnerung mag Hermann Hesse im folgenden Gedicht im Sinn gehabt haben:

> »Manchmal wenn ein Vogel ruft
> Oder ein Wind weht in den Zweigen
> Oder ein Hund bellt im fernsten Gehöft,
> Dann muß ich lange lauschen und schweigen.
> Meine Seele flieht zurück
> Bis wo vor tausend vergessenen Jahren
> Der Vogel und der wehende Wind
> Mir ähnlich und meine Brüder waren ... «[105]

Alles, was am Ort geschieht, wird in seiner Erinnerung gespeichert. Es ist aber ein Unterschied, ob das Geschehene zum Bestandteil der (nun öfters bemühten) kollektiven Erinnerung, das heißt des gemeinsamen geschichtlichen Wissens wird, oder ob ein Ereignis meiner und des Ortes intimer Erinnerung vorbehalten bleibt, die wir beide als solche auch behüten. So wird für mich zwar jene Steinmulde am Meer, in der ich einmal in Mittagshitze zwei junge Menschen sich lieben sah, für immer ein besonderer Ort, eben ein »Liebesnest« bleiben. Doch teile ich diese Kenntnis nur mit den beiden Liebenden und vielleicht mit einigen wenigen anderen, die diesen besonderen Charakter des Genius loci gespürt haben. Sie gehört jedoch nicht zum geschichtlichen Allgemeingut wie etwa die Liebesgrotte von Odysseus und Kalypso auf der Insel Ogygia.

Das Wissen oder (und) eine besondere Sensibilität gegenüber der Erzählung des Ortes ist also eine Voraussetzung für die Wahrnehmung des geschichtlichen Aspektes des Genius loci auch oh-

[104] Vgl. die poetischen Überlegungen zur Geschichtlichkeit der Landschaft bei R. Schwarz 1949, S. 53 ff.
[105] H. Hesse 1970, S. 44.
[106] J. Michel, *Die vergessene Kraft der Erde*, Frauenberg 1981, S. 74.

ne eine entsprechende materielle Manifestation. Jeder Ort hat seinen ganz individuellen Lebenslauf, so daß es unmöglich erscheint, etwas Allgemeingültiges über den Geschichtsfaktor des Genius loci auszusagen. So werde ich im folgenden einige ganz konkrete »Geschichten« erzählen müssen, um die immateriellen geschichtlichen Sedimentationen zu erläutern.

Die weitaus zahlreichsten sind die schauderhaften Orte, als ob sich Verbrechen und Leid den Menschen und Orten bleibender einprägen würden als frohe Ereignisse. (Hierzu kommt freilich, daß viele bedeutende Ereignisse über kurz oder lang eine architektonische Fassung erhielten und so zu Denk- oder Mahnmalen umfunktioniert wurden und die Geschichte beziehungsweise deren jeweilige Deutung ihren materiellen Ausdruck fand.) Bekannt ist der Ausspruch, daß es den Übeltäter an den Ort des Verbrechens zurückzieht. Der bekannte Ort des Verbrechens zieht aber nicht nur den Verbrecher an, sondern strahlt seine merkwürdige Aura auch auf andere aus. An der Straße von Dolgellau nach Llanfachreth in Großbritannien stand zum Beispiel der »hohle Baum des Geistes«, der 1402 in seinem Inneren den ermordeten Anführer Hywel Selau barg. Der Baum wurde wegen des dort wohnenden Gespenstes gefürchtet und abends strikt gemieden.[106]

Die Vorstellung, sich an einem Hinrichtungsort zu befinden, ist makaber und berührt wahrscheinlich selbst stärkere Gemüter. So haftet die Erinnerung an die Massenhinrichtung des böhmischen Adels am Prager Altstadtring im Jahre 1621 dem Platz noch immer an, selbst wenn heute am Ort nur noch eine Tafel darauf hinweist. Die Kultstätten der Azteken halten die Erinnerung an die dort vollzogenen Menschenopfer wach, und die erdrückende Wirkung der noch erhaltenen KZ-Anlagen resultiert nicht so sehr aus den räumlichen Gegebenheiten der Orte wie aus der Unaussprechlichkeit dessen, was hier geschah.

Auch Schlachtfelder sind oft schicksalhafte Orte, wo folgenschwere Entscheidungen durch viel Blut herbeigeführt wurden. Das Feld bei Vrhpolje im Vipava-Tal in Slowenien gibt heute keine Hinweise mehr auf die Schlacht zwischen dem Kaiser Flavius Theodosius und dem heidnischen Gegenkaiser Eugenius Flavius im Jahre 394. Doch hat der Sieg des christlichen Lagers den Weg zur Christianisierung Europas freigemacht. Dagegen hat die Schlacht am Weißen Berg bei Prag am 8. November 1620 Böhmen für 300 Jahre die Selbständigkeit gekostet.

Geschichtsträchtige Städte wie Rom oder Athen verbreiten unabhängig von ihrer steingewordenen Geschichte eine Aura, die ihnen in Form von geschichtlichem Wissen vorausgeht. Dies gilt auch für viele Ruinenstädte, deren Genius kaum noch aus seinen aktuellen physisch-räumlichen Grundlagen lebt, sondern um so mehr aus seiner Erinnerung (ein Phänomen, das man übrigens auch bei älteren Menschen beobachten kann). Das klassische Troja ist ein gutes Beispiel dafür: Bis zur Entdeckung Schliemanns ein unbedeutender Hügel, mußte es sich über Nacht vor den Augen des humanistisch gebildeten Europas der ganzen Last seiner fast vergessenen Geschichte stellen. Und auch heute noch kommen 200.000 Touristen pro Jahr in erster Linie nicht wegen der Steine (die anderswo imposanter sind), sondern wegen der Aura eines geschichtlichen Ortes.

Oft wird versucht, das Wirken berühmter Persönlichkeiten an Orten und in Räumen festzuhalten, die sie benutzt haben. Das penible Bewahren des ursprünglichen Aussehens und das Belassen aller Kleinigkeiten an ihrem Platz kommt wohl aus der tiefen Überzeugung, daß sich das We-

18. Das Arbeits- und Schlafzimmer von Jože Plečnik in dessen Haus in Ljubljana (heute Architekturmuseum).

sen und der Geist des Betreffenden der Örtlichkeit eingeprägt hat, daß der Genius des Ortes mit der hier lebenden Persönlichkeit sich identifiziert hat.[107] Ob man nun an das (völlig neu aufgebaute) Goethe-Haus in Frankfurt, an die bescheidene Wohnung des Pfarrers von Ars oder an das Plečnik-Haus in Ljubljana (mit seinem Zeichengerät und dem schwarzen Hut am Arbeitstisch) denkt, die hinter solchen Präsentationen liegende Vorstellung ist dieselbe. Wie ernst diese Identität des Geistes und seines physischen Wohnortes gemeint war, zeigen jene Beispiele, wo nach Eroberung eines fremden Territoriums nicht nur die Bewohner ausgerottet, sondern sogar deren heilige Stätten und Steine zerstört wurden.[108]

Architektur

Wenn wir aufgefordert würden, markante Orte mit stark ausgeprägtem Genius loci aufzuzählen, würden wir wahrscheinlich fast ausnahmslos Städte, Siedlungen und Architekturen nennen. Dies ist naheliegend und besagt zweierlei: Zum einen haben ausgeprägte Orte den Menschen schon immer dazu animiert, sie auch architektonisch zu fassen und auszubauen, überhaupt an solchen Orten zu siedeln; zum anderen aber haben die aus dem Geist des Ortes entwickelten architektonischen Eingriffe den Ort komplexer und reicher gemacht und seinen Eigencharakter verstärkt.

An einem besonderen Ort geschieht etwas Außergewöhnliches, und dieser Ort wird dann architektonisch gefaßt – ein typisches Schema der Entstehung von Heiligtümern. So führte das Orakel an einer Felsspalte von Delphi nach und nach zu einem riesigen Heiligtum. Aus der Eiche in Dodona sprach Zeus selber; der Ort wurde mit einer Mauer umfaßt, ein Tempel und Eingangsportikus kamen hinzu. Die vielen Erscheinungen des Erzengels Michael auf Hügeln und Bergen wurden zu Wallfahrtsstätten: Mont-Saint-Michel in der Normandie, Saint Michel d'Aiguilhe auf der Felsnadel von Le Puy, die große Anlage der Sacra di San Michele bei Turin, St. Michael's Mount in Cornwall und viele andere. An diesen und zahllosen weiteren Beispielen kann man die Entwicklung vom natürlichen zum artifiziellen Ort überzeugend aufzeigen, eine Transformation, die man sich bei allen menschlichen Ansiedlungen analog vorstellen kann.

Architektur als raumbildendes Phänomen wird adäquat wohl nur nach dem bereits erwähnten Schema Struktur, Gestalt und Oberflächenbeschaffenheit behandelt werden können. (Da es hierzu eine endlose Reihe von Studien und Traktaten gibt, kann ich mich im wesentlichen auf Stichpunkte beschränken.)

Beschäftigt man sich intensiver mit der Entwicklung von räumlichen **Siedlungsstrukturen**, so wird man feststellen, daß sie auf dreierlei Weise entstehen: aus der Einfügung in die Struktur des natürlichen Raumes beziehungsweise der Wege (die wiederum der natürlichen Struktur des Geländes gefolgt sind), aus der Addition einer Vielzahl von baulichen Grundelementen[109] sowie aus einem rationalen Gesamtschema. Wir finden hier leicht abgewandelt das geomorphe, das typologische und das rationale Prinzip wieder. Kann man die ersten beiden empirisch nennen (von der

19. Kapelle unter Olivenbäumen auf der Insel Pag, Kroatien.

20. Das konzentrische Schema: Gruissan, Südfrankreich, um 1810.

[107] Etwas Ähnliches kann man bei lange zusam-
menlebenden Ehepaaren beobachten.
[108] *Das Alte Testament*, Das Buch der Richter,
Kap. 2, 2.
[109] Hier wird also tatsächlich der gebaute Typus
zum Bestandteil des Genius loci eines Ortes, also
zum Topos.
[110] Das rationale Prinzip wurde (wohl wegen der
Prägnanz des Themas) schon früh und ausgiebig
behandelt. Einerseits wurden Idealstädte seit Plato
in utopischen Schriften und Architekturtraktaten
verbal aufgebaut, andererseits gibt es darüber und
über die tatsächlich realisierten Idealstädte reichhaltige Sekundärliteratur. Die üblichen Themen-
kreise heißen: Idealstädte, Neugründungen, Kolo-
nialstädte, Stadtutopien usw. Hierzu ein eher zufällig herausgegriffener Titel mit weiterführenden
Literaturangaben: E. Y. Galantay, *New Towns:
Antiquity to the Present*, New York 1975. Die viel
schwierigere, weil komplexere und im Arbeitsauf-
wand zeitintensivere Untersuchung des typologischen Prinzips wurde erst von Saverio Muratori in
den fünfziger Jahren in Angriff genommen. Seine
Arbeit wird einerseits von der »Schule« (G. Marinucci, P. Maretto und G. Caniggia) bis heute fortgesetzt und wurde andererseits durch eine Neuinterpretation von A. Rossi und C. Aymonino weltweit
popularisiert. Einen guten Einstieg bietet S. Malfroy, G. Caniggia, *Die morphologische Betrachtungsweise von Stadt und Territorium*, Zürich
1986. Das geomorphe Prinzip wurde bis jetzt kaum
eingehender untersucht. Die vom Autor vorgelegte
Plansammlung (*Stadt und Topographie* 1990) versucht, die Grundlagen für eine solche Untersuchung zu schaffen.

»Basis« des Bauens her geprägt), ist das rationale Prinzip deduktiv. In der Praxis der Stadtentwicklung gibt es freilich alle möglichen Überlagerungen dieser Prinzipien, für das Verständnis der
Genealogie der Stadtstruktur ist es jedoch nützlich, sie zu unterscheiden.[110]

Unabhängig davon, welche der Prinzipien in welchem Maße an der Entstehung der Stadtstruktur beteiligt waren, wird diese entsprechend den drei Grundschemata (die jeglicher Raumgliede-
rung zugrunde liegen) begriffen werden können: Es sind dies das konzentrische und das lineare
Schema sowie das homogene Feld (oder Raster). Ich scheue mich beinahe, diese elementaren
Begriffe (Punkt, Linie und Fläche) erneut zu verwenden, aber es sind nun einmal jene, auf die sich
alle räumlich-strukturellen Phänomene zurückführen lassen.

Was ist nun die Wirkung dieser Strukturen, welcher Geist wohnt an den so strukturierten Orten? **Das konzentrische Schema** hat einen Mittelpunkt, radial auf den Mittelpunkt zulaufende
Wege und konzentrische Kreise mit immer größerem Radius. Was bedeutet dieses Grundschema
(das natürlich endlos abgewandelt werden kann)? Die Mitte ist vor allen anderen Stellen ausgezeichnet und zieht über die radialen Strahlen alles an sich (beziehungsweise umgekehrt – strahlt
aus). Die radialen Wege sind untereinander gleichwertig. Ihre »Qualität« (Bedeutung) verändert
sich jedoch mit der Entfernung vom Zentrum. Die Radialwege schwellen also an (oder nehmen
ab). Die Umlaufbahnen der konzentrischen Kreise sind dagegen in sich homogen, jede Stelle ist
der anderen gleich, im Bezug zum Zentrum sind aber alle Umlaufbahnen qualitativ verschieden.
Resultat dieser schlichten Beobachtung ist eine enorme Anziehungskraft der Mitte und als Folge
davon ihre Verdichtung. Dem steht die zunehmende Dispersion der Peripherie, je weiter sie vom
Zentrum entfernt ist, gegenüber.

In die Struktur eines konzentrischen Ortes ist Spannung eingebaut, wobei sie stärker ausgeprägt ist, wenn die radialen Richtungen vorherrschen. Überwiegen dagegen die konzentrischen
Ringe, wie dies oft bei den um einen Hügel gewickelten Städten der Fall ist (zum Beispiel Palom-
bara Sabina in Latium oder Gruissan in Südfrankreich), herrscht eher eine geschichtete Ordnung
vor. In jedem Fall aber ist die konzentrische Struktur hierarchisch gegliedert.

Das lineare Schema impliziert einen kontinuierlichen, endlosen Wegverlauf. Alle Stellen des
Weges sind gleichbedeutend, es gibt kein Zentrum. Der linear strukturierte Ort wird also zusätzlich
Elemente brauchen, die ihm den Anfang und das Ende setzen, gegebenenfalls auch einen Kristal-
lisationspunkt bezeichnen. Das additive Prinzip ist ihm eigen, Hauptcharakteristikum ist die Bewegung und Dynamik des Raumes. Musterbeispiele sind die vielen Straßendörfer, wo die Pfarrkirche
meist für den Halt im Gelände sorgt. Das alte Edinburgh war im Grunde genommen nichts anderes als ein großes Straßendorf, allerdings fest im Burgberg verankert und am entgegengesetzten
Ende mit der Augustinerabtei Holyrood kraftvoll abgeschlossen. Unbefriedigend laufen dagegen

die Enden von San Miniato aus, einer Ein-Straßen-Stadt in der Toscana, die konsequent den Grat eines geschlängelten Höhenzugs besetzt hält. In Bern schließlich wurde der Dynamik der linearen Räume (die hier parallel multipliziert sind) durch öffentliche Brunnen, solitär stehende Kirchen sowie die im Zuge der Stadterweiterungen entstandenen Zäsuren entgegengewirkt.

Das homogene Feld wird durch die Gleichheit aller Stellen im Feld gekennzeichnet. Keine Richtung ist vor einer anderen ausgezeichnet. Auch wenn es nicht das einzige ist (siehe zum Beispiel die Sackgassenstruktur des islamischen Städtebaus), repräsentiert doch das orthogonale Raster das häufigste und weltweit üblichste homogene Feld im Städtebau. Es besteht aus parallelen, sich senkrecht überkreuzenden Wegen, wobei alle Blöcke und alle Kreuzungen identisch sind. Aus der Struktur des Rasters läßt sich natürlich auch keine zentrale Stelle ableiten. Ein homogenes Rasterfeld als städtische Struktur wird sicherlich Monotonie verursachen, wenn es sich über größere Flächen ausdehnt, andererseits fördert es aber die Identität des Ortes (der Stadt oder des Stadtteils), indem es durch die Beständigkeit der Wiederholung immer gleicher Elemente seine Prägnanz steigert, vorausgesetzt, daß sich seine Struktur von den umliegenden Strukturen abhebt. Deswegen wird die Ausbildung der Ränder bei einem durch Raster strukturierten Ort von entscheidender Bedeutung für seine Wirkung sein. Priene ist ein gutes Beispiel für die figurale Wirkung eines Rasterfeldes mit eindeutigem Rand. Die Lage des Zentrums übrigens ist in Priene nicht aus einer inneren Logik der Struktur, sondern aus den topographischen Besonderheiten des steilen Geländes entwickelt. Die naheliegendste Methode, im orthogonalen Raster ein eindeutiges Zentrum zu schaffen, ist die Einführung eines betonten Fadenkreuzes mit einer prominenten Kreuzung. Es ist das städtebauliche Muster des römischen Cardo und Decumanus.

Meist sind diese Strukturschemata nicht in ihrer reinen Form verwirklicht, mehr oder minder komplexe Überlagerungen sind eher die Regel. Man denke etwa an den einem alten Pfad folgenden Broadway im Raster von New York oder an die linearen Schneisen Haussmanns in den verschiedenen Pariser Rasterstrukturen. Washington D.C. ist eine Überlagerung von radial zum Capitol Hill und zum Weißen Haus verlaufenden Straßen mit einem orthogonalen Raster. Und nur am Rande sei erwähnt, daß größere Städte natürlich »Unterorte« mit eigenen Strukturen entwickeln, welche die Frage nach dem »strukturellen Genius loci« sehr komplex werden lassen, so daß sie nur durch eine konkrete Analyse beantwortet werden kann.[111]

Bedarf der Begriff Struktur und Oberflächenbeschaffenheit keiner besonderen Erklärung, so wird es bei der **Gestalt** nicht überflüssig sein, eine operative Definition zu geben. Kann man die Struktur der Makro-, die Oberflächenbeschaffenheit aber der Mikroebene eines Ortes zuordnen, ist es bei der Gestalt so eindeutig nicht möglich, wird man doch auf allen Maßstabsebenen eines Ortes Gestalten ausmachen können. Legt die Struktur das Gefüge, die Art der Raumorganisation

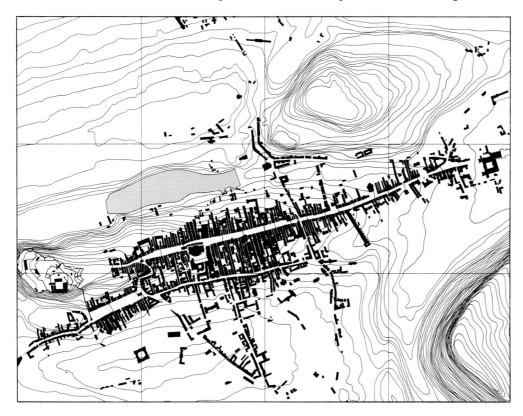

21. Das lineare Schema: Edinburgh, 1742.

111 Dies ist aus der typologischen Sicht für viele italienische Städte durch die Muratori-Schule geschehen. Siehe oben.

112 Kevin Lynch, *Das Bild der Stadt*, Braunschweig 1965, S. 18 ff.

eines Ortes fest, so sind Gestalten Figuren, die sich von ihrer Umgebung hinreichend abheben, um als individuelle Ganzheiten wahrgenommen werden zu können. Nach Lynch kann man auch von der Identität der Objekte, der Gestalt, sprechen.[112] Diese Identität kann ein Ort ausstrahlen, wenn er als Ganzes einen figuralen Charakter hat. Die von Kevin Lynch beschriebenen Elemente der mittleren Maßstabsebenen einer Stadt wie Wege, Kanten, Bereiche, Knoten und Wahrzeichen besitzen ebenfalls diese Identität. Aber genauso kann man bei jenen konkreten Architekturelementen der Mikroebenen, etwa bei Hauseingängen, besonderen Straßenleuchten oder Brunnen, von ihrer Identität sprechen. Alle diese Figuren und Gestalten mit eigener Identität sind letztlich die »Unterorte« einer Stadt, als solche jedoch dem Charakter des Genius loci des Gesamtortes verpflichtet.

Je komplexer, differenzierter und dichter das Netz solcher Gestalten ist, desto dichter, vielschichtiger und bedeutungsreicher wird auch der Genius des Ortes sein. Zunehmende Gesprächigkeit birgt jedoch die Gefahr in sich, ins bedeutungslose Geschwätz umzuschlagen, wo die individuelle Erzählung im allgemeinen Chaos untergeht, weil sie sich von nichts mehr abheben kann. Auf der anderen Seite führt eine zurückhaltende, hierarchisch geführte Verteilung der Akzente zur Steigerung der Wirkung von einigen wenigen Gestalten, freilich auf die Gefahr hin, die tragenden Texturen auf weite Strecken ausdruckslos werden und gestalterisch veröden zu lassen. Karlsruhe zum Beispiel und etliche kleinere Gründungsstädte in Südfrankreich (Aigues-Mortes, Montpazier usw.), in denen die Gesamtgestalt oder wenige Einzelfiguren dominieren, sind dieser zweiten Kategorie zuzuordnen. Der typische amerikanische Strip dagegen (und man muß nicht nur an das seit Robert Venturis Buch auch architektonisch berühmte Las Vegas denken) mit seiner sich über Meilen hinweg überschlagenden Reklamearchitektur, die nicht mehr einzeln, sondern nur noch als kontinuierliches Band wahrgenommen werden kann, bezeichnet das andere Extrem.

Konkret kann man hier an all die »herausragenden« Elemente der Stadt denken, herausragend im weitesten Sinne des Wortes: im Grundriß, in der Höhe, durch Bedeutung, Solitärstellung, besonderen Typus, Bauvolumen, Material usw. Diese werden meist (etwas unscharf) als Monumentalbauten und -räume bezeichnet. Ich möchte hier nicht auf all die einzelnen Phänomene wie Kirchen, Tempel, Paläste, Plätze, besondere Straßenräume, Rathäuser, Denkmäler, Brunnen, Brücken usw. und ihre besonderen Charaktere eingehen. Dies ist Sache einzelner Monographien, die zahlreich sind und auf die ich hiermit pauschal verweise.

Ein letztes Wort zu der verschiedenen Wahrnehmung des figuralen Charakters von Körper und Raum. Während man den Körper von außen betrachten und seine Gestaltprägnanz an dem ihn umgebenden Grund ablesen kann, ist dies bei einer Raumfigur (Stadtraum) nicht möglich. Bei der

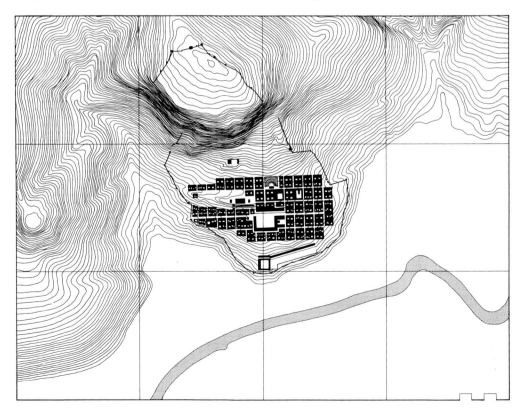

22. Das orthogonale Raster: Priene, um 300 v. Chr.

23. Körperfigur: Windmühle auf der Insel Öland, Schweden.

Wahrnehmung der Raumfigur befindet man sich in ihrem Inneren, kann diese überhaupt erst durch eine Drehung um die Körperachse voll erfassen und hat keinen Bezug zum umgebenden Grund. Trotzdem wird keiner behaupten, daß die Raumgestalt in Prägnanz der Körpergestalt nachsteht. Die Erfahrung lehrt uns eigentlich das Gegenteil: Der Kapitolplatz, die Piazza Navona, der Petersplatz mit den Bernini-Kolonnaden – um nur drei Beispiele aus Rom zu nennen – sind sicherlich mit die stärksten städtischen Gestalten, die man sich vorstellen kann. Dies liegt wohl in dem totalen Anspruch des Raumes begründet, denn mit seinen Begrenzungen bildet er unsere dritte Haut.

Und so gibt es die merkwürdige Erfahrung, daß die Wirkung ähnlicher architektonischer Elemente durchaus verschieden sein kann, je nachdem, ob sie einer Körperfigur angehören oder ob sie von einer Raumfigur aus als Raumschale wahrgenommen werden. Dies bestätigt nur die schon an anderer Stelle beschriebene Erfahrung, daß der Raumort wesentlich vereinnahmender wirkt als ein Körperort, von dem man sich leichter innerlich distanzieren kann. Der Raumort mit seiner Hülle kommt uns (in doppelter Bedeutung des Wortes) ganz nah, wird intim mit uns. Bezeichnend ist in diesem Zusammenhang, daß die Psychologie nur Raumort-Phobien kennt (Agora- und Klaustrophobie). Ebenso konnte Gaston Bachelard nur eine Poetik des Raumes (eigentlich eine intime Phänomenologie kleiner, glücklicher Raumorte) schreiben und nicht eine Poetik des Körperortes.[113]

Wenn nun im folgenden von **Oberflächenbeschaffenheit** der Architektur die Rede ist, habe ich dabei in erster Linie die Begrenzungen eines städtischen Raumortes vor Augen, also den Boden, die Wände und die Decke.

Auch der **Boden** ist Bestandteil einer städtischen Architektur, und nicht nur der städtischen. So erinnere ich zum Beispiel an die enorme architektonisch-räumliche Wirkung der runden, mit großen Steinplatten befestigten Dreschplätze in Griechenland. Entscheidend für die architektonische Wirkung des städtischen Bodens ist seine Reaktion auf die gegebene Geländeneigung. Schiefe Ebene, Treppe und Terrassierung sind die drei grundsätzlichen Antworten. Während eine geneigte Fläche das Abrutschen impliziert (siehe weiter oben beim Hang), hat eine Freitreppe grundsätzlich eine aufsteigende Tendenz, sie führt in jeder Hinsicht zum Höheren.[114] Terrassierung hingegen bringt den Hang zum Stehen, die Gesamtfläche wird in mehrere ruhige »Becken« unterteilt, in denen die Bewegung zum Stillstand kommt. Stützmauern und Verbindungstreppen sind die Folgen, und so ergeben sich auch zwei völlig verschiedene Ansichten des terrassierten Raumes: Von oben schweift der Blick frei über die niedrigen Brüstungen, von unten hingegen türmen sich die Stützmauern zu einer Barriere auf, die den Blick versperrt.

Die materielle Beschaffenheit des Bodens kann als weich oder hart charakterisiert werden. Dies ist zunächst einmal wörtlich gemeint, zum Beispiel als Gras, Kies oder Steinpflaster, dann aber natürlich auch im übertragenen Sinne: Weicher wirkt eine Oberfläche mit einem gewissen Relief, kleinteiligen Strukturierungen und aus Materialien, die im allgemeinen Sprachgebrauch als »weich« gelten, obwohl sie durchaus aus festen Stoffen bestehen. Hart werden dagegen glatte, großmaßstäblich gegliederte Flächen aus »harten« Materialien wirken. Solche »harten« Boden-

[113] G. Bachelard 1975. Folgende Raumorte werden phänomenologisch untersucht: Haus, Schublade, Truhe, Schrank, Nest, Muschel, Winkel, Miniatur und das Runde.
[114] So kenne ich z. B. keine Kirche, zu der anstatt einer Treppe eine Rampe führen würde.
[115] Vgl. Rudolf Arnheim, *Die Dynamik der architektonischen Form*, Köln 1980, S. 47 ff.

24. Pflaster aus Flußkieseln in Sarajevo.

25. Raumfigur: Hof in Certaldo, Toskana.
26. Steil ansteigende Straße in Urbino.

flächen haben zuweilen die Wirkung eines Spiegels (wie man es manchmal an unbewegten Wasseroberflächen beobachten kann). Die von solchen Flächen aufragenden Wände heben sich wesentlich stärker vom Untergrund ab. Auch der Blick wird vom Boden sozusagen reflektiert – zu den angrenzenden Bauwerken abgelenkt. Die Wirkung einer solchen »Referenzfläche« zeigt anschaulich die Pflasterung des dritten Burghofes am Hradschin von Jože Plečnik: Der gotische Dom wie auch die barocke Burgfassade erscheinen in ihrer eigenen Identität durch den glatten, neutral gerasterten Boden gestärkt.

Damit sind wir auch schon bei dem Übergang vom Boden zur Wand beziehungsweise bei der Frage des Sockels angelangt. Die Behandlung der Sockelzone macht Aussagen über die Art und Weise, wie das Gebäude auf dem Boden aufliegt, in ihm verwurzelt oder bodenflüchtig ist (ortsfester oder »vagabundierender« Genius loci). Die Frage, wie das Gebäude auf dem Boden steht und wie es zum Himmel aufragt, gehört zu den wichtigsten Charakteristika der Architektur. Die klassische, bis heute in Ehren gehaltene Dreiergliederung der Fassade weist auf die Bedeutung dieser Frage hin. Grundsätzlich kann man behaupten, daß ein sockelloser Bau im Boden zu versinken beziehungsweise aus ihm herauszuwachsen scheint – auf jeden Fall vermutet man einen Teil des Gebäudes unter der Erdoberfläche.[115] Ein Sockel (der je nach der Höhe und Gliederung des Gebäudes ein ganzes oder gar mehrere Geschosse umfassen kann) lagert mit seiner Horizontalität das Gebäude auf dem Erdboden auf. Ein transparentes Sockelgeschoß hebt das eigentliche Gebäude vom Boden ab, oft so gründlich, daß es zu schweben scheint (zum Beispiel die Villa Savoye von Le Corbusier). Wird die Schwebewirkung etwa durch ungünstiges Verhältnis von Sockel zu Gebäudehöhe nicht erreicht, tritt oft der entgegengesetzte Fall ein, daß die dünnen Stützen unter der ungeheuren Gebäudelast zusammenzubrechen scheinen oder im Boden zu versinken drohen.

Architektur prägt die Raumgestalt (von der hier die Rede ist) am nachhaltigsten als **Wand** beziehungsweise als **Fassade**. Diese vermittelt in der Regel mehrschichtig zwischen dem Innen- und Außenraum. Entscheidend für den Charakter dieser Wand (beziehungsweise der Architektur) ist ihre Bauweise: massiv oder skelettartig (mit vielen Zwischenstufen). Die Massivbauweise entstammt der Erde und ist ihr verbunden. Die Wand trägt hier die Lasten und begrenzt gleichzeitig den Raum, die Öffnungen sind aus ihr herausgeschnitten. Die Räume sind nicht gefügt, sondern gleichsam aus der Masse herausgehöhlt nach Art der Höhle. Dagegen entstammt die Skelettbauweise der Vegetation, dem Wald, der von der Erde getragen wird, aus ihr entspringt. Das Tragen und Begrenzen (als Ausfachung oder Vorhang) ist hier auf verschiedene Bauglieder verteilt. Wo Öffnungen gebraucht werden, wird die Ausfachung beziehungsweise der Vorhang einfach weggelassen. Die Räume sind gebaut, das heißt gefügt. Ich glaube, mit dieser Definition ist auch der Charakter der Bauweisen hinreichend beschrieben.

An dieser Stelle muß auch das Phänomen der Stütze angesprochen werden. Bei den Griechen (wo die Erinnerung an den Holzbau noch lebendig war) war sie zusammen mit dem Architrav eindeutig ein selbständiges tektonisches Element des Skelettbaues. Man kann die Stütze aber auch aus der Massivwand entwickeln, indem man zwei Öffnungen so weit ausschneidet, daß nur eine Stütze dazwischen stehen bleibt: Stütze also als Bestandteil des Massivbaus. [116] Man kennt die Wirkung von vielen frühchristlichen Basiliken, wo sogar Säulen von den Rundbögen der Wand herunterzuhängen scheinen.

Es wurde schon gesagt, daß die Öffnungen im Massivbau wie im Skelettbau verschiedenen Charakter haben. Das Fenster und die Tür in einer massiven Wand werden einen figuralen Charakter haben. In diesem Figur-Grund-(Wand-)Schema liegt auch die eigentümliche Tiefenwirkung der Lochfassade begründet (die Figuren erscheinen als vor der Wand schwebend). Eine Öffnung im Massivbau kann einen individuellen Charakter allein aus dieser Tatsache entwickeln. Fenstereinfassungen von den einfachsten bis hin zu den aufwendigen Fensterarchitekturen, skulpturale Portale usw. sind nur eine logische Folge der im Massivbau begründeten Individualität der Öffnung. Diese wird noch zusätzlich unterstützt durch die Freiheit, ein Fenster beliebig anzuordnen. Dagegen ist beim Skelettbau die Fassadengliederung (besonders bei der Ausfachung) durch die tragstrukturelle Logik vorgegeben. Meistens kommt ein Rastersystem zur Anwendung, das die mögliche Lage der Öffnungen vorgibt. Diese sind damit ein fester Bestandteil der Fassadenstruktur. So erscheint es nur als eine konsequente Entwicklung der Skelettbauidee, wenn heute die Vorhangfassade als völlig uniforme Gebäudehaut konzipiert wird (unter Anwendung von verspiegelten Gläsern im Fenster- und im Brüstungsbereich).

[116] Für Alberti war die Frage nach der Beziehung Stütze-Wand ein zentrales Thema, wobei er die Stütze eindeutig der Wand zuordnete. Hierzu R. Wittkower, *Architectural Principles in the Age of Humanism*, New York 1971, S. 33ff. Siehe auch R. Arnheim 1981, S. 56ff.
[117] Vitruv, *Zehn Bücher über Architektur*, Darmstadt 1981, Viertes Buch I, S. 6–8.

27. Öffnungen in einer Massivwand: Kilian Ignaz Dientzenhofer, Fassade der Kirche St. Thomas, Prag-Kleinseite, 1725.
28. Öffnungen im Skelettbau: Energiesparhäuser am Lützowufer, Berlin.

29. Bruch- und Werksteinwand in Istrien.
30. Glatte Putzwand in Prag.

Daß man freilich der inneren Logik der jeweiligen Bauweise nicht blind folgen muß, zeigen zahllose Beispiele auf beiden Seiten. So hat Le Corbusier seinen ausgesprochenen Skelettbauten kaum jemals eine konsequente Rasterfassade vorgesetzt, sondern hat sie meist unabhängig von der Strenge des Rasters individuell komponiert. Auf der anderen Seite wurde in der klassischen Architektur selten die dem Massivbau innewohnende Freiheit und letzte Individualität ausgeschöpft. Man hat sich freiwillig den Regeln der Proportion, des Stils und dem Diktat der Säulenordnungen untergeordnet.

In den Säulenordnungen wurden nicht nur die jeweiligen Formen und Proportionen kanonisiert, sondern gleichzeitig auch der dazugehörige Charakter. Auch diese Kanonisierung der Charaktere geht auf die Vitruvsche Überlieferung zurück, wobei die dorische Ordnung die nackte, schmucklose, männliche Schönheit und Stärke repräsentiert, die ionische Ordnung dem wesentlich zarteren Körperbau der Frau entspricht (die Voluten des Kapitells den Haarlocken, die Kannelüren den Gewandfalten), die korinthische Ordnung schließlich mit ihrem feierlichen Kopfschmuck die anmutige Zartheit der Jungfrauen darstellt. [117] Diese Charaktere wurden tatsächlich bei der Wahl der »richtigen« Ordnung peinlichst beachtet.

Ähnliches galt für die Anwendung von Proportionsregeln (die ebenfalls nicht »charakterlos« waren) sowie von Architekturstilen, wann immer sie parallel zur Verfügung standen. Schinkel zum Beispiel wußte wohl, wann er den Charakter des »griechischen« oder des gotischen Stils und wann er den italienischen Landvillencharakter anzustimmen hatte (und dies auch ohne die Wünsche der Bauherrschaft). Man könnte in diesem Zusammenhang auch auf die Emblematik in der Architektur sowie auf die »architettura parlante« eingehen, doch sind dies Spezialgebiete der Architektur, die zum Verständnis des architektonischen Genius loci nicht zwingend erforderlich sind.

Der materielle Aspekt der Wand spielt für den Ortscharakter eine entscheidende Rolle, kann er doch nicht nur visuell, sondern auch haptisch erfahren werden. Auch die Hand speichert nämlich Erinnerungen; sie werden wach, wenn wir eine feuchte, bemooste Steinwand berühren oder über eine sonnenverbrannte Verbretterung streifen.

Jedes Material besitzt die ihm eigene Palette von Ausdrucksmöglichkeiten, von der materialspezifischen Farbe angefangen über Eigentemperatur, Oberflächenstruktur bis hin zu dem haptisch relevanten Oberflächenrelief in der Bandbreite seiner Bearbeitungsmöglichkeiten. Auch die Größe und das Format der Einzelglieder im Gesamtgefüge der Wand spielen eine Rolle, genauso wie die Materialübergänge oder ein Wandüberzug, der sie homogen erscheinen läßt. Alle diese Aspekte des Materials offenbaren die Art und Weise, wie das Bauwerk errichtet ist, wie die Architektur ganz konkret gemacht ist. In Gedanken vollziehen wir die Mühen beim Bewegen großer Steinblöcke nach und sehen das langsame, doch stetige Wachsen einer Ziegelwand unter den Händen der Maurer. Der Genius eines gebauten Ortes erzählt also auch eine menschliche Geschichte von Arbeit, von Mühen, Freuden und Ambitionen der Erbauer.

Wie präzise sich die Absichten und Wesenszüge der Erbauer gerade in der Wahl des Materials und seiner Bearbeitung niederschlagen, zeigt die gesamte Geschichte der Baukunst. Eine Zyklopenmauer drückt nicht nur die rohe, ungestüme Kraft eines archaischen Volkes aus, sondern will diese bewußt evozieren.

Völlig anders in ihrer Wirkung ist dagegen eine Inka-Mauer aus Cuzco oder Machu Pichu, ebenfalls aus riesigen Steinformaten und im unregelmäßigen Verband. Betrachtet man hingegen die Präzision bei der Zusammenfügung der allergrößten Blöcke und die beherrschte Spannung, die von den winzigen Steinen im Verband ausgeht, so erkennt man hinter diesem Mauerwerk einen kraftvollen, doch selbstbeherrschten Menschen im klassischen Gleichgewicht.

Die offensichtlich unprätentiöse Verwendung des kleinformatigen Ziegelsteins, im mittelalterlichen Europa (und nicht nur in der Zivilarchitektur) weit verbreitet, deutet hingegen auf eine Geisteshaltung hin, in der sich der Einzelne dem Verband unterordnet, um eines höheren Zieles willen. Das erwachende Selbstbewußtsein und die Individualisierung des Renaissancemenschen zeichnet sich in der verstärkten Verwendung von Stein in plastischer, das heißt individualisierter Hervorhebung und größerem Format ab. Gerade dieser Gegensatz von Ziegel und Stein ist in der Toskana zum Bestimmungsfaktor der Blütezeit einer Stadt geworden. Während diese in Siena, San Gimignano oder Certaldo alto offensichtlich im Mittelalter lag, hatten Florenz, Montepulciano oder Pienza auch eine Blütezeit in der Renaissance. Das vorherrschende Fassadenmaterial einer Stadt vermittelt also nicht nur eine ausgeprägte Stimmung, sondern transportiert darüber hinaus geschichtliche und gesellschaftspsychologische Informationen.

Es ist aber der Eigencharakter des raumbegrenzenden Materials, der den gesamten Ortscharakter am entscheidendsten prägt. Der warme Ton des gelblichen Sandsteins bestimmt die Gotik und auch den Barock auf der Prager Kleinseite. Auch der Putz übernahm diese Farbpalette, die mit ein Grund für die erdhafte Wirkung der Stadträume auf der Kleinseite ist. Dieser Farbton wirkt bei trüben Wetterlagen schwerfällig, in sich versunken, doch genügt andererseits nur wenig Sonnenlicht (insbesondere das abendliche Streiflicht), um ihn aufleben zu lassen.

Der Sieneser Ziegel empfängt uns (besonders dort, wo er auch am Boden verlegt ist) mit einer wohlwollenden Mütterlichkeit. Diese Zuneigung ist aber nicht affektiv, die flächigen Fassadengliederungen üben eine noble Zurückhaltung aus. Die Wiederholung des immer gleichen Ziegelformates wirkt beruhigend – man wird an die Beständigkeit des Webens erinnert.

Walzprofilen aus Stahl mit ihren abgerundeten Kanten mutet man eine Tragfunktion noch zu, zum Beispiel bei den IIT-Bauten in Chicago von Mies van der Rohe, wo die Felder zwischen den Fassadenstützen mit Ziegeln ausgefacht sind. Eine Häufung solcher Bauten wirkt nüchtern, ihr serieller Charakter läßt wenig Raum für Ausnahmen oder Referenzen der gegebenen Situation gegenüber. Selbst die schönen und aufwendigen Ecklösungen lassen keine Individualität aufkommen. Im Verhältnis zum Stahl wirken die Aluminiumstrangprofile mit ihren scharfen Kanten und ihrer Präzision in der Regel noch härter, kälter und abweisender. Als das eigentliche Material der Vorhangfassaden unterstützen sie aus der Ferne betrachtet deren entmaterialisierende Wirkung. Im Bereich des haptischen Zugriffs können sie jedoch bedrohlich, um nicht zu sagen lebensfeindlich wirken.

Die weißlackierten Fassaden in England oder an der Atlantikküste des Kontinents erzeugen eindeutig eine maritime Stimmung. Die teergeschützten Holzschindeln an norwegischen Stabkirchen unterstützen dagegen die Vorstellung von einem urzeitlichen Lebewesen, und man könnte endlos weiter Materialien anführen, um ihren Einfluß auf den Charakter des Ortes zu beschreiben.

Am Rande nur sei darauf hingewiesen, daß der Eigencharakter des Materials nicht unabhängig von der Licht- und Witterungssituation betrachtet werden kann. Was wäre der helle Muschelkalk des Tempels von Ägina ohne die südliche Sonne oder der Granit, aus dem der Mont-Saint-Michel erbaut ist, ohne die feuchtkalte, salzhaltige Meeresluft, die ihn langsam zerfrißt und ihm die scharfen Konturen nimmt. So ist auch der Aspekt der Alterung, der Patina eines Materials für den Genius loci von Bedeutung. In dieser Hinsicht gibt es altehrwürdige, gediegene oder aus dem Boden gestampfte Orte. Und es ist die fehlende Patina, die den Neubau an einem langsam gewachsenen Ort desavouiert, bevor er dem Genius loci einverleibt wird.

Wenn man im Zusammenhang mit dem architektonisch gefaßten Ort nach den raumbegrenzenden Böden und Wänden auch von der Beschaffenheit der **Decke** spricht, kann man grundsätzlich an zweierlei denken: zum einen an den tatsächlichen oberen Abschluß von städtischen Räumen, zum anderen aber auch an die Dachlandschaft als den oberen Abschluß einer Stadt. Diese ist nicht nur (wie man zunächst meinen möchte) für die »Bedachung« des Ortes als Ganzes relevant und somit nur aus der Fernsicht oder für den Flieger von Interesse, sondern auch von den Stadträumen aus durch Dachvorsprünge, Gauben, Giebel, Türme usw. nachvollziehbar und zeigt so an, wie die Gebäude zum Himmel aufragen, ob sie sich durch eine bewegte Silhouette mit ihm verzahnen oder sich mit einem horizontalen Abschluß eher abweisend abwenden.

Wie bereits erwähnt, gibt es aber auch echte städtische »Innenräume«, öffentliche Räume mit einem Deckenabschluß. Gerade diese Orte als Arkaden, Passagen und überdachte Straßen weisen oft den stärksten Charakter auf, was freilich durch die ungewöhnliche Raumdichte leicht zu erklären ist. Der massiv überdeckte, gar noch gewölbte Passagenraum hat deutlich chthonischen Charakter. Es sind Wühlschächte durch die verdichtete Baumasse der Stadt, nicht unähnlich den unterirdischen Gängen einer Märchenburg. In einer extremen Ausprägung ist mir eine solche Passage aus Colle di Val d'Elsa in Erinnerung: ein ganzer Straßenzug, leicht abschüssig und niedrig überwölbt, ohne Beleuchtung und ohne sichtbare Hauseingänge – ein unerwartetes Höhlenerlebnis in der Stadt.

Auch Prag besitzt eine Fülle von oben meist geschlossenen Passagen, die den eigenartig erdhaften Charakter der Stadt adäquat ergänzen. Die glasüberdachten Passagen (man denke hier etwa an die sehr frühen Pariser Beispiele) haben neben der Lichtfülle von oben auch meist einen recht schlanken Querschnitt – beides Elemente, die den bekannten vertikalen Sog der klassischen Glaspassagen begründen.[118]

Neben den Passagen gibt es noch einen Typus des nach oben geschlossenen Stadtraumes von einem starken Eigencharakter. Es ist die mit Tüchern oder Bambusmatten abgedeckte Basarstraße des Orients. Selbst wenn es gelingen sollte, sich die typische Basarstimmung mit der dazugehörigen Geräusch- und Duftkulisse wegzudenken, bleibt als bestimmendes Element dieser Straßen gerade jenes durch die Tücher gedämpft gefilterte Sonnenlicht und ein Licht-und-Schatten-Spiel, das zusammen mit dem aufgewirbelten Staub den Luftraum der Straße plastisch und greifbar erscheinen läßt.[119]

31. Licht und Schatten auf einer Wand: Luis Barragán, Fuente del Bebedero, Las Arboledas, Mexiko-Stadt, 1959.
32. Drei »Befindlichkeiten« einer Wand – ältere Rekonstruktion mit Patina, erodierte Fassade mit gereinigtem Stein, Vorhangfassade aus Schutzfolie: Marcellustheater, Rom.

33. Arkaden am Place des Vosges, Paris.

Die Arkade als überdachter und einseitig zu einem größeren sich halbtransparent öffnender Raum ist ein Zwitter zwischen der Passage und der Straße beziehungsweise dem Platz. Ihr Raumcharakter ist ähnlich zweideutig: halb aus der Gebäudemasse herausgehöhlt, begleitet sie den Hauptraum an seiner Grenzlinie auf Schritt und Tritt. Aus dem Halbdunkel der Arkade kann man das Geschehen ungesehen beobachten. Die Arkade höhlt den festen Körper der Gebäude aus und verzahnt ihn so mit dem Stadtraum.[120]

Auch der ungedeckte Stadtraum findet seinen Abschluß im sichtbaren Ausschnitt des Himmelsgewölbes. Nur wird sein raumbegrenzender Charakter nicht wie bei einer offenen Landschaft vom Horizont her bestimmt, sondern von den begrenzenden Gebäudekonturen. Paul Zucker versucht sogar, die Höhe solch einer »Himmelsdecke« zu bestimmen:

»Den subjektiven Eindruck von einer ganz bestimmten Höhe des Himmels verursacht das Wechselspiel zwischen der Höhe der umgebenden Gebäude und der Ausdehnung (Breite und Länge) der Bodenfläche. Einen starken Einfluß üben die Umrisse von Dächern und Giebeln, Schornsteinen und Türmen aus. Im allgemeinen stellt man sich die Decke über einem geschlossenen Platz in einer Höhe vor, die drei- bis viermal so hoch ist wie das höchste Gebäude am Platz. Höher scheint sie über Plätzen zu sein, die von einem herausragenden Gebäude beherrscht werden, wohingegen über weiten, offenen Plätzen wie der Place de la Concorde in Paris der visuelle Abstand bis zum Himmel nur vage wahrgenommen wird.«[121]

Wie der Übergang vom Boden zur Wand, so bedarf auch der Übergang von der Wand zum Himmel einer Artikulation, wenn das Gebäude als ein Wesen zwischen Erde und Himmel verstanden wird, ein Wesen, das auf der Erde lagert (oder in ihr wurzelt), aber zum Himmel ausgreift. Die Architekturgeschichte hat zu diesem Problem eine ganze Typologie von Lösungen entwickelt, um auf den architekturpsychologischen Komplex der Beziehung zum Himmel differenziert antworten zu können. Diese reichhaltige Palette von oberen Gebäudeabschlüssen bezeugt anschaulich die Wichtigkeit dieser Beziehung, die in der modernen Architektur auf eine einzige Lösung – den waagerechten, undifferenzierten Flachdachabschluß – reduziert wurde.

Eine Wand einfach waagerecht abzuschneiden, scheint bei nahezu flachen Dächern oder Dachterrassen, wie man sie von den trocken-warmen Zonen her kennt, durchaus möglich, obwohl auch hier meist eine Artikulation der Silhouette versucht wird. Eine Wand jedenfalls, die ohne eine plastisch vorspringende Zäsur in den Himmel ragt, zieht die Blicke nach oben, weist gegen den Himmel. Sie schafft so weniger Raum für die Gemeinschaft, als daß sie das ewige Problem der vertikalen Beziehungen thematisiert.

Bei geneigten Dächern dagegen ist ein Dachüberstand – sei es mit Dachgesims oder mit sichtbarem Gespärre – logisch. Die aufstrebende Bewegung der Wand wird an diesem vorspringenden Element gestoppt, der angrenzende Raum bekommt wenigstens andeutungsweise einen oberen Abschluß. Man fühlt sich hier weniger den kosmischen Kräften ausgesetzt. Besonders der

[118] J. F. Geist, *Passagen – ein Bautyp des 19. Jahrhunderts*, München 1969.
[119] Bernard Rudofsky, *Streets for People*, Garden City, New York 1969, S. 201ff.
[120] Ebd., S. 69ff.
[121] Paul Zucker, *Town and Square*, New York 1959, S. 7, zitiert in R. Arnheim 1980, S. 34.

Gesimsabschluß, der ja nahtlos aus der Wand entwickelt ist, wendet sich dem öffentlichen Raum zu, ist auf diesen hin konzipiert, wohingegen der schlichte Dachüberstand von einem Dach erzählt, welches das Haus behütet und dem Himmel in einer Schutzgeste den Rücken kehrt.

Die klassische Fassadengliederung kennt neben dem zur Erde hin vermittelnden Sockel(geschoß) auch die Attika, die innerhalb der Fassade den Übergang zum Himmel einleiten soll (auch die Attika kann freilich ein ganzes Geschoß oder mehr umfassen). Diese Dreiterteilung der Fassaden ist keine willkürliche Festlegung klassischer Architektur, sondern liegt im Wesen des Hauses begründet. Phänomenologisch gesehen kann man beim Haus nur drei Schichten unterscheiden: den Keller, die oberirdischen Geschosse und die Attika beziehungsweise den Dachstuhl. Das Haus, das auf dem Erdboden steht und dessen Wesen darin begründet liegt, daß es von der Erde zum Himmel aufragt, bedarf artikulierter »Puffer«, Übergangszonen, mit denen es der Erde und dem Himmel Reverenz erweist (nicht wesentlich anders als es auch ein Baum tut). Wenn Bachelard das Haus des Tagträumers beschreibt, zeigt er sich unentschieden, ob er neben dem Erdgeschoß auch noch das erste Obergeschoß als phänomenologisch eigenständig anerkennen soll:

»Wären wir Architekt eines Traumhauses, würden wir zwischen einem dreiteiligen und einem vierteiligen Haus zu wählen haben. Das dreiteilige, das einfachste hinsichtlich der notwendigen Höhe, hat einen Keller, ein Erdgeschoß und ein Dachgeschoß. Das vierteilige Haus schiebt ein Stockwerk zwischen Erdgeschoß und Speicher. Ein weiteres Stockwerk, ein zweites Stockwerk und die Träume verwirren sich. In dem Traumhaus vermag die Topo-Analyse nur bis auf drei oder vier zu zählen.« [122]

Das Sezieren von Einzelerscheinungen des Genius loci, so wichtig es auch für das Verständnis seiner Wirkungen sein mag, läuft Gefahr, die Komplexität des Phänomens aus den Augen zu verlieren. Ein Dichterwort kann hier mit seiner ganzheitlichen Sicht der Dinge eine Stimmung erzeugen, die zwar subjektiv, aber vom Geist des konkreten Ortes beseelt ist. Hermann Hesse beschreibt seine nächtliche Ankunft in Cremona so:

»Der Regen singt, die Ebene liegt voll Nacht,
In hohen Bäumen rauscht es naß und kühl,
Zart tropfen Glockentöne vom Gestühl
Und schlafen ein, vom Regen leis verlacht.

Durch frohe Gassen bei Laternenschein
Zieh ich gelassen in die fremde Stadt,
Gewölbe dunkeln, Fenster schimmern matt,
Friedvolle Bürger sitzen still beim Wein.

Ein Bogengang hallt auf von meinem Tritt,
Und eine Treppe leitet mich gemach
In ein Gewölb', an Säulen hin, und schwach
Läuft überm feuchten Stein mein Schatten mit.

Weit öffnet nun die Halle ihren Schacht,
Erschrocken halt ich: riesig Bau an Bau
Ragt Dom, Turm und Palast, darüber blau
Und schweigsam brütet ungeheure Nacht.« [123]

Lebewesen

Man muß nicht den Tierpark mit seiner verwirrenden Vielzahl von Charakteren bemühen, um aufzuzeigen, daß auch Lebewesen – **Menschen und Tiere** – den Charakter eines Ortes beeinflussen können. Man kann zum Beispiel an den vertrauten Kuhstall denken mit seiner spezifischen Wärme, mit Gestank, Kuhmist und einem Schwalbennest unter dem Dach. Der »Genius« eines Bauernhofes ist ohne diese Attribute gar nicht denkbar. [124] Und befällt uns nicht überall dort, wo wir in unserer geplagten Landschaft noch Wohnstätten von Tieren aufstöbern, eine sonderbare Ehrfurcht, nicht nur vor dem Leben selbst, sondern auch vor dem Ort, der es noch ermöglicht und beschützt? Sei es ein Fuchsbau, ein Vogelnest [125] im Baum oder nur ein Ameisenhaufen im Wald. Futterkrippen im Wald oder Tiertränken sind Orte, die ihre Identität eindeutig durch die Lebewesen erhalten, selbst wenn diese abwesend sind.

[122] G. Bachelard 1975, S. 58.
[123] H. Hesse 1970, »Ankunft in Cremona«, S. 80.
[124] Die Bilder aus dem Fundus der kollektiven Erinnerung sind ihrem Wesen nach konservativ. Sie werden erst mit ziemlicher Phasenverschiebung durch neue Elemente angereichert, nachdem diese zum »Allgemeingut« geworden sind. Vgl. z. B. das stereotype Giebelhaus, das von allen Kindern unseres Kulturkreises als Symbol des Hauses gezeichnet wird.
[125] Zur Phänomenologie des Nestes siehe ein eigenes Kapitel in G. Bachelard 1975, S. 119ff.
[126] J. Pieper 1987, S. 124.
[127] H. Sörgel 1918, S. 273.

34. Der Weg zum Schafstall.

35. Ein durch Musikanten gebildeter Ort.

Es gibt Orte, von denen bestimmte Tiere nicht wegzudenken sind, sie gehören sozusagen zum festen Bestandteil eines Ortscharakters. Auf diese Weise gehören etwa die Tauben zum Markusplatz in Venedig und Scharen von herumstreunenden Katzen zu den verlassenen nächtlichen Straßen von Venedig oder Rom. An Eingängen zu Höhlen sorgen oft Fledermäuse für makabre Stimmung, insbesondere wenn sie abends auf einmal ausschwirren. Und die heiligen Fische von Sringeri in Indien sollen so zahlreich sein, »daß man ihre Rücken dicht an dicht aus dem Wasser ragen sieht. Der Fluß ist an dieser Stelle buchstäblich lebendig und dieses merkwürdige Bild trägt nicht weniger zu der eigenartigen Atmosphäre des Ortes bei als der ganz in die Stadt eingebaute Berg...[126]

Natürlich interessiert aber in erster Linie, wie sich die Anwesenheit des Menschen auf den Genius loci auswirkt. So sei zunächst erwähnt, daß es auch Orte gibt, die erst durch die Anwesenheit von Menschen gebildet werden. Das vielleicht bekannteste Beispiel für solch einen anthropogenen Ort ist Speaker's Corner im Londoner Hyde Park. Wenn gerade niemand sein Anliegen vorträgt, existiert der Ort zumindest visuell eigentlich gar nicht. Allein das Wissen um die zahllosen Redner und Zuhörer vermittelt dem Ort aber eine eigentümliche Aura.

Das Beispiel aus London (und man kann an jeden Menschenkreis denken, der sich spontan zum Beispiel um einen Straßensänger bildet) illustriert anschaulich die **Inpermanenz** und **Flüchtigkeit** des menschlichen Faktors im Wesen des Ortes. Etwas »Menschliches«, um nicht zu sagen Launenhaftes färbt auf den Ortsgeist ab. Es ist auch wahrlich Extremes, was man den Orten im Wechsel von Tag und Nacht zumutet. Gerade unsere Innenstädte sind ja meist durch den scharfen Gegensatz von menschenleeren nächtlichen Straßen und überfüllten Fußgängerzonen gekennzeichnet. Noch größeren Belastungen ist die Identität des Ortes bei saisonbedingten Schwankungen ausgesetzt, was bei den vom Massentourismus lebenden Orten der Fall ist. Während der Saison ist ja gerade die Menschenfülle mit allen (auch räumlich relevanten) Begleiterscheinungen das Wesensmerkmal solcher Orte. Dieses am Anfang der Saison nur langsam aufgebaute Selbstverständnis des Ortes bricht mit ihrem Ende jäh in eine triste Verlassenheit zusammen. Alles ist plötzlich ein paar Nummern zu groß. Sind die Veränderungen zu umfangreich oder können sie im ständigen Auf und Ab nicht verkraftet werden, kann dieser Zustand zu einer Persönlichkeitsspaltung nicht nur der Bewohner, sondern auch des Genius loci führen.

Abgesehen von dieser zyklischen Schizophrenie erlebt mancher Ort durch Diskontinuitäten der Entwicklung eine unwiderrufliche Entfremdung zwischen seiner räumlichen Ausformung und dem Menschenleben der Zeit. »Die Vergangenheit kehrt nicht wieder«, sinniert Herman Sörgel über die Parkanlage von Versailles. » Die Bewohner, die darin bewegten Lebewesen, Kostüme, Requisiten, das Mobiliar, kurz das ganze Füllwerk, das jetzt zum allergrößten Teil fehlt, waren unmittelbar mit dem eigentlich Architektonischen, dem Bauprogramm, Zweckausdruck, Gemüt und gewohntem Sehvermögen der Entstehungszeit verbunden.«[127] In diesem Sinne freilich ist ein Ort vergänglich. Die glückliche (oder zumindest enge) Übereinstimmung der äußeren Hülle mit dem zeitbedingten Ausdruck des darin lebenden Menschen ist zwar unwiederbringlich verloren, der Ort bewahrt sie aber in seiner Erinnerung. So schlägt sich nach und nach alles Menschliche am Ort im Sediment seiner Geschichte nieder.

Als Äußerungen des Menschenlebens erwähnt Sörgel in dem obigen Zitat die bewegten Lebewesen sowie die verschiedensten Requisiten, Gegenstände, die hingestellt und wieder weggeräumt werden. Ich möchte noch Geräusche und Gerüche hinzufügen, um mit diesen vier Elementen die Flüchtigkeit und Dynamik der menschlichen Dimension des Genius loci zu skizzieren.

Bewegung ist wohl die entscheidendste Erweiterung im Spektrum des Ortsgeistes durch die Anwesenheit des Menschen (hier einmal von der windbewegten Landschaft abgesehen). Wie eine bewegte Menschenmasse in ihren verschiedenen Variationen (Demonstration, Straßenschlacht, Kundgebung, Aufmarsch, Fußballstadion nach dem Ausgleichstor usw.) einen Ort verändern und alle anderen Aspekte des Raumes in den Hintergrund der Wahrnehmung drängen kann, ist jedem durch Anschauung bekannt. Ähnlich dominierend kann auch die Wirkung des Verkehrs sein. Unter besonderen Umständen, und nicht nur aus der Fahrerperspektive, kann im statischen Raum der Straße ein dynamischer Raum entstehen – die bewegten Partikel reißen ihn sozusagen mit.

Neben den alltäglichen Bewegungen des Verkehrs gibt es auch feierliche und zeremonielle Bewegungen, die meist zum altehrwürdigen Bestand des Genius loci zu zählen sind: **Prozessionen** aller Art, Umzüge und zeremonielle Umschreitungen. Durch die regelmäßige Wiederholung, festgelegte Route und gleiches Ritual prägen sie dem Ort eine unsichtbare, jedoch wirksame Struktur ein, die meist auf eine göttliche Offenbarung oder eine Epiphanie, auf jeden Fall auf den Genius des Ortes bezogen ist. Eine Religiosität, die sich das Heilige örtlich gebunden vorstellte, mußte logischerweise auch raumgreifende Rituale als Umzüge oder Prozessionen entwickeln. Diese »territoriale Gestik« erfüllt aber noch andere Funktionen. Sie vermittelt zwischen der meist idealtypischen architektonischen Fassung einer numinosen Stelle und den lokalen Besonderheiten des Ortes. Diesen Zusammenhang weist Jan Pieper für die südindischen Tempelstädte überzeugend nach. Das Stadtritual ist dort ein Phänomen, das »die idealtypische Architektur der indischen Tempelstädte ... an die einmaligen topographischen, kleinräumigen Gegebenheiten und Besonderheiten des Standortes bindet, daß es also die Starre der idealen Architektur, die aus dem abstrakten Ordnungsgedanken der überregionalen klassischen Kultur hervorgegangen ist, mit dem erdnahen Genius loci aussöhnt«. [128]

Aber auch im christlichen Europa (dem eine weitgehend entstofflichte Vorstellung des Heiligen eigen ist) gab es im Mittelalter städtische Rituale. In diesen Prozessionsspielen oder Standortdramen wurden jedoch im Unterschied zu den indischen Beispielen »Bilder aus der religiösen, biblischen Vorstellungswelt dazu gebraucht, die scheinbar beziehungslos im städtischen Raum nebeneinander liegenden architektonischen Elemente aufeinander zu beziehen und einer umfassenden Vorstellung zuzuordnen – einer Vorstellung, die den Inbegriff von Sinn und Ordnung dieser Welt verkörpert«. [129]

Waren Verkehr und Prozessionen gerichtete Bewegungen, so gibt es unzählige Aktivitäten im öffentlichen Raum der Stadt, die eher ortsfest zu nennen sind, genauso aber zur Belebung des Ortes beitragen: Märkte, Jahrmärkte, Straßentheater, verschiedenste Zurschaustellungen, Straßenrennen, Verkaufsstände und fahrende Händler, Straßencafés usw. [130]

All die letztgenannten menschlichen Aktivitäten setzen irgendwelche Requisiten, Möbel, Buden, provisorische Kleinarchitekturen, meist tragbare **Gegenstände** voraus, die das Aussehen des Ortes für kurze Zeit verändern und dann wieder verschwinden. Sicherlich wird man in erster Linie an die Straßencafés denken, die an den ersten wärmeren Tagen plötzlich da sind, immer mehr werden, an unerwarteten Stellen aus dem Boden schießen und im Herbst wieder eines nach dem anderen verschwinden. Auch dieses Einräumen und Ausräumen der Stadträume ist zyklischen Bewegungen unterworfen – Tag und Nacht, Sommer und Winter.

Es gibt freilich auch weniger appetitliche Nebenprodukte menschlicher Anwesenheit an bevölkerten Orten: Abfälle markieren die beliebten Picknickorte, in den Städten bevölkern morgens kurzzeitig die Mülltonnen die Straßenränder, und manchmal, wenn die Müllabfuhr streikt, kann der Ort förmlich im Abfall ersticken. Auf den Bahnhöfen sind die am Boden abgestellten Koffer zum Zeichen der Erwartung geworden. Überhaupt sind Orte, an denen Gepäck herumsteht, in irgendeiner Weise mit Abschied, Sehnsucht (Erwartung) oder Fernweh verbunden. Neben Bahnhofs- oder Flughafenhallen sind es Hotelfoyers, aber auch Lagerplätze von Rucksacktouristen oder erstürmte Berggipfel.

Um die Rolle von **Geräuschen** für den Charakter eines Ortes zu beschreiben, bediene ich mich noch einmal des vertrauten Bildes eines Bahnhofs. Zu einer allgemeinen Geräuschkulisse kommen hier periodisch ganz spezifische Bahnhofsgeräusche wie das Quietschen einfahrender Züge, die affektierten Laute stürmischer Begrüßungsszenen, das an- und wieder abschwellende Ge-

36. Bewegung und Licht: Kinder in Tunis.

[128] J. Pieper 1987, S. 108.
[129] Ebd., S. 76. Hier auch weitere Literaturangaben zum Prozessionswesen. Siehe auch vom selben Autor: »Arche und Lade«, *Bauwelt*, 33, 1985, S. 1278 ff.
[130] Eine anregende (Bild-)Materialsammlung findet sich in B. Rudofsky 1969, S. 123–151.
[131] In dieser Hinsicht sehr aufschlußreich sind Orts- bzw. Raumschilderungen von Blinden, die ja ausschließlich auf das Haptische (im Nahbereich) sowie gesamträumlich auf das Akustische angewiesen sind.
[132] E. Straus, »Formen des Räumlichen. Ihre Bedeutung für die Motorik und die Wahrnehmung«, in: *Psychologie der menschlichen Welt. Gesammelte Schriften*, Berlin 1960, S. 147. Besprochen in O. F. Bollnow 1963, S. 244 ff.
[133] So hat z. B. Konrad Lorenz an frisch ausgeschlüpften Graugänsen experimentell nachweisen können, daß sie sich bedenkenlos an das erste bewegte und Geräusche von sich gebende Objekt binden, egal ob es die Gansmutter, ein Mensch oder ein präparierter Fußball ist.

räusch einer Menschenmenge bei der Ankunft eines Zuges, die Trillerpfeife des Bahnhofsvorstands und vor allem die einzigartig unverständlichen Zugansagen. Das Akustische ist in diesem Falle so spezifisch und dominant, daß es den Genius loci allein konstituieren kann.

Verschiedene Arbeitsvorgänge oder Verrichtungen geben ähnlich unverwechselbare Geräusche ab. Mit geschlossenen Augen kann man so zum Beispiel eine Schreinerei von einer Schlosserwerkstatt unterscheiden. Die verschiedenen Verkehrsmittel haben ihre spezifischen Geräusche und bestimmen so wesentlich die Stimmung am Ort. Gesprächsfetzen im Vorbeigehen oder am nächsten Kaffeetisch aufgeschnappt, Straßenmusik, widerhallende Schritte auf einem leeren nächtlichen Platz – all das sind letztlich Ausdrucksmöglichkeiten, akustische Lebenszeichen eines Ortes. [131]

Wir sprechen oft von einer Geräuschkulisse, womit bereits (meist unbewußt) der Raumcharakter der Geräusche, des Schalls angesprochen wird. E. Straus hat diesen Raumcharakter des Schalls als erster untersucht. (Seine Unterscheidung zwischen Geräusch einerseits und Schall, Ton und Musik andererseits ist für unsere Zwecke unerheblich.) »Der Schall, der sich von seiner Schallquelle löst, kann zu einem reinen Eigendasein gelangen« und bildet so einen allumfassenden »homogenisierten« Raum [132]. Einen ähnlich homogenen akustischen Raum haben wir bereits beim Wasserfall beobachten können.

Es liegt auf der Hand, und die Verhaltensforschung hat es überzeugend bestätigt, daß die zwei entscheidenden Attribute des Lebendigen Bewegung und Eigengeräusche sind. [133] Es ist also naheliegend zu folgern, daß der Genius loci um so lebendiger und wirksamer erfahren wird, je stärker er vom menschlichen Faktor geprägt wird. Ähnlich ausgeprägte Eigenschaften des Lebendigen besitzen nur noch das bewegte Wasser und der Wind, weswegen sie auch seit Urzeiten als Wasser des Lebens und als Lebenshauch das Leben schlechthin symbolisiert haben.

Denkt man hierzulande an ortsgebundene **Gerüche**, so meint man wahrscheinlich in erster Linie den Gestank des Verkehrs, die spezifischen Emissionen der Industriestandorte, die »dicke Luft« also. Erst im zweiten Anlauf mag man sich auch etwa der Wohlgerüche der blühenden Bäume oder Heuwiesen erinnern. Einen zwiespältigen Bezug wird man wohl zu dem recht penetranten Malzgeruch der Brauereien haben. Gerade dieser aber verleiht dem Ort im weiten Umkreis eine unverwechselbare Identität. Um kulinarische Gerüche im öffentlichen Stadtraum genießen zu können, wird man sich eher in südliche Regionen versetzen müssen. Hier beeinflussen Straßenrestaurants, Imbißstuben, Caféhäuser, aber auch private Haushalte das Geruchsbild der Straße ganz entscheidend. Welche Dichte diese an sich so flüchtigen Geruchserscheinungen erreichen können, zeigt wiederum eine orientalische Basarstraße. Die Duftterritorien des Caféhauses, des Duftkräuterhändlers und der Backstube sind scharf gegeneinander abgegrenzt. Nur recht wenige

37. Konzentrierter Ort: Gedeckte Tische in einer Passage in Paris.

Duftoasen sind im öffentlichen Raum unserer Breitengrade übriggeblieben. So prägt der Weihrauch, der darüber hinaus auch noch optische, raumbildende Qualitäten besitzt, nach wie vor die Kircheninnenräume, und die Damen bereichern in den Abendstunden den Geist bestimmter gesellschaftlicher Orte der Stadt um den Geist aus der Parfümflasche.

Obwohl Gerüche und Düfte eigentlich ein Sinnbild des Flüchtigen sind, treffen wir doch immer wieder auf Örtlichkeiten, die einen ausgeprägten Eigengeruch besitzen: Stuben, die langsam den Geruch der dort Wohnenden angenommen haben, alte Treppenhäuser mit dem Schweißgeruch ganzer Generationen, alte Tischlerwerkstätten, wo der Geruch nach warmem Knochenleim noch nach Jahren an den Wänden zu haften scheint. Es sind Duftspuren, Erinnerungen, die sich dem Ort fest eingeprägt haben.

Es gibt noch deutlichere Spuren, mit denen sich Menschen an konkreten Orten in Erinnerung bringen wollen. Ich denke hier an die seit der Vorgeschichte übliche Art, seine Anwesenheit am Ort durch **Graffiti** zu dokumentieren: von den paläolithischen Höhlenzeichnungen über die skandinavischen, nordamerikanischen oder rhodesischen Petroglyphen zu den mittelalterlichen und zeitgenössischen Graffiti.

Die Wand dient als Spiegel. Sie spiegelt die innere Verfassung des Graffiti-Malers wider. Die Graffiti sind realisierte Erinnerungsspuren, Kommunikationsversuche, Selbstdarstellungen oder Ortsaneignungen, Niederschriften persönlicher Geschichten am Ort.[134]

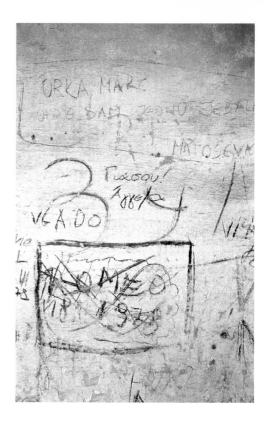

38. Graffiti in einer istrischen Klosterruine.

Das Unfaßbare

Gewiß ist es legitim, Erscheinungen und Phänomene der Umwelt erklären zu wollen, und die vorliegenden Überlegungen waren nichts anderes als ein Versuch, das komplexe Phänomen des Genius loci zu fassen. Am Ende angelangt, muß jedoch zugestanden werden, daß im Wesen des Ortsgeistes wohl immer ein Rest bleiben wird, der sich dem Zugriff der Beschreibung entzieht. Jenem aber, das man nicht greifen kann, sollte man nicht nachjagen. »Wovon man nicht sprechen kann, darüber muß man schweigen« und den unfaßbaren Rest auf sich wirken lassen, sich offen halten für eine mögliche Resonanz mit der geheimnisvollen Seele des Ortes. Diese Einsicht möchte ich hier beherzigen und nur auf zwei »Ortsbilder« verweisen.

Hat jeder Ort seinen Genius?

»Unsere Orte haben keinen Genius mehr, sie wissen nicht mehr, was sie sein wollen«, klagte einmal Louis Kahn, und heute spricht man wieder vermehrt von »Nicht-Orten«. Die Bezeichnung selbst ist problematisch. Entweder handelt es sich um keinen Ort, dann ist es wohl ein anderes, das einen Namen hat (oder kommt man etwa terminologisch und inhaltsmäßig um den Ort nicht herum?), oder wir haben es mit einem Ort zu tun, dessen Charakter vielleicht unterentwickelt ist, so daß wir seine Eigenheiten als solche nicht anerkennen wollen – dann ist der Begriff »Nicht-Ort« zumindest irreführend. Die Diskussion um Ort und Nicht-Ort ist nicht neu, seit den sechziger Jahren wird sie immer wieder in gereizter Stimmung geführt, wobei die angedeutete Sprachverwirrung zum Aneinandervorbeireden beiträgt.[137]

Dieser etwas nebulöse »Nicht-Ort«, vornehmlich im Niemandsland oder im »banalen Irgendwo« angesiedelt, wird in den ortsflüchtigen Utopien (vgl. hierzu auch die neueren dynamischen »De«-Tendenzen) zu dem eigentlichen Pilgerziel all jener hochstilisiert, die der wieder mühsam geübten architektonischen Selbstbesinnung überdrüssig geworden sind. Der Nicht-Ort wird heute von vielen »als letzte Enklave der Architektur gesucht und mit privaten Erzählungen gefüllt – dieser Nicht-Ort ist der bewegliche Ort, eben ›abgesehen vom Ort‹. Sein Kontext besteht aus einem Netz von sozialen Beziehungen und Geschichten. Der bewegliche Ort hat zunächst nur eine Richtung: weg von hier. Kein Ort, wo jemand hinfährt. Aber nur hier, wo ich eigentlich nirgendwo bin, fühle ich mich frei, beginne ich zu träumen, höre aufmerksam die kleinen unbedeutenden Geschichten.«[138] Eine zufällige Textprobe, die für viele andere stehen mag. Es lohnt nicht, auf die inneren Widersprüche und Unstimmigkeiten einzugehen. Immerhin hört der Autor am Ende doch auf die kleineren, unbedeutenden Geschichten des Ortes (wie er im weiteren ausführt). Was er letztlich tut, ist freilich legitim: Er pickt aus der Komplexität oder Banalität des Nicht-Ortes gewisse Aspekte heraus, auf die er sich bezieht, um ein Bild malen zu können.

Würde man die Titelfrage dieses Abschnitts Christian Norberg-Schulz stellen, er würde sie bejahen.[139] Ohne hier seiner Argumentation zu folgen, möchte ich die bejahende Antwort aus

[134] Siehe die unveröffentlichte Master's Thesis von Marcia Weese, *About Walls*, Cornell University, Ithaca 1978.
[135] Martin Walser, »Der Ort und das Geheimnis«, *archithese*, 3, 1984, S. 63.
[136] Tagebuchaufzeichnung de Chiricos, zitiert in Eva Karcher, »Erleuchtung in Florenz«, *Süddeutsche Zeitung*, 9./10. 7. 1988, S. 147.
[137] Vgl. Anmerkungen 30 und 58. Das vorangehende Kapitel über den Ort sollte zur Präzisierung des Begriffes beigetragen haben.
[138] Dietmar Steiner, »Vom Ort abgesehen ...«, *archithese*, 3, 1984, S. 21.
[139] »Es muß betont werden, daß allgemein alle Orte Charakter haben und daß Charakter die grundlegende Seinsweise ist, in der die Welt gegeben ist.« Chr. Norberg-Schulz 1982, S. 14. Ich verweise in diesem Zusammenhang noch einmal auf die von Norberg-Schulz oft als Synonyme verwendeten Begriffe Ort und Landschaft (bzw. Welt). Diese großzügige Auslegung ist für vorliegende Zwecke unbrauchbar.
[140] Einen brauchbaren Versuch in dieser Richtung könnte die sogenannte »Analoge Architektur« darstellen. Miroslav Šik, *Analoge Architektur*, Zürich 1987. Für eine knappe Besprechung siehe S. 149.
[141] I. Calvino 1985, S. 178.
[142] Mircea Eliade, *Myths, Rites, Symbols*, New York 1978, S. 383.

39. Edward Hopper, »Nighthawks«, 1942. »Dem banalen Irgendwo ist der Ort und dem Einsamen das Geheimnis zurückgegeben.«[135]

dem Wesen des Ortes selbst begründen. Ich erinnere hier noch einmal an die Ausführungen zur Struktur des Ortes im vorigen Kapitel. Der Ort ist demnach die besondere Stelle im Raum, die sich von ihrer Umgebung abhebt. Letztlich liegt sein Wesen, seine Individualität, sein Charakter, also sein Genius darin begründet.

Ein Ort wird also reicher oder ärmer an Vorgaben oder Charakter sein, ausdruckslos oder ausdrucksstark. Er wird so entweder mehr Bindung oder mehr Freiheit bieten. Ist er »gestaltet«, wird er alles Zukünftige stärker determinieren, seiner Wirkung wird man sich nur schwer entziehen können. Ist er »gestaltlos« (der sogenannte Nicht-Ort), sind feinere Sensoren nötig, um seine »Nachricht« zu vernehmen, oder es bedarf neuer, starker Zeichen und Impulse – sie sind legitim. Dieser Ort bietet die Freiheit dazu – man darf sie nutzen! Doch wenn man aus dem unbeständigen Obstmost eine bleibende Essenz erhalten will, wird man ihn destillieren, das heißt die tragende Substanz verdichten müssen. Diese Analogie könnte ein Rezept für den Umgang mit dem banalen Ort sein, einer Abart des Ortes, die sich rasch vermehrt.[140]

Translozierung von Orten, Genius loci auf Reisen?

»Die Orte haben sich vermengt«, sagt der Ziegenhirt. »Cecilia ist überall.«[141] Das oberbayerische Dorf finden wir auch in Disneyland, die Pariser Rue Faubourg im Einkaufszirkus von West Edmonton, die Loggia dei Lanzi steht auch als Feldherrnhalle in München, und fast jede italienische Pizzeria versucht, uns die Ferienstimmung vor die Haustür zu tragen. Wie verhält es sich mit dem Genius loci, der hier offensichtlich den festen Boden unter den Füßen verliert? Mit diesem Thema wird sicherlich ein Grenzbereich der Untersuchung zum Genius loci berührt. Durch das Abtasten seiner Unwägbarkeiten erhoffe ich mir zusätzliche Einsichten zum Wesen des Ortes.

Man könnte das Problem in drei Schritten angehen. So gibt es elementare Beispiele von bewegten Orten, wobei ich hier nicht so sehr an mobile Architekturen denke (die nicht zwingend die Funktion eines Ortes erfüllen müßten), sondern an ihrem Wesen nach echte **Orte zum Mitnehmen**. So hatte das australische Nomadenvolk der Achilpa die Gewohnheit, das Kauwa-auwa (Zentrumspfeiler), einen heiligen Pfahl, der die Mitte der Welt markieren sollte, auf seinen Wanderungen immer mit sich zu führen. An jedem Lagerplatz mußte es neu aufgerichtet werden.[142] Die Axis mundi, der heilige Ort der Mitte, war also nicht jene zufällige Lagerstätte, die von Tag zu Tag wechselte, sondern das Wesen des Ortes, seine Mitte, konzentrierte sich in dem Zentrumspfeiler, der ja »ortsunabhängig« war. Im wahrsten Sinne des Wortes ein »Ort zum Mitnehmen«. Wie man sich in diesem Fall den Genius loci vorstellen muß, ist unschwer zu erraten. Die heilige Aura, die die Bundeslade der Juden bei ihren Wanderungen durch die Wüste umgab, mag hier als Anhaltspunkt dienen.

Es gibt nicht viele ähnlich überzeugende Berichte von solchen »Orten zum Mitnehmen«, denn sie markieren wohl mit die frühesten Entwicklungsstadien des Menschen. Als Analogie (und psychologisch wohl verwandt) sei hier deshalb das von Kleinkindern tausendfach wiederholte und von Linus aus den Charlie-Braun-Geschichten berühmt gemachte Bild vom Daumenlutscher mit

40. Giorgio de Chirico, »Das Geheimnis eines Herbstnachmittags«, 1910. »An einem klaren Herbstnachmittag saß ich mitten auf der Piazza Santa Croce in Florenz auf einer Bank. Natürlich sah ich diesen Platz nicht zum ersten Male … In der Mitte des Platzes erhebt sich ein Dante-Denkmal. Der Dichter trägt eine lange Tunika, er preßt seine Werke gegen seine Brust und neigt gedankenvoll sein lorbeerbekränztes Haupt. Die heiße Herbstsonne fiel hell auf die Statue und die Fassade der Kirche. Da hatte ich den befremdlichen Eindruck, ich sähe jene Dinge zum ersten Male.«[136]

seiner Windel erwähnt. Auch für die Kleinkinder sind in einer noch fremden Welt der Daumen und die Windel Festpunkte, die überall verfügbar sind und Halt bieten, also durchaus die Funktion eines sicheren Ortes übernehmen.

Wurde im ersten Fall das Wesen des Ortes beziehungsweise seine Struktur und Funktion – in einem Gegenstand symbolisiert – räumlich versetzt, so möchte ich im Folgenden die materielle **Translozierung von** konkreten **Orten** ansprechen, wobei es sich natürlich in erster Linie um versetzte Architekturen handelt. Es sind also jene vollständigen oder teilweisen Translozierungen von ortsbildenden Architekturen, wie sie bereits seit der Antike bekannt sind. So fragt etwa Plinius den Kaiser Trajan, ob ein Tempel am Forum der Stadt Nicodemia erneuert werden müsse oder an einen anderen Ort versetzt werden könne, weil er wesentlich niedriger liege als der gerade begonnene Neubau in seiner Nähe. »Erwäge also, ob der Tempel ohne Verletzung der Religion an einen anderen Ort gebracht werden kann«, fragt Plinius in seinem Brief an und erhält folgende Antwort: »Du kannst den Tempel ohne religiöse Bedenken an einen anderen Platz setzen lassen, soweit sein gegenwärtiger Standort für ungünstig gehalten wird … da auf dem Grund und Boden einer ausländischen Stadt eine Einweihung nach römischem Brauch nicht stattfinden kann.«[143] Erstaunlich, mit welcher Selbstverständlichkeit und Rationalität man offensichtlich in der römischen Antike über eine Tempeltranslozierung diskutieren konnte. Ein sicherlich ortsbestimmender Bau wird also zerlegt, aus seinen kontextuellen Bezügen herausgerissen und an einem fremden Ort wieder zusammengefügt. Stellen wir uns den neuen Standort zum Beispiel auf einer Anhöhe neben der Stadt vor – einen Wechsel also von den urbanen Bezügen des Forums zu einer landschaftlich bestimmten Situation –, und wir werden unschwer einschätzen können, wieviel wohl von dem alten Genius loci mit umziehen wird. Ähnlich »zerlegt« wurde vor Jahren auch der Felstempel von Abu Simbel, wobei man hier immerhin bemüht war, etwas von seiner einzigartigen Einbettung in die Landschaft zu rekonstruieren (mit eher zweifelhaftem Erfolg).

Mit wachsenden technischen Möglichkeiten ging man in unserem Jahrhundert dazu über, ganze Bauwerke im Stück zu versetzen. Spektakuläre Translozierungen bleiben uns durch entsprechende Bilddokumentation in den Fachzeitschriften in Erinnerung, so etwa die Versetzung einer gotischen Kirche im Kohlebergbaugebiet von Kladno in Böhmen oder das Verschieben ganzer Wohnblöcke wegen einer Straßenverbreiterung im Moskau der dreißiger Jahre. Das wesentlich unproblematischere Umsetzen von Holzhäusern hat in den Vereinigten Staaten eine lange Tradition, wobei das Bild des Hauses auf einem Tieflader mitten auf einer einsamen Landstraße fast schon Symbolcharakter für die Ortsunabhängigkeit der amerikanischen Mobile-Home-Haltung erlangt hat.[144]

Abgesehen von den realisierten Translozierungen, für die man meist handfeste Begründungen angeben kann, kommen mir auch solche in den Sinn, die entweder von »höheren Mächten« ausgeführt oder nur gedanklich vollzogen wurden. Beide Fälle offenbaren auf gleichsam experimentelle Weise wichtige Aspekte des Genius loci und seiner Standorttreue.

Für den ersten Fall soll die Santa Casa in Loreto stehen, das auf Engelsflügeln dorthin gebrachte Geburtshaus Mariens.[145] Was ist nun die eigentliche Nachricht dieser wundersamen Translozierung? Sie geschah auf höhere Weisung, ausgeführt durch übernatürliche Kräfte. Damit wäre auch das Wie und Warum vordergründig beantwortet. Als aufgeklärter Mensch wird man freilich einwenden, daß das Haus Mariens nach fast eineinhalb Jahrtausenden weder existent noch rekonstruierbar war, und wenn überhaupt, dann doch nicht in der Formensprache des Mittelalters. Die Zeitgenossen schienen ähnliche Zweifel nicht zu quälen, war doch die Darstellung von historischen Tatsachen im zeitgemäßen Gewand durchaus üblich (vgl. hierzu die biblischen Darstellungen in der damaligen Malerei). Die Frage nach der materiellen Identität des Heiligtums war offensichtlich sekundär, da es primär um anderes ging. Hier wurde anscheinend nicht so sehr die Architektur als vielmehr ein Ort der Anbetung transloziert (beziehungsweise neu geschaffen) und damit in einer dem Marienkult zuträglicheren Umgebung nutzbar gemacht. Die Santa Casa ist hier insofern ein extremes Beispiel, als ein Genius loci, der nur theoretisch existent war, durch den Kunstgriff der Translozierung in die Realität herübergeholt wurde. Wie real und lebensfähig er dann an seinem neuen Wohnort wurde, bezeugen etliche Ableger der Santa Casa, die dann allerdings auf weniger wundersame Weise nachgebaut wurden.[146] Die komplette Neuerstellung des Goethe-Hauses in Frankfurt (und vieler anderer auch) ist hier durchaus vergleichbar. Das Goethe-Haus wurde zwar am selben Ort und originalgetreu wieder erbaut, die Hauptabsicht war aber auch hier, den Genius loci, der ja nicht so sehr im Gemäuer als in der Bedeutung des Hauses lag, einem aufnahmefähigen Publikum dienstbar zu machen.

Die nur gedachten beziehungsweise gezeichneten Translozierungen bringen weitere Einsichten über den Geist des Ortes, da ja hier frei von den Zwängen der Realität Architekturcharaktere im

41. Ort zum Mitnehmen – Daumen und Windel in der Funktion des sicheren Ortes: Linus aus den Charlie-Brown-Geschichten.

42. Translozierung eines gebauten Ortes: Versetzen eines dreigeschossigen Hauses in Hibbing, Minnesota, 1919.

43. Wirkung verschiedener Architekturen in unterschiedlichen Landschaften. Skizze von Le Corbusier.

[143] Zitiert in K. J. Krause, »Denkmalschutz im Altertum«, *Die alte Stadt*, 4, 1986, S. 274.

[144] Siehe John Obed Curtis, *Moving Historic Buildings*, Washington, D.C., 1979.

[145] Der Legende nach geriet am 10. 5. 1291 das Geburtshaus Mariens und Wohnhaus der Heiligen Familie in Nazareth durch die mohammedanische Eroberung Palästinas in Gefahr, wurde von Engeln nach Italien geflogen und dort noch dreimal auf wundersame Weise umgesetzt, bevor es an seinem heutigen Ort blieb.

[146] Allein in Böhmen und Mähren mindestens 48 Kopien, in Bayern über 50. Siehe Massimo Bulgarelli, »The holy House of Loreto. The sacred building and its copies«, *Lotus*, 65, 1990, S. 79 ff.

[147] Aus Schinkels Tagebuchfragment vom Beginn der Italienreise; Ankunft bei Triest 1803, zitiert in *K. F. Schinkel*, Ausstellungskatalog, Berlin 1982, S. 36.

[148] Vgl. den Begriff der Aura bei Walter Benjamin, *Das Kunstwerk im Zeitalter seiner technischen Reproduzierbarkeit*, Frankfurt/M. 1986, S. 12 ff.

[149] Dies ist unter anderem auch der Titel eines Artikels von C. W. Schümann in *Bauwelt*, 1–2, 1980, S. 53/54.

[150] Hierzu z. B. Jan Pieper, »Die angenommene Identität. Antikenkonstruktion in der Havellandschaft des Berliner Klassizismus«, *Kunstforum 69*, 1, 1984, S. 118–125.

Bezug zu den anderen Komponenten des Ortes untersucht werden können. So hat zum Beispiel Schinkel in seinem zeichnerischen Werk immer wieder Idealarchitekturen mit verschiedenen Ortstypen konfrontiert, um die folgerichtig verschiedene Gesamtwirkung zu testen. 1803 hat er dabei aber eine regelrechte Translozierung vorgenommen, als er den »Mailänder Dom auf der Höhe von Triest« gezeichnet hatte. Wir haben hier beinahe den Fall illustriert, über den Plinius aus Nicodemia berichtete: Der feingliedrige Mailänder Dom, völlig flach gelegen, wird aus seiner urbanen Situation in die bewegte Landschaft oberhalb von Triest versetzt. »Die Orte haben sich vermengt«, und Schinkel wägt, einem Alchimisten gleich, die Wirkung ab: Man nehme ein Substrat aus der Wildheit des Triestiner Hinterlandes und den »Horizont des Meeres mit seiner reinen Linie … (der) den Blick ins Unendliche lockt«,[147] füge die kristalline Substanz des Mailänder Domes hinzu, prüfe die Wirkung des Seiten- beziehungsweise des Gegenlichtes, und schon hat man einen völlig neuen Genius loci gemischt. Eine durchaus vergleichbare Charakteruntersuchung von Orten, reduziert auf die Aspekte von Topographie und Architektur, findet sich auch bei Le Corbusier. Die kleine Skizze zeigt auf systematische und überzeugende Weise die Wirkung von vier verschiedenen Architekturen in einer flachen, einer hügeligen und einer gebirgigen Landschaft.

War beim bewegten Ort der Genius loci im mitgenommenen Gegenstand, gleichsam symbolisch verdichtet, komplett mittransportiert worden, so kommt es bei einer Translozierung von Ortsteilen (Architekturen), die aus ihrem Kontext herausgerissen werden, logischerweise zu einem gewissen »Charaktertransfer« zum neuen Standort. Besitzt in diesem Falle die in ihrer materiellen Substanz versetzte Architektur nach wie vor die Aura des Originals,[148] die ja letztlich den Genius loci stärkt, so ist dies bei den gebauten **Erinnerungen an Orte**[149] nicht mehr der Fall. Hier werden konkrete oder gedachte Orte in ihrem Äußeren beziehungsweise ihrer Stimmung mehr oder minder getreu nachgebaut. Die gebaute Erinnerung, die nicht nur Einzelarchitekturen, sondern ganze Siedlungen oder Landschaften umfassen kann, die darüber hinaus vergangene Epochen, Stile und Architekturhaltungen wieder auferstehen lassen kann, ist freilich ein viel zu weites Thema, so weitläufig wie die gesamte Geschichte der Architektur, die ja als Kunst auf der Erinnerung beruht. Diese Erinnerung mag so banal sein wie das Einheitstouristendorf rund um das Mittelmeer oder der Weltarchitektur-Verschnitt von Disneyland. Sie kann aber auch von humanistischen Idealen geprägt sein wie bei der Antikenkonstruktion der Berliner Havellandschaft.[150]

Entscheidend für die Beurteilung ist die Art und Weise, wie die Erinnerung am neuen Ort verarbeitet ist. Handelt es sich um eine Kopie, die möglichst genau auch die Stimmung zu vermitteln sucht, oder werden nur Assoziationen wachgerufen? Wird analog zu einer bekannten Situation verfahren, oder wird gar eine Lösung zum Typus verdichtet und so übertragen? In dieser Bandbreite können Orte miteinander kommunizieren und »ihre« Erfahrungen untereinander austauschen. Je immaterieller diese Kommunikation wird, um so verfügbarer wird die kommunizierte Idee werden (siehe hierzu den ersten Abschnitt über Typus und Topos), um so weniger wird sie den konkreten Charakter des Genius loci vermitteln wollen. Je mehr sie sich im Materiellen abspielt (als Kopie oder Transplantat), um so stärker kann sie zwar auch einen Charakter vermitteln, jedoch nur einen, der durch die Herauslösung aus seinen Bindungen in seinem Wesen unvorhersehbar wird.

5. Die Ortsbindung in der Geschichte der Architektur

»Die spezifische Wahrheit ist die des Ortes: Die Geographie des Ortes als physische Manifestation seiner Geschichte ist das, was – in der Begrenzung – erlaubt zu handeln. Diese Geschichte verwerten heißt, die Sammlung der Funde des Ortes als begrenzten Park privilegierter Materialien für das spezifische Projekt zu wählen.«

Vittorio Gregotti [151]

Genius loci bezeichnet also das aktiv Wirkende eines Ortes, seinen individuellen Charakter. Als Schlagwort steht dieser Begriff aber auch für eine Architekturhaltung, die das individuelle Wesen eines Ortes respektiert, auf ihm aufbaut. Betrachtet man also den Genius loci weniger als eine römisch-antike Interpretation des Ortsgeistes, sondern, wie es heute meist geschieht, als Synonym der zeitlosen Idee vom Bauen in Sympathie zum Ort, zum wahrnehmbaren Kontext, dann wird die Betrachtung der zeitbedingten Wandlungen der Idee vom Genius loci zu einer besonderen Sicht der Architekturgeschichte – eben zu einer Geschichte der architektonischen Ortsbindung.

Die Begriffe »kontextuelle Architektur« beziehungsweise »Ortsbindung« wird man freilich in Quellenschriften und Architekturgeschichten bis in die sechziger Jahre umsonst suchen. Zu Zeiten, in denen die Beziehung des Gebauten zu seiner Umgebung ein selbstverständlicher, wenn auch meist unreflektierter Bestandteil der Architekturhaltung war, bestand keine Veranlassung, über die kontextuelle Seite der Architektur nachzudenken. Umgekehrt können theoretische Bemühungen um bestimmte Aspekte der Architektur oft als Versuche gedeutet werden, dem bewußt gewordenen Defizit in diesen Bereichen entgegenzuwirken (auch die vorliegenden Überlegungen können durchaus aus diesem Blickwinkel betrachtet werden).

Die Beziehung zwischen Typus und Topos war im Laufe der Geschichte weder ausgewogen noch konstant. In ihrer Einwirkung auf die Architektur kann man eher zwei gegenläufige Wellenbewegungen feststellen. Hier möchte ich nicht den Beweis antreten, daß Architektur sensibler auf das Bestehende reagierte in einer Zeit, als die ökonomischen und technischen Möglichkeiten bescheidener und die Abhängigkeit von der Umwelt größer waren, oder wenn dies die ideologische oder religiöse Stimmung der Zeit nahelegte. Und doch ist es unbestritten, daß auch die Architektureingriffe in unsere Umwelt seit der Industrialisierung immer härter und beziehungsloser wurden durch die innere Logik der wirtschaftlichen Potenz, des technologischen Fortschritts und der positivistischen Denkweise.

Wenn man den Beginn der Architektur und der Siedlungsstrukturen in der kontextuellen, oder genauer: in der geomorphen Haltung suchen kann, so stellt man in den Hochkulturen der Antike einen Prozeß der Kodifizierung der Bautypen und der Architektursprache fest. Die Korrelation mit der universellen politischen Konzeption der hellenistischen wie auch der römischen Welt ist hier mehr als offensichtlich. Seit dieser Zeit ist die Verwendung des klassischen Architekturrepertoires auch ein gewisser Anhaltspunkt für universelle Tendenzen der Zeit.

Der politische Partikularismus des frühen Mittelalters spiegelt sich wiederum angemessen im grösseren Sinn für das Besondere und das Lokale wider. Die Beziehung zum Kontext ist freilich auch unter dem Druck der bescheidenen Verhältnisse relativ sensibel.

Mit der Renaissance gewinnt der Einfluß des Typus in der Architektur wieder die Oberhand. Trotzdem kann man zunächst bei den in mittelalterlichen Stadtgefügen realisierten Projekten ein gewisses Gleichgewicht von Topos und Typus feststellen. Sicherlich sind solche ausgeglichenen Zustände zerbrechliche und unstabile geschichtliche Erscheinungen, doch hat sich in der Renaissance eine solche Situation zu einer Architekturhaltung verdichtet, die auch heute noch als Modell einer kontextuellen Architektur dienen kann. [152]

Die weitere Entwicklung förderte eher universelle Tendenzen als umgekehrt, und die Industrialisierung hat die Übermacht des Typus nur noch bekräftigt. Läßt man einige Ausnahmen außer acht, könnte man sehr wohl behaupten, daß die Dominanz des Typus in der modernen Bewegung nur eine logische Weiterführung und gleichzeitig der Höhepunkt einer bereits länger andauernden kontinuierlichen Entwicklung der Gesellschaft wie auch der Architekturtheorie und -praxis bedeutete. Moderne Architektur antwortete in der Regel nur mehr auf die abstraktesten Ebenen des Kontexts.

Seit den sechziger Jahren können wir, wie eingangs angedeutet, Veränderungen des allgemeinen gesellschaftlichen Klimas beobachten, die auch in der Architektur ihren Niederschlag gefunden haben. Nach der (wenigstens theoretisch) ausschließlichen Betonung der Funktion, nach einer Periode der Übermacht des Typus beziehungsweise des Universellen, wächst wiederum das Interesse für das Bestehende, für die Geschichte in der Architektur, für die Kontinuität des Gebau-

[151] Vittorio Gregotti, »›Moderne‹ und ›Neue Modernität‹«, *archithese*, 4, 1987, S. 60.

[152] Für den Kontextualismus Colin Rowescher Prägung waren gerade die »vest pocket utopias« der Renaissance, d. h. architektonische Idealentwürfe, die subtile kontextuelle Anpassung an das umgebende urbane Gefüge aufweisen, von größter Bedeutung. Siehe z. B. Graham Shane, »Contextualism«, *Architectural Design*, 11, 1976.

[153] Sylvain Malfroy bringt in seinem Aufsatz »Von Ort zu Ort« (*archithese*, 3, 1984, S. 9) eine aufschlußreiche Gegenüberstellung beider Positionen an dieser Epochenschwelle bezüglich der Konzeption des Raumes, der Geschichte und der Planungsdisziplinen. Dem herrschenden Paradigma (des Typus) ordnet er das Emblem der Maschine zu, der aufsteigenden Tendenz aber das Emblem des Genius loci.

[154] S. Gardiner, *Evolution of the House*, New York 1974, S. 3.

[155] Für genauere Angaben siehe z. B. D. Srejović, *Lepenski Vir*, Bergisch Gladbach 1973; *Lepenski Vir, Menschenbilder einer frühen europäischen Kultur*, Ausstellungskatalog, Mainz 1981.

ten, für die Besonderheiten des Ortes, für die Qualitäten des raumbetonten Städtebaus; man spricht von der Architektur der Erinnerung. [153]

Schwankte auch die Intensität des Topos-Prinzips in der Architekturgeschichte, so läßt sich doch nachweisen, daß das Prinzip der Beziehung – die Ortsbindung in der Architektur – nie gänzlich unterdrückt wurde, sondern daß selbst zu Zeiten der eindeutigen Vorherrschaft des Typus kontextuelle Tendenzen auszumachen sind. Diesen nun möchte ich in der Architekturgeschichte anhand ausgewählter Einzelbeispiele etwas genauer nachgehen.

Prähistorische geomorphe Architektur

Da der Mensch mit einem Instinkt zum Häuserbauen nicht bedacht wurde, entstand seine »erste Architektur« aus dem Kontext, denn andere Vorbilder hatte er nicht. Dieser Kontext aber war die Natur in ihrer Erscheinung als raumbildende und vegetationtragende Erde. So kann man präzisierend auch sagen, daß die erste Architektur geomorph war. Dies ist offensichtlich, wenn man die allumfassende materielle und psychische Abhängigkeit des Menschen von der Natur in seinen ersten Entwicklungsstadien bedenkt.

Daß der Mensch seine Vorstellung vom umschlossenen Raum und vom Haus durch Beobachtung von Naturmodellen gewonnen hat, gehört zum Allgemeingut von Architekturtraktaten und Geschichten der Architektur. S. Gardiner zum Beispiel sagt, wenn er von den Anfängen des Bauens spricht, über die Primitiven: »Sie beobachteten die minimale Struktur, welche nötig war, um geschlossenen Raum zu schaffen,« und stellten sich die Aufgabe, »das Essentielle einer Höhle im Felsen zu extrahieren und es als eine isolierte, künstliche Struktur zu reproduzieren.« Und er faßt zusammen: »Die Inspiration für die Hausform wurde von der Höhle abgeleitet ... das Haus war immer von natürlichen Formen inspiriert.« [154]

Die Lepenski Vir-Kultur im Djerdap-Gebiet an der Donau bestätigt diese zunächst hypothetische Behauptung auf sehr eindruckvolle Weise. [155] Um das Jahr 7000 v. Chr. verließen die Menschen hier die schützenden Höhlen und begannen unter freiem Himmel zu siedeln. Dazu boten sich in der Donauschlucht die flach geneigten, isolierten Uferterrassen an. Von den steil abfallenden Hängen und dem Donaulauf hufeisen- oder trapezförmig abgegrenzt, boten sie zusammen mit den vertrauten, im Grundriß halbkreis- oder ebenfalls trapezförmig zum Flußraum sich öffnenden Höhlen die einzigen Vorbilder für die neu zu schaffenden künstlichen Wohnräume. Die Naturmodelle wurden sehr direkt aufgegriffen und zu einer architekturgeschichtlich einzigartigen Haus- und Siedlungsform verarbeitet.

Alle Häuser weisen die Form eines gekappten Kreisausschnitts auf, waren leicht in das ansteigende Gelände eingegraben und offensichtlich von einem Satteldach überdeckt. Auch die Gesamtform der Siedlung entsprach diesem Schema, ebenso der Hauptplatz in der Mitte. Die Frei-

1. Lepenski Vir, Grabungsplan der Siedlung.

räume zwischen den Häusern folgten parallel zu den Siedlungsrändern, die wiederum mit den seitlichen Terrassenbegrenzungen identisch waren. So stand die Einzelarchitektur wie auch die Siedlungsstruktur im perfekten formalen Einklang mit dem konkreten Gelände der Donauterrassen.

Die breite Öffnung der Häuser drückt vielleicht noch die Sehnsucht nach dem weiten »Fenster« der Höhle zur Welt aus und gleichzeitig ein Unbehagen über einen allseits geschlossenen Raum. Daß diese Hausform im Laufe der Entwicklung geometrisch kanonisiert und ihren Proportionen offenbar eine Zahlenmystik unterlegt wurde, ändert nichts an ihrem geomorphen Ursprung, sondern zeigt anschaulich die Entstehung und Optimierung eines Haustypus aus den individuellen Bedingungen eines spezifischen Kontexts.

In Lepenski Vir lassen sich darüber hinaus auch Argumente für die These finden, wonach der Grabbau dem Hausbau vorausging. Zumindest wird hier die enge Beziehung zwischen der Bestattungsart und der Entstehung der Architektur offensichtlich. Es wurde ein Grab gefunden, in dem der Tote in einer Form beigesetzt ist, die sich bis hin zu Details der Hausausstattung (Herd, Hausheiligtum usw.) mit dem Hausgrundriß deckt. [156]

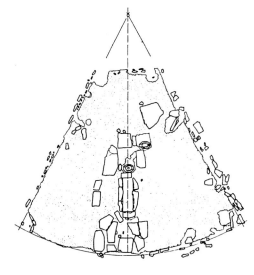

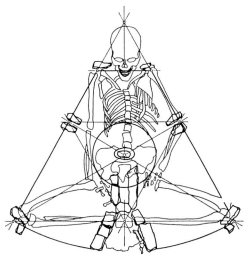

2, 3. Lepenski Vir, Fundamentplan des Hauses Nr. 37 in Analogie zum Bestattungsritual.

Der Erdgeist als Genius loci. Der radiästhetische Kontext der Architektur

Seit einigen Jahren werden wir von einer Fülle von radiästhetischer und geomantischer Literatur überhäuft. Bezeichnenderweise findet man sie in den Esoterik-Abteilungen der Buchhandlungen – sicherlich mit ein Grund dafür, daß ihre Einsichten nur langsam Eingang finden in die »seriöse« Architekturforschung. Daß dies nicht immer so war, zeigt Leon Battista Albertis Mahnung, bei der Wahl eines Bauplatzes nicht nur jenes zu beachten, »was uns vor Augen offen daliegt, sondern es ist auch nötig, auf undeutlichere Kennzeichen zu achten und hiernach die ganze Angelegenheit zu beurteilen«. Und er verweist auf Plato, der meinte, es komme vor, »daß an manchen Orten zuzeiten eine göttliche Kraft lebt und webt, sowie eine dämonische Bestimmung, welche den Bewohnern entweder günstig oder auch feindlich ist. Es gibt Orte, an denen Leute leicht von Sinnen kommen ...« [157] Die in der neueren Literatur beschriebenen Phänomene von »Erdenergien« wie auch ihre Terminologie sind verwirrend. Die Existenz dieser – meist ortsfesten – Energieerscheinungen steht jedoch außer Zweifel; sie wurde seit den dreißiger Jahren oft genug durch geomantische (Wünschelrute, Pendel) wie auch naturwissenschaftliche Methoden (zum Beispiel Messungen von elektromagnetischen Feldern und Strahlungen) nachgewiesen. [158]

Die vielfältigen energetischen Phänomene der Erde üben Wirkungen auf den Menschen aus, wie auch umgekehrt der Mensch diese Energieerscheinungen durch seine eigene elektromagnetische Körperstrahlung und seine geistigen Energien beeinflussen kann. Die Wirksamkeit dieser Energie-Phänomene, die physikalisch als terrestrische beziehungsweise kosmische Strahlung, Erdmagnetismus und als elektrische beziehungsweise elektrostatische Felder von geringer Intensität gedeutet werden, kann bei entsprechender Sensibilität unmittelbar empfunden werden. (Der Rutenausschlag macht sie wahrscheinlich auf dem Umweg einer Änderung im Muskeltonus sichtbar.) Ein »richtiger« Ort soll aufladend wirken, ein ungünstiger lähmen oder gar krank machen. So ist es verständlich, daß der Mensch seit jeher bemüht war, sich in eine günstige Beziehung zu diesem »Geist der Erde« (den man sich als eine unsichtbare Existenz auf dem Energieniveau vorstellen kann) zu setzen und ihn zu seinem Vorteil zu beeinflussen. Dabei spielte die Architektur, die nach den Regeln der Geomantie harmonisierend in das komplexe Gefüge des Erdgeistes eingreifen mußte, immer die entscheidende Rolle.

Der unsichtbare, meist ortsfeste, in seiner Strahlungsintensität jedoch wechselnde (Mondphasen) Energiekörper der Erde wird in der neueren Literatur [159] in seinen vielfältigen Erscheinungen beschrieben, wobei viele Phänomene schwer einzuordnen beziehungsweise gegeneinander abzugrenzen sind. Es werden punktförmige (beziehungsweise konzentrische), lineare und netzartige Energieerscheinungen beschrieben. Die häufigsten Phänomene sind linearer Natur und können zum Teil auf unterirdische Bruchzonen des geologischen Gefüges oder Wasseradern zurückgeführt werden. So werden sie als **Wasserzonen,** aber auch als **Wachstumslinien** bezeichnet. Diese Reaktionszonen können verschieden breit sein und verlaufen nicht immer gerade, da sie offensichtlich von der Geländestruktur beeinflußt werden. Dieser Gruppe zuzuordnen sind wahrscheinlich auch die von einigen Autoren beschriebenen Aquastate, unterirdische elektrische Ströme, die viele Charakteristika von Wasserzonen aufweisen.

Die meisten Energiephänomene treten positiv beziehungsweise negativ polarisiert auf (rechtsdrehender beziehungsweise linksdrehender Rutenausschlag), eine Unterscheidung, die beim bau-

[156] *Lepenski Vir*, Ausstellungskatalog, 1981, S. 40 ff.

[157] Leon Battista Alberti, *Zehn Bücher über die Baukunst*, Darmstadt 1975, S. 33 und 37.

[158] Was im vorliegenden Fall interessiert, ist weniger die Frage nach der Existenz dieser Energiephänomene, sondern die Frage nach einem eventuellen baulichen Bezug zu unsichtbaren Erscheinungen des Ortes, selbst wenn diese nur angenommen wurden. Für eine wissenschaftliche Diskussion der »Erdstrahlen« siehe H. C. König, H. D. Betz, *Erdstrahlen? Der Wünschelruten-Report*, München 1989.

[159] Im folgenden beziehe ich mich auf Guy Underwood, *The Pattern of the Past*, London 1969; Robert Endrös, *Die Stahlungen der Erde und ihre Wirkungen auf das Leben*, Remscheid 1978; Tom Graves, *Pendel und Wünschelrute, Radiästhesie*, Freiburg i. Br. 1987; Rupprecht Ottel, »Baubiologische Standortfaktoren«, *DBZ*, 4, 1980; William Bloom, Marko Pogačnik, *Ley Lines and Ecology*, Glastonbury 1985; Jörg Purner, *Radiästhesie – Ein Weg zum Licht?*, Zürich 1988; Nigel Pennick, *Die alte Wissenschaft der Geomantie*, München 1982.

[160] Siehe z. B. R. Ottel, *DBZ*, 4, 1980.

[161] Bei Kreuzungspunkten von Drachenlinien wird auch oft von »Atmungslöchern« gesprochen, mittels derer die Landschaft mit den kosmischen Energien kommunizieren kann.

[162] Siehe auch den nächsten Abschnitt über die Geomantie.

[163] J. Purner 1988, S. 6 ff. und S. 101 ff. Der Autor hat 1981 mit diesem Thema an der Architekturfakultät der Universität Innsbruck promoviert.

4. Energiestrukturen am prähistorischen Steinkreis Beltany Ring, Irland.

lichen Eingehen auf die Energiestruktur des Ortes von entscheidender Bedeutung war. Die positiv polarisierten Energien sollen auf den Menschen aufladend wirken, die negativ polarisierten zehren dagegen an seinen Kräften.

Energielinien besonderer Art sind die Ley lines (englisch oft auch Overgrounds), bei anderen Autoren auch heilige Linien oder Drachenlinien genannt. Diese nur wenige Zentimeter breiten, oft über mehrere hundert Kilometer absolut gerade verlaufenden Energielinien verbinden wichtige Energiezentren der Landschaft und ermöglichen so ihre energetische Kommunikation. Es heißt, daß sie nicht nur Energien übermitteln, sondern – was auch architektonisch relevant ist – durch das Geschehen an ihnen auch beeinflußt werden können. Die Ley lines, die offensichtlich von so hoher Frequenz sind, daß sie von den Formen der Landschaft nicht beeinflußt werden, bilden so etwas wie die energetische Primärstruktur der Landschaft.

Auch Menschen oder andere Lebewesen können der Landschaft ihre **Magnetspuren** (englisch Track lines) aufprägen. Solche (oft instabilen) elektrostatischen Spuren können zum Beispiel auf Pfaden, die lange Zeit begangen wurden, festgestellt werden. Der physische Raum kann offensichtlich nicht nur Spuren menschlicher Körperenergien festhalten, sondern auch seine geistigen Energien aufbewahren. Es ist mir bewußt, daß ich mit diesen Hinweisen an die Grenzen dessen rühre, was man einem aufgeklärten Architekten noch zumuten darf. Ich erwähne es hier, um auf die Berührungspunkte mit den üblichen, auch oben besprochenen Vorstellungen vom Genius loci hinzuweisen. Wenn ich dort im übertragenen Sinne von einer Erinnerung des Ortes gesprochen habe, so könnte man sich auf der Energieebene durchaus wörtlich eine am Ort gebundene Erinnerung und den Genius loci dann als das unsichtbare Energiewesen eines Ortes vorstellen.

Neben dieser linearen Energiestruktur ist die Landschaft auch noch von elektromagnetischen **Gitternetzen** überzogen, deren Ursache man im Erdmagnetfeld vermutet.[160] Man unterscheidet das Global- oder auch Hartmanngitter, das ungefähr genordet und recht kleinmaschig ist (1,5–3,0 m), wobei es im Abstand von 25–35 m ein Grobgitter (Primärlinien) mit breiteren Streifen aufweist. Das Diagonalgitter (auch Currygitter) verläuft diagonal zum Globalgitter mit einer Maschenweite von 3–4 m. Auch diese Energiefelder werden durch die Oberflächengestalt der Erde verformt.

Man kann sich vorstellen, daß eine Überlagerung all dieser Energiemuster zu recht komplexen Erscheinungen führen kann und daß es andererseits in der Landschaft vom Energiestandpunkt her prominente Stellen geben muß, so zum Beispiel wenn Kreuzungspunkte der beiden Gitter zusammentreffen oder noch von einem mehr oder minder komplexen Schnittpunkt lineare Reizzonen überlagert werden. Dies sind die sogenannten **Orte der Kraft**[161] (wenn es sich um positiv polarisierte Energien handelt), die für die Architektur-Erdgeist-Beziehung in erster Linie relevant sind. So wurden vor allem solche Orte für kultische Zwecke ausgesucht und mit einer Präzision, die heute noch verwundert, von dem Allerheiligsten des Kultbaues besetzt (der Altar oder die Stelle vor dem Altar, die der Priester normalerweise eingenommen hat). Oft wird die Funktion solcher Stellen in der Landschaft mit den Punkten der Akupunktur verglichen und das Errichten eines Bauwerks sowie das beständige Ausüben von Kulthandlungen auf diesen Orten als Heilung der Erde aufgefaßt.

Neben den linearen und gitterartigen Energiestrukturen gibt es noch die als **blinde Quellen** bezeichneten, von einem Zentrum aus sich konzentrisch ausbreitenden »Energiequellen«. Diese werden allgemein auf sichtbar nicht austretende Wasserquellen mit einem seitlichen Abfluß zurückgeführt. Ein artesisches Wasser drängt hier als stehende Wassersäule nach oben, bleibt für das Auge unsichtbar und manifestiert sich dem Strahlenfühligen als eine außergewöhnliche Energiequelle.

Diese etwas lange Einleitung in die Phänomene und die Terminologie der Erdenergien war nötig, um den unsichtbaren Energieleib der Erde als eine Komponente des physischen Kontexts darzustellen. Von der Jungsteinzeit bis hin zur Renaissance und zum Barock lassen sich nämlich eindeutige und signifikante Übereinstimmungen der Lage und der Ausrichtung von Kultbauten mit den oben beschriebenen Energiestrukturen der Landschaft nachweisen. Im größeren Umfang wurde dies für Mittel- und Westeuropa dokumentiert, und es gibt genügend Hinweise dafür, daß diese geomantische Praxis überall verbreitet war.[162]

Jörg Purner hat etliche prähistorische Steinsetzungen in Irland und in der Bretagne radiästhetisch untersucht und durchweg eindeutige Übereinstimmung der baulichen Anlagen mit den Energiemustern des Ortes festgestellt.[163] Beltany Ring ist mit 40 m Durchmesser der größte prähistorische Steinkreis Irlands. Das Zentrum der Anlage liegt über einer »blinden Quelle«, die mit ihrer konzentrischen Energiestruktur auch exakt die Lage des Steinkreises bestimmt. Das Zentrum ist außerdem durch eine komplexe Kreuzung von positiven Reaktionszonen geprägt. Am markantesten davon ist eine im Zentrum leicht geknickte Dreifachüberlagerung von positiven Wasser-, Global- und Wachstumsstreifen, die sich nach Südosten zu einem freistehenden Stein fortsetzt, der einen weiteren auffallenden Kreuzungspunkt markiert.

Auch manche prähistorische Erdzeichnungen können mit den Erdenergien in Zusammenhang gebracht werden, zum Beispiel die Schürffigur »Long Man« von Wilmington in der Grafschaft Sussex (Südengland). [164] Die 70 × 40 m große, aufrechtstehende Figur in Linienzeichnung hält in den Händen zwei parallel ausgerichtete Stäbe. Diese markieren exakt den Verlauf zweier besonders ausgeprägter Primärlinien des Globalgitters. Obwohl nicht Architektur im eigentlichen Sinne, versinnbildlicht diese Figur durch ihre handfeste Beziehung zum »Erdgeist« die Einfügung des Menschenwerkes in die natürlichen Energiestrukturen der Landschaft.

Das Eingehen auf die Energiestrukturen der Landschaft konnte sogar bei römischen Militärlagern – wo man es eigentlich am allerwenigsten erwarten würde – nachgewiesen werden, zum Beispiel in Carnuntum bei Wien. Hier stimmen die positiven Streifen des Global-Grobgitters weitgehend mit dem Verlauf der Straßen und Gänge überein, wobei Aufenthaltsräume ausgespart sind. [165]

Anscheinend wurde hier die Überzeugung baulich fixiert, daß ein längerer Aufenthalt auf diesen Energiestreifen nachteilig sei, ein kurzzeitiger aber durchaus stimulierend wirken kann (zum Beispiel auf die ausmarschierenden Legionäre).

Die Energiephänomene werden im allgemeinen als dynamische Erscheinungen beschrieben, die in ihrer Intensität zeitabhängig sind. Auch der Mensch kann mit ihnen offensichtlich in eine aktive Wechselbeziehung treten. Oft finden sich sogar Hinweise auf eine Lageinstabilität der Reaktionszonen. Und wenn man dann noch liest, daß die über einem »Ort der Kraft« errichtete Architektur wie ein Resonanzkörper die Energiequelle beeinflussen kann, können durchaus berechtigte Zweifel aufkommen, ob nicht die heute feststellbaren Energiestrukturen beziehungsweise deren Übereinstimmung mit dem Bauwerk letztlich auf dasselbe zurückzuführen sind. Man wird diese Zweifel nicht gänzlich zerstreuen können. Trotzdem gibt es genug überzeugende Beispiele, die die These von der kontextuellen Reaktion früherer Architekturen auf die unsichtbare Energiestruktur der Erde stützen.

So können etliche Anomalien sakraler Bauwerke recht gut mit der unterliegenden Energiestruktur erklärt werden. Ich denke hier weniger an auffallende Achsknicke von Kirchenbauten mit einer bewegten Baugeschichte (zum Beispiel St. Martin in Candes oder Ste Madeleine in Vézelay), wo die Übereinstimmung mit den ebenfalls geknickten Reaktionszonen vielleicht doch als eine nachträgliche Harmonisierung der Erdstrahlung mit der materiellen Struktur des Bauwerks interpretiert werden könnte. Es gibt auch schlichte Beispiele von Grundrißanomalien wie bei der 1314 in einem Zuge errichteten Wallfahrtskirche von Vibyggerå in Schweden, wo die Altarwand im Osten auffallend schräg zu der sonst regelmäßigen Orthogonalstruktur der Kirche steht. [166] Auch hier scheint (neben der »üblichen« Längsachsenübereinstimmung, einem ausgeprägten Kreuzungspunkt am Altar und einer senkrechten Querachse durch Eingang und Vorhalle) diese Schrägstellung der Ostwand nur durch die drei zu ihr parallel verlaufenden positiven Energiezonen erklärbar zu sein. Daß sie den rechten Winkel beherrschten, haben die Bauleute nämlich an mehreren Ecken bewiesen.

Aber nicht nur Kultbauten aus Stein, sondern auch Holzkirchen, zum Beispiel die norwegischen Stabkirchen, zeigen dasselbe »Anlehnungsbedürfnis an lokale Feldmuster«. [167] Dies kann als weiterer Hinweis auf die Stabilität der Feldmuster gewertet werden, denn man kann wohl annehmen, daß Stein und Holz einen zumindest nicht gleichen Einfluß auf die Energiestrukturen ausüben.

Den Rest der Stabkirche von Torpo aus Hallingdal in Norwegen, um 1150 erbaut, kann man fast schon als Beweis für die These der Einfügung in die Feldmuster des Standortes werten. Die noch heute stehende Restkirche weist keinen außergewöhnlichen Ort der Kraft auf. Dieser liegt aber eindeutig östlich auf der Hauptachse in einiger Entfernung, dort, wo sich der Chor mit dem Altar befand, den man 1880 abgerissen hat. Das radiästhetische Zentrum ist hier also noch 100 Jahre nach der Entfernung des »Resonanzkörpers« ortstreu geblieben. [168] Als Gegenbeispiel sei noch die Holzkirche von Øye, ebenfalls in Norwegen, aufgeführt. Sie wurde im Jahre 1747 anstelle einer älteren Kirche neu erbaut, aber um die Jahrhundertwende versetzt. An ihrem neuen Ort konnten weder besondere Energiezentren noch irgendwelche Übereinstimmungen mit den überall vorhandenen Gitternetzen festgestellt werden. Dies besagt zum einen, daß das Wissen um die Einfügung der Kultstätten in die Feldmuster des Ortes (beziehungsweise der Wunsch danach) am Übergang vom 19. zum 20. Jahrhundert endgültig nicht mehr vorhanden war, zum anderen aber, daß die Holzkirche in den 100 Jahren ihrer Aufstellung am neuen Ort die Energiestrukturen mit den eigenen Baustrukturen nicht harmonisieren konnte.

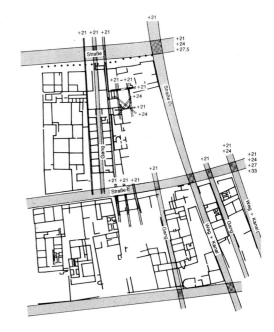

5. Grabungsplan von Carnuntum bei Wien mit eingetragener Energiestruktur.

[164] Siehe J. Purner 1988, S. 50ff.

[165] R. Ottel, *DBZ*, 4, 1980.

[166] Dieser und die beiden folgenden Fälle wurden von J. Purner 1988, S. 69ff., beschrieben.

[167] J. Purner 1988, S. 58.

[168] Der Vollständigkeit halber sei hier auch die kritische Stimme eines Eingeweihten aufgeführt (Tom Graves 1987, S. 175). Graves leugnet die auffällige Übereinstimmung der Energiemuster und der Kultbauten nicht, meint jedoch, daß die Energiestrukturen recht leicht verändert werden können. Ohne es weiter zu begründen, schreibt er: »Die Annahme, daß diese Linienmuster von den alten Architekten absichtlich und vorausberechnet in die Baupläne einbezogen worden sind, ist also zunächst zweifelhaft.«

[169] Aufgenommen von R. Ottel, *DBZ*, 4, 1980.

[170] Interessante Einzeluntersuchungen zu diesem Thema führte in den letzten Jahren Marko Pogačnik aus: Marko Pogačnik, *The Hidden Pathway Through Venice*, Rom 1985; Marko Pogačnik, Dušan Podgornik, *Introduction to the Sacred Landscape of Istria*, Maribor 1986; Marko Pogačnik, *Ljubljanski trikotnik*, Ljubljana 1988. – Ungeklärt ist noch die Frage, inwieweit die – insbesondere in England und in Deutschland – zahlreichen Arbeiten über die prähistorische Landschaftsgeometrie letztlich radiästhetische Phänomene beschreiben. Vgl. die Schriften von Alfred Watkins, John Michel, Josef Heinsch sowie A. Ullerich, H. Ungerich, »Die Architektur der Landschaft«, *Bauwelt*, 36, 1977 (*Stadtbauwelt*, 55).

[171] John Michel, *Die vergessene Kraft der Erde*, Frauenberg 1981 (London 1975), S. 12. Neben der unter Anmerkung 159 angeführten Literatur siehe auch Nigel Pennick, *Das kleine Handbuch der angewandten Geomantie*, Amrichshausen 1985.

[172] Siehe N. Pennick 1985, S. 9ff., sowie einen Bericht über Madagaskar in J. Purner 1988, S. 132 bis 141.

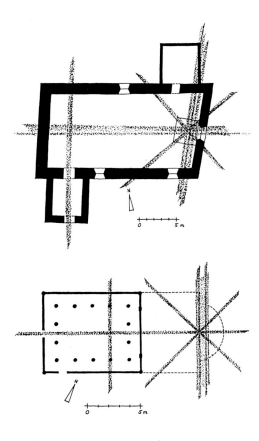

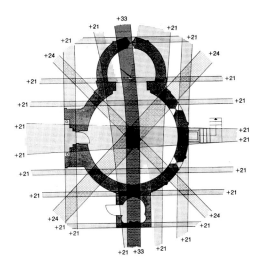

6. Wallfahrtskirche in Vibyggerå, Schweden, mit eingetragenen Energielinien.
7. Stabkirche von Torpo, Norwegen, mit eingetragenen Energielinien.

8. Grundriß des romanischen Karners in Mödling, Niederösterreich, mit einem Schnittpunkt von Energielinien.

Die Bezugnahme der Architektur auf ihren radiästhetischen Kontext gehörte zumindest in Europa (wo dies durch zahlreiche Untersuchungen nachgewiesen ist) zu den allgemeinen Regeln der Baukunst. Mit den heutigen Gewohnheiten, ein Bauwerk zu situieren und zu entwerfen, kann man kaum nachvollziehen, wie grundverschieden der Entwufsvorgang gewesen sein muß, bei dem unsichtbare, nur mit der Rute gemutete Energiestrukturen den rechten Ort, die Ausrichtung und Proportionierung des Gebäudes (oft bis ins Detail) bestimmt haben. Persönlicher Ausdruck und künstlerische Freiheit waren dabei wohl keine relevanten Begriffe, eher schon die Zuwendung zu diesem energetischen Wesen des Ortes, seine Interpretation und bauliche Sichtbarmachung. Der radiästhetisch präzise aufgenommene romanische Karner im niederösterreichischen Mödling gibt eine gute Vorstellung davon, wie genau mit den Baugliedern auf die verschiedenen Reaktionszonen eingegangen wurde. [169]

Faßt man abschließend die verschiedenen Bezugnahmen der Architektur auf den radiästhetischen Kontext zusammen, so kommt man zu folgenden Schlußfolgerungen: Die »Orte der Kraft« (außergewöhnliche Kreuzungspunkte von positiven Raktionszonen oder blinde Quellen) einer Landschaft wurden ermittelt und mit Kultbauten besetzt. Handelt es sich aber um Ley lines (Drachenlinien) und ihre Schnittpunkte, wurde durch eine bauliche Markierung die geometrische Primärstruktur der Landschaft sichtbar. [170] Die Bauten nahmen mit ihrer Ausrichtung und ihrem Zuschnitt, oft auch mit ihrer Proportionierung und Anordnung von Eingängen und Öffnungen meist einen präzisen Bezug zu den örtlichen Feldmustern. Dabei wurden positive Reaktionszonen bevorzugt (nicht jedoch zum dauernden Aufenthalt).

Ich bin der Meinung, daß in den als Erdgeist personifizierten Energiephänomenen eines Ortes die erste und wörtlichste Formulierung der Idee vom Genius loci in der Architektur vorliegt. Der Erdgeist wurde offensichtlich als ein lokal wirkendes Wesen empfunden, das in einem gewissen Rahmen wandlungsfähig war, mit dem man in eine Beziehung der wechselseitigen Beeinflussung treten konnte, auf das der Mensch jedenfalls mit allem, was er tat, eingehen mußte, um an jenem Ort und in jener Landschaft überhaupt bestehen zu können. Und der Erdgeist als Genius loci lieferte mit seinen energiestrukturellen Vorgaben ein Schema, das architektonisch interpretiert und umgesetzt werden mußte.

Das chinesische Feng-shui oder Bauen im Bezugssystem der Geomantie

Geomantie – wörtlich: Wahrsagen aus der Erde – bezeichnet eine Kunst oder eine Wissenschaft, menschliche Aktivitäten, insbesondere das Bauen und Siedeln, mit der sichtbaren und unsichtbaren Umwelt (einschließlich ihrer kosmischen Dimension) in Einklang zu bringen. Mit der unsichtbaren Umwelt ist auch der oben beschriebene radiästhetische Kontext gemeint, der ein integraler Bestandteil jeder Geomantie ist. Ich habe diesen Teilaspekt vorgezogen, weil die Bezüge der Architektur zum Ort und zur Landschaft dort leichter zu überschauen sind als in der viel komplexeren »Wissenschaft« der Geomantie, zu der man heute mit unserer positivistischen Denkweise nur schwer Zugang findet.

Voraussetzung aller geomantischen Praktiken (denen ich hier nur im Bezug auf die Architektur kurz nachgehen will) ist eine Weltanschauung, in der »die Erde ein lebendes Ganzes darstellt, das von einer geistigen Kraft beseelt wird«. [171] Jeder bauliche Eingriff ist zunächst einmal als eine Störung der natürlichen Ordnung, als Unterbrechung der dynamischen Energiestruktur der Landschaft zu werten und muß folglich durch entsprechende geomantische Maßnahmen in das lebendige Ganze so eingefügt werden, daß ein neues Gleichgewicht entsteht. Die meist am Übergang vom Nomadentum zum Seßhaftwerden kodifizierten geomantischen Praktiken stellten so etwas wie eine Typologie der Bezüge zur Erde und zum Himmel dar, gleichzeitig aber boten sie eine empirisch erarbeitete Methode an, den Geist der Erde durch bauliche Maßnahmen zu beeinflussen und ihn dem Menschen nützlich zu machen.

Es gibt verschiedene, regional begrenzte geomantische Systeme. Heute wahrscheinlich das bekannteste ist das chinesische Feng-shui. Aus Indien kennt man das Vastu Vidya, aus Burma das Yattara, und auf Madagaskar ist die Praxis des Vintana verbreitet. Aus Mittel- und Südamerika sind vergleichbare Praktiken bekannt. In einigen Regionen soll die Geomantie noch wie selbstverständlich praktiziert werden. [172] Anscheinend war das geomantische Wissen von den harmonischen Beziehungen mit der Umwelt in allen seßhaften Kulturen nicht nur bekannt, sondern wurde auch als eine Voraussetzung für das Überleben der Gesellschaft angesehen.

Das chinesische geomantische System Feng-shui (Wind-Wasser), das noch heute angewendet werden soll, geht von einer den Himmel, die Erde, die Lebenden und die Verstorbenen umfassenden Einheit aus,[173] einer Einheit freilich, die sich in der Polarität der Gegensätze von Yin und Yang ausdrückt, die untrennbar miteinander verbunden sind wie das Ein- und Ausatmen. Aus dem Zusammenspiel von Yin und Yang entspringt alles Leben der Welt, und so ist es die Aufgabe des Feng-shui, für den Aufenthalt von Menschen (der lebenden wie der toten) Orte zu finden, wo beide Prinzipien im harmonischen Gleichgewicht vertreten sind, wo also der Lebensatem, das Ch-i, weht, beziehungsweise solche Orte durch bauliche und landschaftsgestaltende Maßnahmen aktiv zu erzeugen.

Das komplexe System des Feng-shui kann in vier Bereiche unterteilt werden: das belebende Prinzip (der oben erwähnte Lebensatem), die topographische Gestalt der Landschaft, die Gesetze beziehungsweise die Ordnung der Natur sowie die mathematischen Proportionen, die der Welt zugrunde liegen. Nach der verschiedenen Betonung dieser Teilaspekte werden zwei Schulen des Feng-shui unterschieden: Die Kwang-si-Schule (Form-Schule) betont die ersten beiden Aspekte, die Fohkien-Schule die letzten beiden – sie wird wegen der Verwendung eines speziellen Geomanten-Kompasses auch als Kompaß-Schule bezeichnet.[174] Beiden gemeinsam ist jedoch die Vorstellung, daß die Erde eine materielle Spiegelung der kosmischen Ordnung ist, was besagen will, daß es reale Beziehungen zum Beispiel zwischen der Konstellation von Himmelskörpern und den topographischen Formen der Landschaft sowie der anderen Aspekte des Feng-shui gibt.

Um das Kontextuelle in der geomantischen Praxis des Feng-shui anzudeuten, werde ich mich auf einige Aspekte der Form-Schule beschränken. Die kontextuelle Haltung äußert sich hier weniger in der formalen Konzeption von Siedlungen und Architekturen (diese folgen durchweg dem rationalen Prinzip des Konfuzianismus[175]), sondern eher in einer sensiblen Situierung und Ausrichtung von Städten und Bauwerken sowie in der Garten- und Landschaftsgestaltung.

Bei der Lagebestimmung eines Hauses, einer Siedlung oder Grabanlage wird zunächst die Grobstruktur der Landschaft berücksichtigt, soweit sie vom untersuchten Ort aus sichtbar ist.[176] Denn für den chinesischen Geomanten sind die Formen der Landschaft gleichzeitig der Ausdruck von unsichtbaren Energieströmen (dem Lebensatem Ch-i) der Erde, die wiederum mit den kosmischen Energien korrespondieren. Die Energieströme der Erde sind ebenfalls nach dem Yin-Yang-Prinzip polarisiert. Die positiven Ströme werden durch den blauen Drachen, die negativen durch den weißen Tiger symbolisiert. Beide kommen in verschiedenen Hügelformationen, Wasserläufen usw. zum Ausdruck. Ein günstiger Standort ist nun einer, der in der Nähe der Berührungsstelle dieser beiden Elemente liegt wie in der Biegung eines angewinkelten Armes, wobei der Drachen links, der Tiger aber rechts liegen sollte. Aus dieser Grundüberlegung erklärt sich auch der absolute Vorrang der von Hügelketten hufeisenförmig beschützten, nach Süden offenen Nestlage.

Bei der Lagebestimmung eines Gebäudes muß ebenso auf ein ausgewogenes Verhältnis beider Pole geachtet werden. Die Charakteristika der unmittelbaren Umgebung des Bauplatzes sollten im Idealfall ein Verhältnis von 3:2 zugunsten des männlichen Prinzips aufweisen. Die aktiven, anregenden, jäh aufsteigenden und vertikalen Formen sollen also leicht überwiegen, jedoch mit den passiven, ruhigen, abgerundeten oder flachen Formen des Ortes eine Einheit bilden. Das Wasser als bedeutender Energieträger soll in seiner ruhenden wie fließenden Form vorhanden sein. Es soll jedoch nicht zu schnell und auch nicht in geraden Bahnen abfließen, damit der gute Geist des Ortes möglichst lange nutzbar wird. Überhaupt sind im Landschaftsbild gerade Linien und scharfe Knick- oder Bruchstellen verpönt, weil sie die Ausgewogenheit der klassischen dualistischen Beziehung stören (vgl. hierzu das Yin-Yang-Zeichen). Auch die Hügelkonturen werden nach ihrem Charakter, das heißt nach ihrer Zuordnung zu den Elementen und zu den Himmelskörpern sorgfältig gedeutet. Damit wird auch ihre Wirkung auf den untersuchten Standort festgestellt.

Diese wenigen Hinweise sollen genügen, um die kontextuelle Grundhaltung des Feng-shui zu dokumentieren. Es wurde nicht nur zur Findung besonders günstiger Standorte in der Natur angewendet, sondern vor allem als Leitfaden für eine aktive Gestaltung der Landschaft gemäß ihrem eigenen Wesen und ihren Gesetzen gebraucht. Als wichtiges Prinzip kann dabei die Artikulierung des Ortes, seiner bestimmenden strukturellen Elemente angesehen werden. Das Vorziehen der Nestlage, die ja den Lebensatem, die guten Eigenschaften des Ortes zusammenhalten soll, zeigt, daß die Bedeutung der Grenze für die Identität des Ortes erkannt worden ist. Die konzentrierende Wirkung der Nestlage wird im Zentrum des Landschaftsortes noch einmal thematisiert, indem es dort zu einer harmonischen Vereinigung der Gegensätze kommt.

Das Schaffen und Erhalten eines spannungsvollen und anregenden Gleichgewichtes ist ein weiteres Prinzip des Feng-shui, das kontextuell zu nennen ist, denn die verstärkenden oder mildernden Eingriffe setzen immer dort an, wo es bereits Ansätze dazu gibt: Die Kontur des Hügels wird durch einen Pavillon korrigiert, eine sanfte Bodenerhebung wird in der Ebene durch einen

[173] Vgl. das bereits erwähnte Geviert in M. Heidegger, »Bauen, Wohnen, Denken«, Pfullingen 1954, S. 150ff.

[174] Siehe E. J. Eitel, *Feng-shui oder die Rudimente der Naturwissenschaften in China*, Waldeck-Dehringhausen 1982 (London 1873), S. 29ff. und 112ff. Zum Feng-shui siehe weiter Manfred Speidel, »Orte – Ein Versuch zur Geomantie«, *Kunstform 69*, 1, 1984; George Tso Chih Peng, »Die Rolle der chinesischen Philosophien für die Gestaltung von Architektur, Landschaft und Stadt«, *Daidalos*, 12; Stephen Skinner, *Chinesische Geomantie*, München 1983; *The Living Earth Manual of Feng-Shui*, London 1982; Stephan D. R. Feuchtwang, *An Anthropological Analysis of Chinese Geomancy*, Vientiane 1974.

[175] George Tso Chih Peng, *Daidalos*, 12.

[176] M. Speidel, *Kunstforum 69*, 1, 1984. Auch hier wird der landschaftliche Ort also als eine visuell erfaßbare Einheit definiert (siehe weiter oben).

[177] Vincent Scully, *The Earth, the Temple and the Gods. Greek Sacred Architecture*, New York 1969 (New Haven 1962).

[178] Ebd., S. 3.

[179] R. Endrös 1978, S. 185, nennt einige Beispiele: das Orakel und das Theater in Delphi, die Theater in Epidauros und Marathon, den Parthenon auf der Akropolis in Athen.

[180] Scully 1969, S. 11ff.

9. Lage der Mausoleen der Tokugawa-Herrscher in Nikko, Japan, in einer idealen Nestlage.

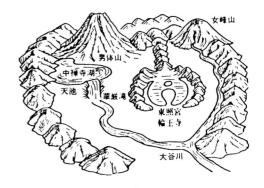

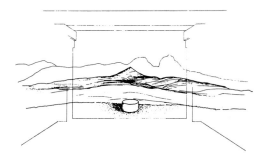

10. »Nestorpalast« in Pylos, Griechenland, Orientierung des Heiligtums und des Altars zur Landschaft.

11. Pergamon, Türkei.
12. Griechischer Tempel in der Landschaft: Segesta, Sizilien.

Erdhügel oder eine Pagode überhöht, eine Mulde wird für einen Wasserteich genutzt. Denn auf einem undifferenzierten, ausdrucksarmen Boden kommt der Fluß der lebenswichtigen Energien zum Stillstand. So muß man auch, glaube ich, die geometrisch-rationalen Haus- und Stadtanlagen in China aus diesem Wunsch nach der höheren, ausgeglichenen Einheit der Gegensätze verstehen. Man hat diese auf einem Raster aufgebauten Häuser, Paläste und Städte immer im Zusammenhang mit der »wilden« Landschaft oder den »natürlich« gestalteten Gärten oder Parks gesehen. Selbst wenn man die spekulativen, nur schwer nachvollziehbaren Aspekte des Feng-shui beiseite läßt, bleibt sein wohltuender Einfluß in der Gestalt der dichtbesiedelten chinesischen Landschaft festgehalten.

Erde, Tempel und Götter. Das griechische Gleichgewicht

Mit dieser Überschrift beziehe ich mich absichtlich auf das gleichnamige Buch von Vincent Scully.[177] Der Bezug ist durchaus als eine bescheidene Hommage an ein unkonventionelles Werk gedacht, das erste, das sich ausführlich mit der Frage nach der Beziehung zwischen dem griechischen Tempel und der Landschaft auseinandersetzte. »Nicht nur waren gewisse Landschaften den Griechen heilig und Ausdruck bestimmter Götter beziehungsweise Inkarnation ihrer Gegenwart, die Griechen bildeten ihre Tempel und die später folgenden Gebäude des Heiligtums in einer Weise aus und situierten sie so im Bezug zur Landschaft und zueinander, daß die empfundene Grundstimmung der Landschaft gesteigert, entwickelt, vervollständigt und manchmal sogar kontrastiert wurde. Daraus kann gefolgert werden, daß die Tempel und die anderen Bauten nur ein Teil dessen sind, was man die ›Architektur‹ des gegebenen Ortes nennen könnte.«[178]

Der heilige Ort kann auch im archaischen wie im klassischen Griechenland zunächst radiästhetisch interpretiert werden, und etliche eigenartige Lagen und Orientierungen der Sakralbauten ließen sich mit der unsichtbaren Energiestruktur der Landschaft erklären.[179] Doch ist dies, wie wir gesehen haben, ein universeller Aspekt der Situierung von Bauwerken, kein spezifisch griechischer. Dagegen kann in Griechenland ein spezifischer Bezug zu den formalen Aspekten einer Landschaft in seiner geschichtlichen Entwicklung von der Steinzeit über die Bronzezeit (minoische Kultur) bis in das klassische Altertum hinein verfolgt werden. Es geht also wieder um die Beziehung des Bauwerks zur Landschaft, was man bei einer Untersuchung der architektonischen Ortsbindung als einseitig kritisieren könnte, doch die Beschränkung wird schnell einleuchten, wenn man bedenkt, wie ausschließlich der Mensch auf die Natur bezogen war und wie unbedeutend die menschliche Siedlung sich in der auch räumlich allumfassenden Natur ausnehmen mußte. Von grösseren Agglomerationen (wie zum Beispiel in Knossos) fehlen uns meist genauere Ausgrabungsunterlagen, um die individuelle Reaktion eines Neubaus auch auf den urbanen Kontext beurteilen zu können. So wird auch bei dieser Betrachtung die Frage nach dem Standort und der Ausrichtung des Bauwerks zu den Elementen der Landschaft das Hauptkriterium einer kontextuellen Architektur bleiben.

Die Vorstellung des neolithischen Menschen von der Natur als eines mütterlichen Wesens, wie er sie unzählige Male in den üppigen weiblichen Gottheiten mit den überbetonten Geschlechtsmerkmalen zum Ausdruck gebracht hat, findet noch in der minoischen Baukunst auf Kreta einen deutlichen Niederschlag. Es sind immer wieder dieselben Landschaftselemente, auf die sich dort seit 2000 v. Chr. der Palastbau bezieht. Scully weist es für die vier wichtigsten Anlagen – Knossos, Phaistos, Mallia und Gournia – nach.[180] Der Palast mit seinem zentralen Hof liegt immer in einem räumlich geschlossenen Tal, einem »natürlichen Megaron«, axial auf einen Hügel im Vordergrund und einen höheren Berg mit einem gespaltenen beziehungsweise einem Doppelgipfel in einiger Entfernung dahinter ausgerichtet. Wie immer man nun diesen Doppelgipfel interpretiert, als ein Hörnerpaar, als erhobene Arme, als Frauenbrüste oder als mons veneris – man kommt immer zu der Einsicht, daß sich die Erbauer dieser Paläste bewußt in Bezug setzen wollten zu dem Leben, Nähe und Trost spendenden mütterlichen Wesen der Landschaft.

Der Landschaftsbezug läßt sich in einzelnen Schritten nachvollziehen, von der alten kretischen Einheit mit der Erde und ihren Formen, wo die ehrenvollen hohen Orte der Göttin vorbehalten waren und die Könige ihren Schutz und Bezug zu ihr im niedrigen Talort gesucht haben, über die Haltung zum Beispiel der mykenischen Fürsten, die bereits sehr viel selbstbewußter prominente Orte in der Landschaft besetzt haben, bis hin zu der Inanspruchnahme des der Göttin geweihten hohen Ortes wie in Mykene selbst – jedoch nicht ohne die auch damals noch üblichen Landschaftsbezüge, bis zu der Verdrängung der weiblichen Erdgottheit durch den von Zeus regierten Olymp der Dorier. Dieser fügte zwar kosmische Bezüge bei der Orientierung der Tempel hinzu;

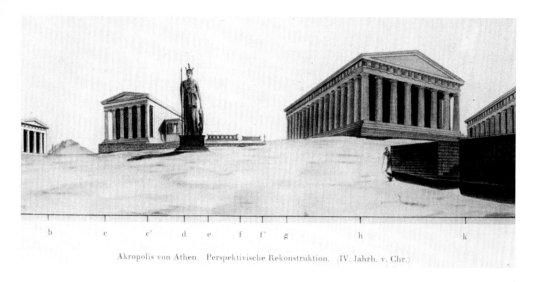

Akropolis von Athen. Perspektivische Rekonstruktion. (IV. Jahrh. v. Chr.)

13. Die Akropolis in Athen nach 450 v. Chr. Rekonstruierte Ansicht von den Propyläen aus mit dem Hügel Lykabettos im Hintergrund.
14. Die Akropolis in Athen nach 450 v. Chr. Lageplan.

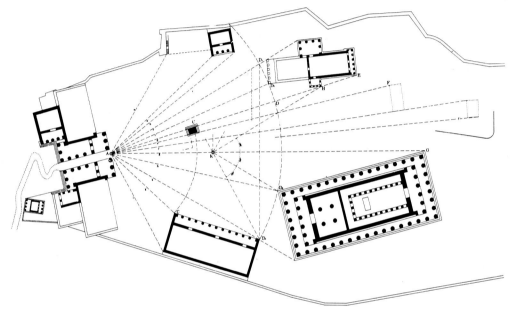

die besondere Empfindsamkeit für die Formen der Landschaft und für ihre Bedeutungen konnte aber bis in die klassische Zeit hinübergerettet werden. Man könnte sogar behaupten, daß die Tradition der figural-volumetrischen Auffassung der Landschaft (freilich vom griechischen Landschaftstypus selber bedingt) die Grundlage abgegeben hat für das einzigartige Gespür der Griechen für die plastische Wirkung der Architektur und ihre sichere Einordnung in die Landschaft.

Diese wenigen Hinweise auf die Entwicklung des Landschaftsbezuges sollen genügen, um das spezifisch griechische Gleichgewicht zwischen Bauwerk, Erde und Himmel zu verstehen, das ja wiederum Abbild eines Gleichgewichts zwischen den Menschen und den Göttern war. Die in Griechenland bewußt verarbeitete Auseinandersetzung zwischen den weiblich-chthonischen und den männlich-kosmischen Aspekten des Göttlichen haben wohl genauso dazu beigetragen wie die formal klar ablesbare, in überschaubare und damit verständliche Einheiten gegliederte griechische Landschaft selbst. [181]

Neben der Situierung von Tempeln – die einzelnen Gottheiten jeweils einem spezifischen Landschaftscharakter zugeordnet – ist das griechische Theater das zweite prominente Beispiel für die kontextuelle Einfügung von Bauten ins Gelände. Immer gab eine natürliche Mulde im Hang den Anstoß für die Wahl des Standortes; man erkennt darin wieder die Ökonomie im Einsatz der Mittel, die immer ein wesentlicher Bestandteil des kontextuellen Eingriffs ist. Aber auch die szenische Einbeziehung der Landschaft ist ein konstantes Merkmal des griechischen Theaters. Wie überwältigend sie das klassische Theater bestimmt haben muß, kann man in Pergamon auch heute noch nachvollziehen. An solchen Beispielen wird deutlich, daß man der griechischen Architektur nicht gerecht werden kann, wenn man sie nicht über das Bauwerk hinaus in die Landschaft fortgesetzt sieht.

15. Athena-Tempel und Akropolisfelsen in Priene. Rekonstruierte Ansicht vom Altar am Marktplatz aus von Konstantin A. Doxiadis.

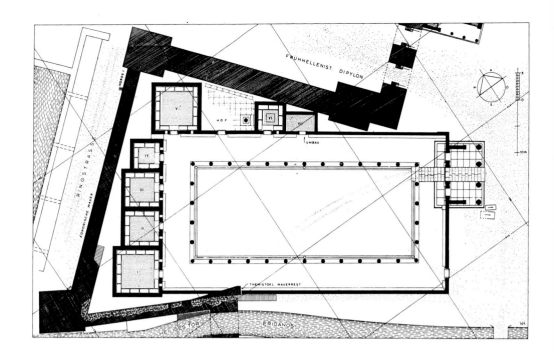

16. Das Pompeion in Athen, um 400 v. Chr.
Lageplan.
17. Das Pompeion in Athen. Grundriß.

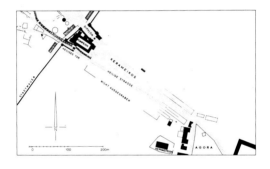

181 Vgl. Christian Norberg-Schulz, *Genius loci*, Stuttgart 1982, über die klassische Landschaft, S. 45 ff.
182 Siehe Armin von Gerkan, *Griechische Städteanlagen*, Berlin 1924; Joseph Gantner, *Grundformen der europäischen Stadt*, Wien 1928; Konstantin A. Doxiadis, *The Method for the Study of the Ancient Greek Settlements*, Athen 1972; A. Giuliano, *Urbanistica delle città greche*, Milano 1966.
183 Frühe Ansätze sind z. B. in Megara Hyblaea auf Sizilien erkennbar.
184 Konstantin A. Doxiadis, *Raumordnung im griechischen Städtebau*, Heidelberg 1937. Das von Doxiadis ermittelte Raumordnungsprinzip basiert nicht auf dem uns geläufigen rechtwinkligen Koordinatensystem, sondern auf einem Polarkoordinatensystem. Von prominenten Standpunkten aus (Eingänge usw.) werden die Gebäude und andere raumbegrenzende Elemente rhythmisch so angeordnet, daß sie das Gesichtsfeld in regelmäßige Winkelabschnitte (Zehn- oder Zwölfteilung des Kreises) strukturieren.
185 Ebd., S. 11.
186 Den Hinweis verdanke ich Herrn Dr.-Ing. D. Mertens vom Deutschen Archäologischen Institut in Rom.
187 Beide Beispiele aus Gerkan 1924, S. 81 und 105.

An dieser Stelle müssen auch die zwei Traditionen des griechischen Städtebaus kurz erwähnt werden, die man üblicherweise als die »gewachsene« und »geplante« beziehungsweise hippodamische Stadt apostrophiert.[182] In der ersteren erkennen wir dieselbe Landschaftsbezogenheit, wie sie oben für Einzelarchitekturen aufgezeigt wurde, in einer detaillierten Geländeeinfügung und Ausrichtung einzelner Gebäudekomplexe zu plastischen Landschaftselementen. Pergamon oder Aegae stehen in dieser Tradition. Das sogenannte hippodamische Rastersystem entwickelte sich seit dem 8. Jahrhundert v. Chr. unter den besonderen Umständen der raschen Besiedelung in den griechischen Kolonien nach und nach aus dem Schema einer rationalen Bodenparzellierung.[183] Voll ausgeprägt findet sich das System dann in Milet, Priene oder Dura-Europos. Freilich weisen auch diese Städte, zumindest was die Stadtmauer, das Theater sowie die Randanpassung der Blockstruktur betrifft, eindeutige Bezüge zum Gelände auf.

Für die vorliegende Betrachtung wichtig ist auch der Ansatz von Konstantin Doxiadis. Sein durch viele Stadtanalysen belegtes System der Raumorganisation[184] stellt bis heute die schlüssigste Stadtraumtheorie des griechischen Städtebaus dar. Auch die beobachteten Bezüge zu den figuralen Elementen der Landschaft lassen sich in diese Stadtraumtheorie nahtlos einfügen. Doxiadis selbst hat bereits darauf hingewiesen: »Es ist manchmal ein Versuch erkennbar, alle Gebäude so zu bestimmen, daß sie sich in die Umrißlinien der Landschaft einordnen und sich mit ihnen zu einer Einheit verbinden.«[185] So erscheint zum Beispiel von den Propyläen auf der Athener Akropolis der Hügel Lykabettos als gleichwertiges vollplastisches Element perfekt in die Gebäudegruppe eingebunden. Ähnliches kann auch in Priene für den Blick vom Altar am Marktplatz zum Athena-Tempel und den dahinter liegenden Akropolisfelsen behauptet werden.

Bei komplexeren Stadtanlagen der Griechen kann man zuweilen ähnliche kontextuelle Reaktionen beobachten, wie man sie in größerem Umfang später aus der Renaissance kennt. Dies sollte nicht verwundern, da es sich, wie eingangs erwähnt, um entwicklungsgeschichtlich verwandte Epochen handelt. Beide Male löst sich die Architektur allmählich aus der Vorherrschaft des Topos durch stetige Präzisierung und Kanonisierung des Typus, bis das erwähnte Equilibrium entsteht. Dieses freilich dauert im Griechenland der klassischen Periode länger und war insgesamt stabiler, was sicherlich darauf zurückzuführen ist, daß es langsamer herangereift war. Die großen geschichtlichen Zyklen scheinen sich zu beschleunigen.

Elementare kontextuelle Reaktionen kann man zum Beispiel in Megapont, einer griechischen Kolonie in Süditalien, bei der Ausrichtung der Stadttempel beobachten.[186] War der ursprüngliche Tempel noch ausschließlich nach sakralen Gesichtspunkten orientiert, wurde der zweite nach der nun dichteren und in ihrer Bedeutung wichtigeren Stadtstruktur ausgerichtet. In Magnesia reagierte die Ostseite der Agora auf den älteren Artemistempel, und in »Pergamon ist der Heratempel nach der Anlage des oberen Gymnasions gerichtet und, noch deutlicher, der jonische Tempel nach der Theaterterrasse ...«[187]

Ging es in diesen Beispielen bei der kontextuellen Reaktion um die Ausrichtung einer ansonsten idealtypischen Architektur beziehungsweise umgekehrt um die räumliche Integration einer solchen, so antwortet das um 400 v. Chr. in Athen errichtete Pompeion darüber hinaus auch mit dem Bauvolumen und der inneren Organisation des Gebäudes auf die räumlichen Vorgaben der Umgebung. Der zweifach symmetrische Peristylhof wurde so in eine Stadtmauerecke eingezwängt, daß er keine ihrer Richtungen aufnahm, sondern sich auf die Kerameikos-Straße bezog. Aus diesem Grunde wurde auch das Propylon aus der Gebäudeachse in die Straßenflucht gerückt, so daß man es von der 300 m entfernten Agora aus sehen konnte. Diese vorgestellte »Kleinarchitektur« bildete mit ihrem Bauvolumen ein Pendant zu dem seitlichen Brunnenhaus. Auch die Anordnung der verschieden großen quadratischen Banketträume war aus dem Zuschnitt der Zwickelräume an der Mauer abgeleitet.[188] Das Pompeiongebäude mag so als Beispiel für die fruchtbare Spannung zwischen den idealtypischen Tendenzen der Architektur und der kontextuellen Verarbeitung räumlicher Vorgaben dienen.

Genius loci. Geburt der Idee und das römische Raster

Der Genius loci, mit dem wir heute meist metaphorisch die atmosphärischen Qualitäten eines Ortes bezeichnen, zunehmend aber auch wörtlicher den »Ortsgeist«, also ein Wesen mit ausgeprägtem Gestaltcharakter meinen, ist in seinen Ursprüngen eine antik-römische Idee. Spätestens in der Kaiserzeit verschmolzen in ihr zwei zunächst unabhängige altrömische Vorstellungen zu einer Einheit: der Genius und die Laren.[189] Ich möchte hier diesen beiden Quellen nur insofern kurz nachgehen, als sie für das spätere architektonische Verständnis des Genius loci von Bedeutung sind.

Der Genius – ursprünglich die göttliche Verkörperung der im Manne wirkenden Zeugungskraft – wurde im Laufe der Zeit allen unabhängigen, das heißt als Gestalt identifizierbaren Wesen, die von einem geistigen Prinzip beseelt vorgestellt wurden, zugesprochen. Als solche wurden nicht nur Menschen, sondern auch Götter, Städte, Orte, Länder, Völker und verschiedene Gemeinschaften angesehen. Der Genius steht hier also für ein Wesen, für eine Persönlichkeit mit individuellen Charakterzügen; er ist der eigentliche Ursprung dieser Individualität. Er ist es, der für das Eigenleben der »Gestalten« verantwortlich ist. Die Idee des römischen Genius beschreibt so letztlich eigenständige Wesen als Gestaltphänomene.

Die Laren dagegen waren ursprünglich Erdgeister, später auch Ahnengeister, auch als solche jedoch immer ortsgebunden. Der Aspekt des Ahnenkults verkörpert also auch die »menschliche« Geschichte des Ortes. Dieser eher erdhafte, ortsfeste Charakter der Laren und die Gestaltprägnanz des Genius wurden in der römischen Kaiserzeit zu der Idee vom Genius loci vereint, die – in späterer Zeit wieder aufgegriffen – bis in heutige architekturtheoretische Überlegungen hineinreicht.

Wenn der antike Genius loci meist als Schlange dargestellt wird, so erkennt man darin den chthonischen Aspekt der Laren. Die Nähe zum Ahnenkult veranschaulicht Vergil mit der Stelle, wo Aeneas am Grabe seines Vaters ein Opfer darbringt und eine Schlange hervorkriecht, um es zu verschlingen. Verunsichert fragt sich Aeneas dabei, ob es nun der Geist des Vaters oder der Genius loci war, der in Gestalt der Schlange das Opfer entgegennahm.[190] Spricht dagegen Cicero von den Ziegeln und dem Marmor, welche den Genius der Roma ausmachen,[191] dann hat er wohl die konkrete Erscheinung Roms und seinen Charakter vor Augen und betont damit den Gestalt-Aspekt des Genius loci. Der Komplex der römischen Idee vom Genius loci erschöpft sich also nicht – wie im heutigen Sprachgebrauch meist der Fall – in den atmosphärischen, nicht präzis zu benennenden Qualitäten, sondern verweist einerseits auf die vorgeschichtliche Vorstellung vom ortsfesten Erdgeist und betont andererseits den Gestaltcharakter des Ortes (wohin natürlich auch die atmosphärischen Stimmungen gehören), der ihn zum eigenständigen Wesen macht.

Der Genius loci war in der römischen Zeit – und seine Ableitung aus den beiden altrömischen Vorstellungen bestätigt dies – dem religiösen Bereich zugeordnet. Sein geistiges Prinzip konstituierte den besonderen Ort, die heilige Landschaft. Freilich muß man sich die ortsgebundene Religiosität der Römer eher unsentimental, sachlich und bisweilen juristisch formalisiert vorstellen.[192] Jedenfalls kann man den Respekt und die Reverenz der bestehenden Situation gegenüber, die man auch in der römischen Zeit beobachten kann, auf eben diese religiöse Vorstellung vom Genius loci zurückführen. Aus dieser re-ligio, dieser Rück-Bindung »ergab sich für die römische Architektur die praktische Konsequenz, die naturräumlich vorhandenen Besonderheiten eines Ortes nicht zu übertönen oder gar zu zerstören, sondern zu fassen und hervorzuheben«.[193] So war in der römischen Idee vom Genius loci immer auch schon die Vorstellung enthalten, im Einklang mit dem Ort und seinem Charakter zu bauen.

[188] Wolfram Hoepfner, *Das Pompeion und seine Nachfolgebauten*, Berlin 1976.

[189] Siehe z. B. H. Kunckel, *Der römische Genius*, Heidelberg 1974; Jan Pieper, »Über den Genius Loci, architektonische Gestaltungen einer antik-römischen Idee«, *Kunstforum 69*, 1, 1989.

[190] Vergil, *Aeneis*, Stuttgart 1979, V, 94.

[191] Zitiert in J. Pieper, *Kunstforum 69*, 1, 1989, S. 49.

[192] Vgl. das Zitat und die Quelle in Anm. 143.

[193] J. Pieper, *Kunstforum 69*, 1, 1989, S. 44. Dabei hat der Autor vor allem die von Plinius beschriebenen Villen vor Augen, von denen er sogar sagt, daß ihr eigentlicher Inhalt der Charakter des Standortes, der Genius loci sei. Vgl. auch H. Döllgast, »Römervillen«, *Heraklith Rundschau*, 29, September 1960.

[194] »Der Geometer hatte zunächst die Aufgabe, die vom Gerät angezeigten Kreuzlinien auf das Gelände zu übertragen.« Werner Müller, *Die heilige Stadt*, Stuttgart 1961, S. 12 ff.

[195] Ebd., S. 11.

[196] Interessant ist in diesem Zusammenhang der Hinweis von Roscher auf das etruskische Stadtgründungsritual, das ja bekanntlich in abgewandelter Form an die Römer weitergereicht wurde. Danach wurde im Zentrum der künftigen Stadtanlage – dort also, wo in der Regel ein Symbol der Mitte aufgestellt wurde (der zentrale Meilenstein, in Rom das umbilicus urbis) – der mundus, eine kreisrunde Grube, angelegt. Ihr unterer Teil war den Ahnengeistern und der Unterwelt geweiht. Der mundus wurde mit einem kreisrunden Stein verschlossen und nur an besonderen Tagen geöffnet, um mit den Ahnen- und Erdgeistern zu kommunizieren. Um den mundus wurde zur Festlegung der Stadtgrenzen mit dem Pflug ein Kreis gezogen. In diesem Ritual tritt die Verbindung der Stadtmitte mit dem chthonischen Aspekt des Genius loci deutlich zutage. Wilhelm Heinrich Roscher, *Omphalos*, Hildesheim 1974, 2. Teil, S. 86 ff.

[197] Leonardo Benevolo, *Die Geschichte der Stadt*, Frankfurt/M. 1983, S. 250, 256.

Wie gehen nun solche Einsichten mit den gängigen Vorstellungen von der römischen Rationalität im Umgang mit der Landschaft zusammen? Sind doch die Militärlager und die Gründungsstädte, ist vor allem die römische Landvermessung – **die centuratio** – mit ihrem monotonen Raster der Inbegriff einer der bewegten und lebendigen Landschaft aufgezwungenen, starren Ordnung. Daß es sich wirklich um das Auftragen einer der Landschaft zunächst fremden rationalen Ordnung handelte, bestätigen die vielfach beschriebenen Praktiken der Landvermessung und der Stadtgründungen. [194]

Beginnt man jedoch, diese rigide Struktur von ihrem Ursprung her zu hinterfragen, stellt man bald wesentliche Unterschiede zu einem völlig homogenen Rastersystem, wie zum Beispiel dem hippodamischen, fest. Zum einen weist das römische System mit cardo und decumanus zwei Hauptachsen und damit ein eindeutiges Zentrum sowie vier »Gegenden« auf, zum anderen ist jede römische Stadtgründung als Rechteck von einer eindeutigen äußeren Gestalt und einer typisierten inneren Organisation. Man wird an eine Zellenstruktur erinnert. Besonders die Vorstellung vom Nabelpunkt des Systems scheint eine Verbindung zur Idee des Genius loci zu ermöglichen. »Sobald der Mensor das Gelände in Augenschein genommen …, stellte er sich … in das Zentrum der kommenden Anlage« und bezog alle weiteren Planungen auf diesen Ausgangspunkt. [195] Es konnte nicht anders sein, als daß man diesen zentralen Punkt des gesamten Systems sehr sorgsam auswählte, die rationale Rasterstruktur also zum Genius des Ortes in Bezug setzte. [196] Die Bedeutung der Stelle wurde noch gesteigert, wenn sich die gesamte centuratio eines Landstriches auf diese bezog.

Die meisten römischen Landvermessungsnetze und Stadtraster zeigen in ihrer Ausrichtung Zugeständnisse an die Gegebenheiten der Landschaft. So verlaufen die decumani parallel zu den Hängen und Uferkanten, die cardines senkrecht dazu. Auch an Zufahrtsstraßen zu Brücken ergaben sich Unregelmäßigkeiten im Raster, die vom gegebenen Brückenstandort herrührten. [197] Letztlich aber sind die beiden römischen Prinzipien – der Genius loci und das hierarchisch gegliederte orthogonale Raster – als Gegensätze zu betrachten. Wir haben es mit zwei verschiedenen Traditionen zu tun, die ich bereits mit Topos und Typus apostrophiert hatte. Daß der römische Geist, wo er nur konnte, eher zu typisierten Lösungen neigte, bedarf hier keines weiteren Nachweises. Dagegen möchte ich mit zwei Beispielen, die eindeutig kontextuelle Reaktionen auf urbane Situationen zeigen, auf die Relevanz des Ortes in der römischen Architektur verweisen.

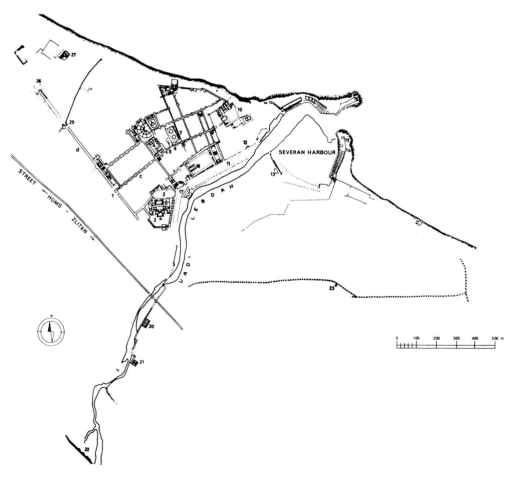

18. Leptis Magna, Tunesien. Lageplan. Legende: 7 Markt; 10 altes Forum; 18 severisches Forum mit Basilika.

Im nordafrikanischen **Leptis Magna** lassen sich etliche Bauten in ihrer Form nur aus der Verarbeitung des unmittelbaren physischen Kontexts erklären. Als die Römer um 25 v. Chr. an die bestehende punische Hafenstadt das alte Forum anfügten, akzeptierten sie offensichtlich den Mauerverlauf der bestehenden Siedlung als nordöstlichen Abschluß des Forums.

Noch um die Mitte des 2. Jahrhunderts wurde diese unregelmäßige Situation mit einer dreiseitigen Kolonnade festgeschrieben. Es ist nicht bekannt, wonach das Forum und das anschließende Straßenraster ausgerichtet waren. Jedenfalls wurde in einiger Entfernung landeinwärts in den Jahren 9–8 v. Chr. ein Markt als zweifachsymmetrische Anlage in einer leicht abweichenden Richtung angelegt. Bald zog auch die rasch wachsende Stadt nach und erreichte mit einem wiederum leicht abgedrehten Straßenraster den von Säulengängen umgebenen Markt. Diese offensichtliche Unschlüssigkeit in der Stadtentwicklungsplanung (Anlage von drei verschiedenen Straßenrastern innerhalb von weniger als 20 Jahren) könnte jedenfalls ein Hinweis auf die Rücksichtnahme gegenüber vorhandenen Baustrukturen sein.[198] In der Folgezeit wurde der im neuen Straßenraster schräg liegende Markt von Pufferräumen eingebaut und so in die Stadtstruktur integriert. Offensichtlich waren die neuen Anbauten in der Höhe dem Säulenumgang angeglichen, so daß wieder ein einheitlicher Bau entstand, nur diesmal mit einem schräg eingeschnittenen Hof. Wie subtil auch sonst verfahren wurde, zeigen der neue Haupteingang vom cardo maximus und die Ecktreppe mit dem erweiterten Säulenumgang an der Ostseite, welche die beiden Geometrien miteinander verbindet.

Auch das severische Forum mit der Basilika, eingezwängt in ein unregelmäßiges Straßengeviert, aber dennoch mit ideal zugeschnittenen Innenräumen, zeugt von einem in Griechenland geschulten Architekten, der die Zwänge einer unregelmäßigen Situation akzeptierte und seine ganze Erfindungsgabe daran setzte, trotzdem die nötige Ordnung, Symmetrie und Balance zu erreichen.[199]

Gerasa ist ein weiteres Beispiel für eine ungewöhnlich einfühlsame Stadtplanung aus der römischen Zeit, die jedoch undenkbar wäre ohne die Tradition des hellenistischen Städtebaus in Kleinasien. Gerasa wurde von Antiochus IV. in der ersten Hälfte des zweiten vorchristlichen Jahrhunderts gegründet und besetzte wohl den südlichen Teil der späteren römischen Stadt, deren konsequentes orthogonales Straßenraster in der zweiten Hälfte des 1. Jahrhunderts n. Chr. angelegt wurde. Dabei galt es, Teile des alten Nukleus um das Zeusheiligtum im Süden der Stadt sinnvoll in die neue Stadtstruktur zu integrieren.[200]

Der Zeustempel als das traditionsreichste Hauptheiligtum der Stadt befand sich auf einem Hügelausläufer und war nach einer flachen Geländemulde im Nordosten ausgerichtet, die den Tempelaufgang eindrucksvoll gesteigert hat. Die hellenistische Anlage wurde Anfang des 1. Jahrhunderts n. Chr. durch einen Nachfolgebau ersetzt. Diesem wurde im Laufe des 1. Jahrhunderts ein großer, rechteckiger Temenos vorgebaut. Er muß bereits vorhanden gewesen sein, als man gegen Ende desselben Jahrhunderts das ovale Forum mit Kolonnaden anlegte, denn dieses Meisterstück der römischen kontextuellen Architektur reagiert mit Nachdruck auf seine Lage.

Die knappe Zeitfolge von der Anlage des Straßenrasters über den Bau des Temenos zur Errichtung des ovalen Forums legt auch die Vermutung nahe, daß von vornherein ein Gesamtkonzept vorhanden war, nach dem vorgegangen wurde. Der cardo wurde nicht nur parallel zu den Höhenlinien geschickt in den Hang integriert, sondern auch auf den Zeustempel ausgerichtet. So wurde die Nordostseite des Temenos möglicherweise bewußt als Prallwand zur Umlenkung des cardo zu dem unmittelbar anschließenden Südtor verwendet. Dem ovalen Forum kam dabei eine eindeutig vermittelnde Funktion zu. Als eine klassische räumliche »Kompositanlage«[201] hatte es alle einwirkenden Geometrien und baulichen Vorgaben verarbeitet. Die ganze Komposition ist äußerst delikat: Der Platz ist annähernd elliptisch, von Kolonnaden umstanden, leicht aus der Achse des cardo herausgedreht und im Süden jäh und schräg abgeschnitten.

Nähert man sich dem Platz vom Stadtzentrum her, leitet die westliche Kolonnade, die nahtlos in die Temenoswand übergeht, allmählich zum südlichen Stadtausgang. Die Ostkolonnade dagegen, mit ihrer spannungsvollen Krümmung, führt direkt auf die vorgelegte Treppe des Zeusheiligtums, die ihr – aus der Tempelachse leicht verschoben – gleichsam entgegenkommt. Der ovale Platz erfüllt auch in der entgegengesetzten Richtung diese vermittelnde Funktion. Der gesamte Komplex wurde baulich abgeschlossen, als im Jahr 166 ein neuer Zeustempel eingeweiht wurde, der wohl in seiner Höhenentwicklung der neuen städtebaulichen Situation besser entsprach.

Gerasa mag als das vielleicht extremste Beispiel für das kontextuelle Potential der römischen Architekturhaltung gelten. Es gibt jedoch genügend schlichtere Beispiele für die römische Fähigkeit, sich oft auch aus praktischen Überlegungen den örtlichen Gegebenheiten anzupassen. In Verulamium (Südostengland)[202] wurde zum Beispiel eine bestehende Straße schräg in das neue

19. Der Markt in Leptis Magna, Tunesien.

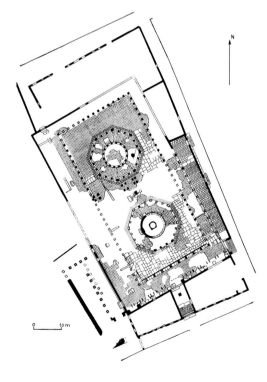

20. Gerasa, Jordanien, mit dem Zeusheiligtum und dem ovalen Forum im Süden.
21. Gerasa, ovales Forum mit dem Zeustempel im Hintergrund. Rekonstruktionszeichnung.

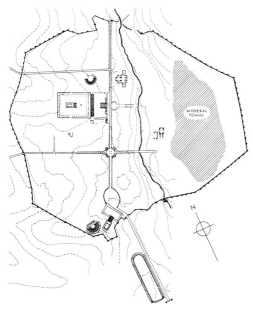

Stadtraster eingebaut, und in den Westprovinzen gibt es genügend andere Beispiele für eine pragmatische Handhabung des Bestandes durch römische Städtebauer. Bereits erwähnt wurden römische Bezüge zum radiästhetischen Kontext der Landschaft,[203] und es bedarf wohl keines besonderen Hinweises, daß die zu allen Zeiten verbreitete Praxis der planlosen Entwicklung im Anschluß an geplante Städte auch im römischen Imperium nicht unbekannt war. Dies kann zum Beispiel in Timgad besonders deutlich beobachtet werden. Ein eigenes Kapitel dazu wäre auch die Villa Hadriana, dieses Sammelsurium von idealtypischen »Reiseandenken« des Kaisers (nicht viel anders als die Berliner Havellandschaft des preußischen Königshauses[204]), die vorzüglich in das Geländerelief eingearbeitet wurden.

Die angeführten Beispiele wollen nicht die eingebürgerte Vorstellung vom römischen Schematismus in Städtebau und Architektur auf den Kopf stellen. Sie sollen vielmehr die These belegen, daß der Einfluß des Topos auf die Architektur in jeder Epoche nachweisbar ist.

Mittelalterliche Bezüge

Mit dem römischen Imperium ist auch der universalistische Ansatz zusammengebrochen. Die Teile haben gegenüber dem Ganzen an Bedeutung gewonnen. Die alte vereinheitlichende Idee – durch das funktionierende Reich selbst versinnbildlicht – war gegenstandslos geworden; das junge Christentum mit seinem ebenfalls universalen Anspruch war jedoch noch nicht zu einer »verbindlichen« Institution geworden. Neue Stämme und Völker brachten während der großen Umwälzungen der Völkerwanderung eigene Impulse mit, und da das alte Kommunikationsnetz stark beschnitten war, wurden die Erfahrungen lokal verarbeitet.

Die Menschen waren wieder mehr auf sich selber angewiesen, das Augemerk richtete sich eher auf die konkreten Dinge der Umgebung denn auf abstrakte Ideen. Bar der universalistischen Sicherheit tastete sich der frühmittelalterliche Mensch vorsichtig durch seinen beschränkten Lebensraum und suchte Halt in der erfahrbaren Realität seiner physischen Umgebung.

Auch im Architektonischen suchte er wieder verstärkt Bindungen und Bezüge zum gegebenen Kontext des Erdgeistes, des numinosen Ortes, überhaupt zu ausgeprägten charakter- und identitätstiftenden Orten der Landschaft, aber ebenso zu der römischen Hinterlassenschaft, den noch vorhandenen Stadtstrukturen, Großbauwerken oder Architekturteilen.

So wie es in der römischen Antike bei deutlicher Vorherrschaft universeller Tendenzen auch kontextuelle Elemente gab, so sind bereits im frühen Mittelalter wieder universalistische Kräfte am Werk, die aber erst mit der Renaissance die Oberhand gewinnen. Die zu immer mehr Machtkonzentration strebende Idee des Reiches, die Institution der Kirche und das abendländische Mönchtum waren zunächst Träger dieser Entwicklung. Nicht die frühe Mönchsbewegung der ägyptischen Anachoreten oder das irische Mönchtum, wo der einsiedlerhafte Bezug zu einem unwirtlichen, asketischen, aber immer sehr ausdrucksstarken natürlichen Ort vorherrschte, sind hier ge-

[198] M. F. Squarciapino, *Leptis Magna,* Basel 1966, S. 38.
[199] J. B. Ward-Perkins, *Cities of Ancient Greece and Italy: Planning in Classical Antiquity*, New York 1974, S. 42.
[200] Im folgenden beziehe ich mich hauptsächlich auf J. Browning, *Jerash and the Decapolis*, London 1982. Siehe auch C. H. Kraeling, *Gerasa, City of the Decapolis*, New Haven 1938.
[201] Dieser Begriff der kontextuellen Terminologie des Colin Roweschen Studios kann hier voll angewendet werden (siehe weiter unten).
[202] Ward-Perkins 1974, S. 29 ff. und Abb. 69, 70.
[203] R. Ottel, *DBZ*, 4, 1980.
[204] Siehe Anm. 150.

22. Church Island, Irland, eine Einsiedelei des 7.–8. Jahrhunderts an einem ausgeprägten Naturort.
23. Übersicht der verschiedenen Energiemuster bei 41 Kirchen und Kapellen in Irland, von Jörg Purner.

meint, sondern das benediktinische Mönchtum mit seinen festen Klosterregeln. »Seit dem ausgehenden 7. Jahrhundert versuchten die Benediktineräbte, ihre Klöster zu vollkommenen Instrumenten der Verwirklichung der Klosterregel umzugestalten.«[205] Die Anwendung eines festen Klosterschemas ist aber eine typologische Tendenz, die dem Genius loci eher zuwiderläuft. Mit dem Aufkommen des abstrakten Denkens der Scholastik, dem wissenschaftlichen Betrieb der Universitäten, der Zahlenmystik der gotischen Baumeister – um nur einige Erscheinungen zu nennen – wurden die universellen, »ortsflüchtigen« Tendenzen des Mittelalters zunehmend verstärkt.

Kehren wir aber zu den architektonischen Bezügen zurück, die im Mittelalter insgesamt vorherrschten. Das Bauen im Bezug zu den **Erdenergien** wurde im Zusammenhang mit dem prähistorischen Bauen bereits behandelt. Dabei hatte ich mich der größeren Anschaulichkeit wegen vieler mittelalterlicher Beispiele bedient. Die Praxis des Rutengehens zur Wahl des richtigen Ortes und der Ausrichtung des Bauwerks war während des ganzen Mittelalters in Anwendung. Besonders in jenen Teilen Europas, die nicht unter direktem römischen Einfluß standen, scheint die bauliche Reaktion der Kultbauten auf den »Erdgeist« üblich gewesen zu sein.

So weisen die bereits erwähnten irischen Klöster, Kirchen und Einsiedeleien, die von Jörg Purner in größerer Zahl untersucht wurden, ausnahmslos Übereinstimmung mit den Energiemustern der Erde auf.[206] In allen 41 Fällen hat er eine axiale Lagebeziehung mindestens zu einer Primärlinie des Globalnetzgitters festgestellt, die jedoch meist noch mit anderen Energielinien überlagert wurde. Alle 41 Kirchen und Kapellen weisen außerdem im Altarbereich eine mehr oder minder komplexe Kreuzung von positiven Energiezonen auf – im Verständnis des mittelalterlichen Menschen also ein Zeichen für einen heiligen Ort. Es ist eine »verortete« Religiosität, die darin zum Ausdruck kommt, eine der judäischen Tradition fremde Vorstellung, daß man Gott nur an besonderen heiligen Orten anrufen soll. Letztlich war es diese in der Vorgeschichte begründete »territoriale« Religiosität des europäischen Mittelalters, welche die geistige Grundlage auch für die architektonischen Bindungen zu natürlichen und künstlichen Orten geliefert hat.

Mit dem aus der Energiestruktur der Erdoberfläche herausragenden »Ort der Kraft« wohl meist identisch, gab im Mittelalter auch **der numinose Ort** nicht nur den Anlaß zum Bauen; das erinnerte Geschehen (oder die Erscheinung) bestimmte oft auch das Bauprogramm und die räumliche Disposition, von der ikonographischen Gestaltung ganz abgesehen. Das Besiedeln oder Bebauen eines numinosen Ortes war im frühen Mittelalter offensichtlich ein Weg, um die gebrochene Kontinuität in der Beziehung zum Raum wieder aufzunehmen. Es waren zunächst die Klöster, die vom 7. Jahrhundert an oft an Stätten entstanden sind, wo man anhand von überwucherten Ruinen Märtyrerblut im Boden vermutete[207] und an denen Sonderbares beobachtet wurde.

Später, als der Kontinent wieder dichter besiedelt und das Christentum zum festen Bestandteil der gesellschaftlichen Ordnung wurde, sind Orte der Erscheinungen baulich fixiert und allen zugänglich gemacht worden. Der eigentliche Sinn der Wallfahrtsarchitektur bestand aber darin, den heiligen Ort zu bebauen, das erinnerte Geschehen sichtbar zu machen und ihm durch die örtliche Fixierung auch den zeitlichen Bestand zu sichern. Es war eine Architektur der Beziehung, die die heilige Stelle – war es nun ein Stück Erde, ein Felsen, eine Quelle oder ein Baum – zu integrieren hatte.

Clonmacnoise Ciaran Church 8. Jh.		Monasterboice North Church 6. Jh.	
Clonmacnoise Finian Church 12. Jh.		Mellifont Chapel	
Clonfert 1166		Mellifont Abbey 1142	
Ross Errilly 1351		Glendalough The Cathedral 7. Jh.	
Murrisk Abbey 1457		Glendalough St. Kevin's Church 9. Jh.	
Burrishoole 1469		Glendalough Priest's House 12. Jh.	
Moyne Abbey 1460		Glendalough Reefert Church 11. Jh.	
Clonca 6. Jh. (18. Jh.)		Glendalough Trinity Church 10. Jh.	
Boyle Abbey 1161		Baltinglass Abbey 1148	
Kells St. Columb's House 814		Cashel Cormac's Chapel 1134	
Monasterboice South Church 13. Jh.		Kilmalkedar 12. Jh.	
Tintern Abbey 1200		Corcomroe Abbey 1182	
Dunbrody Abbey 13. Jh.		Kilmacduagh The Cathedral 7. Jh.	
Jerpoint Abbey 1158		Kilmacduagh Hyne's Church 7. Jh.	
Knocktopher 12. Jh.		Kilmacduagh Abbot's House 7. Jh.	
Ardmore 6. Jh. (12. Jh.)		Kiltiernan 9. Jh.	
Timoleague 6. Jh. (14. Jh.)		Clonmacnoise The Cathedral 904	
Muckross Abbey 1448		Clonmacnoise Doulin Church 9. Jh.	
Aghadoe Church 6. Jh. (12. Jh.)		Clonmacnoise Hurpain Church 1689	
Skellig Michael 7. Jh.		Clonmacnoise Ri Church 12. Jh.	
Gallarus Oratory 7. Jh.			

Wachstumslinie	Globalzone	Wasserzone	»Blind spring«

82

24. Saint-Michel d'Aiguilhe, Le Puy, Auvergne.

Die bauliche Ausgestaltung der numinosen Stelle ist freilich kein ausschließlich mittelalterliches Thema. Aus der Antike sind etliche Beispiele bekannt, und auch die Neuzeit hat ihre numinosen Orte durchaus prächtig gestaltet. Bis ins hohe Mittelalter finden wir jedoch eine viel direktere bauliche Auseinandersetzung mit dem Charakter wie auch der materiellen Substanz des numinosen Ortes vor. Man spürt hier noch den existentiellen Ernst dieses Bezugs, der ja ein Versuch des Fußfassens in einer unwirtlichen Welt, ein Versöhnungsangebot an die dunklen Kräfte der Erde war.

Die zahllosen Heiligtümer des Erzengels Michael artikulieren sozusagen die ohnehin hohen Orte zu »himmlischen Blitzableitern«, wie es in Mont-Saint-Michel oder Le Puy offensichtlich wird. Im Damenstift von Andlau im Elsaß kann man noch heute die Stelle im Boden betrachten, an der im Jahre 880 ein Bär den Ort bestimmte, an dem das Kloster zu errichten war. Diese Beispiele sollen als Hinweis auf eine unüberschaubare Fülle des Materials genügen. [208]

Am anschaulichsten lassen sich aber auch heute noch die Bezüge des mittelalterlichen Bauens zum **ausgeprägten natürlichen Ort** nachweisen: in der Auswahl der Stadtlagen und im Eingehen auf die Besonderheiten des Ortes. Die mittelalterlichen Stadtgründungen und Burgenanlagen liefern eine Fülle von Beispielen kontextueller Bezüge zum topographischen Relief. Die »Anlehnungsbedürftigkeit« und die Übereinstimmung der Stadtstruktur mit der natürlichen Struktur des Ortes ist oft schon symbiotisch zu nennen.

Eines der wichtigsten Merkmale mittelalterlicher Stadtbaukunst ist die Geschlossenheit, ja Introvertiertheit der Anlagen, ihre scharfen Grenzen gegenüber der Natur – also ihr Gestaltcharakter. Daß dazu vornehmlich Orte mit bereits vorhandenen natürlichen Grenzen und markanter Gestalt ausgesucht wurden, liegt auf der Hand. Freilich standen dabei in den unsicheren Jahrhunderten des Hochmittelalters fortifikatorische Überlegungen im Vordergrund, doch darf auch die Ökonomie der eingesetzten bescheidenen Mittel, die zum Aufgreifen und Verstärken von natürlichen Gegebenheiten führte, nicht außer acht gelassen werden. Die Belange der Verteidigung wie auch die ökonomisch begründete Hinwendung zum Lokalen und Örtlichen verstärkte die Tendenz zum Partikularismus, einer Haltung, die das alltägliche Leben bis ins hohe Mittelalter hinein geprägt hat.

Diese pragmatischen Gründe für die Wahl eines gut definierten natürlichen Ortes sollen aber nicht überbewertet werden. Das Bedürfnis nach eindeutigem Gestaltcharakter der Siedlung im Bezug zur Landschaft sowie eine symbolische wie auch tatsächliche Einfügung in größere Zusammenhänge der Umwelt war sicherlich genauso wichtig. Daß die formale Einfügung in der Regel kein unreflektiertes Befolgen eines topographischen Diktats war, sondern eine bewußte Entscheidung für eine Zusammenarbeit mit örtlichen Gegebenheiten, zeigen etliche Gegenbeispiele: Die rechtwinklige Stadtgründung auf der konisch zulaufenden Uferbank in Riedenburg im Altmühltal, wo abweichend davon die Hauptstraße dem Hangverlauf folgt; das strenge Karree von Kelheim in der weichgeformten Landzunge zwischen den beiden Flüssen oder ein ähnliches Karree in Leoben im Hals der Murschlinge, wo der Marktplatz aber auf den Felssporn mit der Burg ausgerichtet ist. »Die Übernahme der formbestimmenden Linien aus der Natur …« war eben immer nur », … die eine von mehreren Möglichkeiten.« [209]

Die neugegründeten städtischen Gemeinschaften mußten ihre Identität erst entwickeln, und dies geschah am leichtesten im Bezug zu einem Ort, der bereits eine starke Identität besaß: ein Hügel oder Berg, eine Insel, eine Flußschleife, ein Bergsporn, ein Grat oder eine Halbinsel. Neben diesen natürlichen Dominanten führt Joseph Gantner auch noch die architektonischen Dominanten ein, so insbesondere dort, wo natürliche Dominanten (oder sagen wir: ausgeprägte Orte) fehlen, wie zum Beispiel in der Ebene. In jedem Fall nimmt er also die Beziehung zu etwas bereits Bestehendem als entscheidend für die Entstehung und Entwicklung der mittelalterlichen Stadt an. [210] Aber auch diese vor der Siedlung bestehenden »architektonischen Dominanten« besetzten in der Regel einen natürlichen Ort, was insbesondere bei Kirchen nachgewiesen werden kann, wo die Kontinuität des Kultes oft bis in die Vorgeschichte reicht. So betrachtet war im Mittelalter der Bezug zum natürlichen Ort, zur ausgeprägten landschaftlichen Gestalt weitaus bedeutender, als es die obige Zweiteilung nahelegen möchte. Die Altpfarren, um die sich später Siedlungen entwickelten, illustrieren dies anschaulich: Die St. Peterskirche in Heidelberg liegt am Ausgang des Klingenbachtals zum Neckar an einer kleinen Hangterrasse. Das alte Heidelberg entstand bei dieser Kirche, noch bevor das stadtbeherrschende Schloß gebaut wurde. Ähnlich in Dingolfing, wo die älteste Pfarrkirche St. Johannes ebenfalls an einer niedrigen Hangterrasse unterhalb der Oberstadt liegt. Die Kirche und ein Flußübergang bestimmten die weitere Stadtentwicklung. Beim alten Siedlungskern um die Kirche Sv. Jan Na skalce in der Prager Neustadt erläutert schon der Beiname »auf dem Felsen« die besondere Lage des Ortes.

[205] Wolfgang Braunfels, *Abendländische Klosterbaukunst*, Köln 1978, S. 13.
[206] J. Purner 1988, S. 81–100.
[207] Vito Fumagalli, *Der lebende Stein. Stadt und Natur im Mittelalter*, Berlin 1989, S. 8 ff. Der Autor betont besonders diesen Aspekt der Ortswahl früher Klostergründungen. Als Beispiele nennt er die Klostergründungen Columbans in Bobio (612) und in Luxeuil in Frankreich, die Abtei Fontenelle in der Normandie und das Kloster in Brescello über dem Grab des heiligen Genesius, an dem Wundersames geschehen ist.
[208] Adolf Reinle, »Die architektonische Fassung der numinosen Stelle in der Wallfahrtsarchitektur«, *Kunstforum 69*, 1, 1984. Dort auch weitere Beispiele. Siehe auch Aegidius Müller, *Deutschlands Gnadenorte. Deren Geschichte und Beschreibung …*, Köln ca. 1890.
[209] Joseph Gantner, *Grundformen der europäischen Stadt,* Wien 1928, S. 53.
[210] Ebd., S. 49.

Zwei Städte seien hier wegen ihrer klaren strukturellen Zuordnung zu topographischen Orten als Beispiele des besprochenen landschaftlichen Bezuges der mittelalterlichen Stadtbaukunst kurz erwähnt: **Gruissan** in Südfrankreich, unweit von Narbonne, liegt auf einer ehemaligen Laguneninsel, die durch einen in ihrer Mitte aufragenden Felsstock noch zusätzlich zentriert ist. Daß sich in einer solchen idealtypischen landschaftlichen Situation auch eine idealtypische Bebauungsstruktur in konzentrischen Ringen fast zwangsläufig ergeben mußte, liegt auf der Hand. Hier wurde mit der Wahl des Siedlungsortes das Bebauungsschema bereits mitgewählt. Erst die fortschreitende Verlandung brachte eine Verbindung zum Festland. Das konzentrische Schema wurde mit einem linearen überlagert, und es ist aufschlußreich, die strukturellen Anpassungsversuche im Verlauf des Wachstums zu beobachten. Das Resultat ist durchaus mit den Jahresringen an einem Astaustritt zu vergleichen. Die Hauptstraße verbindet in einer geraden Linie den Solitärfelsen mit einem benachbarten Festlandhügel, bei dem sie sich gabelt, um sich analog der konzentrischen Siedlung der Hügelkante anzuschmiegen.

San Miniato al Tedesco in der Toskana folgt nicht auf diese zwingende Art dem Gelände. Der gewählte Bezug ist hier auch nicht eindeutig aus fortifikatorischen Überlegungen abzuleiten. So gab der zentrale Hügel des Massivs mit der Burg nicht das Bebauungsschema für die ganze Siedlung ab. Und trotzdem wurde in San Miniato auf eine einfache und überzeugende Weise die Stadtstruktur in völlige Übereinstimmung mit dem Gelände gebracht. Es handelt sich hier um eine Straßensiedlung mit meist nur zwei Häuserzeilen. Die Stadt folgt exakt einem sich windenden und verzweigenden Höhenrücken. An den Gabelungen und dort, wo das Gelände eine breitere Stelle bereithält, entstanden Plätze; war der Höhenrücken einmal breiter, kam eine kurze Parallelstraße hinzu; bei einer schwierigen Hangquerung (der einzigen topographischen Ausnahme übrigens) schrumpfte die Stadt auf eine einzige Häuserzeile zusammen. Selbst die offene Bauweise aus neuerer Zeit hält sich an dieses Stadtlageprinzip und besetzt die noch verbleibenden Höhenrücken des Massivs. Scheinbar ist dieser spezifische Bezug zum Gelände für die Menschen dieser Stadt ein wesentlicher Bestandteil ihres Selbstverständnisses, ihrer Identität.

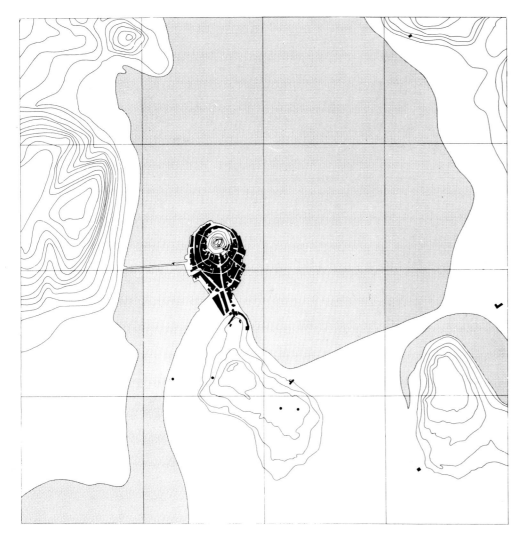

25. Gruissan, Südfrankreich, um 1810.

[211] Vgl. z. B. Howard Saalman, *Medieval Cities*, New York 1968, S. 15.

Das Bauen im frühen Mittelalter hatte sich aber nicht nur mit natürlichen Orten auseinanderzusetzen, man mußte auch **die römische Hinterlassenschaft** von Stadtruinen, insbesondere die sehr dauerhaften Großstrukturen (wie zum Beispiel Amphitheater) verarbeiten. Überall in den Provinzen lagen zerstörte Städte – zivile Siedlungen oder Militärlager –, je weiter von Rom entfernt, um so wahrscheinlicher als Kolonialanlagen nach dem Castrum-Schema errichtet. Nur selten läßt sich für diese Städte eine Siedlungskontinuität über die Völkerwanderungszeit hinweg nachweisen. Meist muß man sich einen völligen Neuanfang der Nutzung vorstellen, mit neuen Völkern und aus völlig anderen Positionen heraus. Man denke an Como, Florenz, Verona, Regensburg, Trier, Straßburg, Nantes, Solothurn, Chichester, Winchester und viele andere. Überall können wir ähnliche Erscheinungen beobachten: Zunächst haben sich die Fürsten und Bischöfe in den Ruinen eingenistet, reparierten notdürftig die Mauern oder bauten die Großstrukturen zu Festungen aus.[211] Der sichtbare Bezug zur Geschichte verlieh der angestrebten oder usurpierten Macht Legitimität. Außerdem lag das Baumaterial bequem zur Hand. Die wenigen Händler siedelten in der Regel außerhalb der Ruinen.

Mit dem erneuten Wachstum der Städte füllte sich der römische Stadtgrundriß nach und nach mit neuen Strukturen, meist wurde er verwischt, die Straßenführung wurde weicher, manche Straßen wurden verbaut, neue kamen nach aktuellen Bedürfnissen hinzu. Die Parzellierung und die neue Bebauung folgten sinnvollerweise den noch stehenden und nutzbaren Mauerresten. Wer ein Ruinenfeld als Stadtbauplatz akzeptiert, wird kontextuell vorgehen. Ähnlich kann man sich das Fortleben beziehungsweise die Deformation der römischen centuratio auf dem Lande vorstellen: Wo noch Straßenreste und Flurwege vorhanden waren, wurden sie aufgegriffen, dazwischen aber wurde frei vermittelt.

Einen Sonderfall, gleichzeitig aber ein Musterbeispiel für die Metamorphose eines römischen Grundrisses zur mittelalterlichen Stadt stellt der **Diokletianpalast** in Split dar – Sonderfall insofern, als hier nicht eine Stadt, sondern ein Riesenpalast von der flüchtenden romanisierten Bevölkerung von Salona zu Wohnzwecken adaptiert wurde. Der Palast des Soldatenkaisers Diokletian

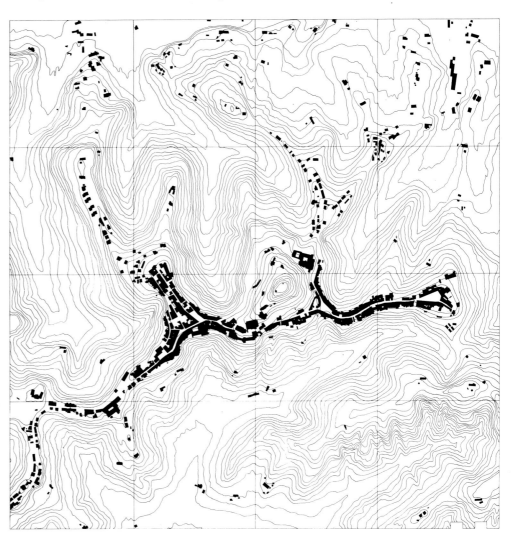

26. San Miniato al Tedesco, Toskana, um 1980.

war freilich nach dem Schema eines Militärlagers angelegt, also durchaus einer kleinen Grenzstadt vergleichbar.

Diese Palast-Stadt ist also umgenutzt worden, mit bescheidenen Mitteln den neuen Bedürfnissen angepaßt. Das Straßennetz wurde enger geknüpft, die Straßenbreite auf das notwendige Maß reduziert, denn der Raum innerhalb der Mauern war knapp und wertvoll. Die Eingriffe erfolgten partiell, meist wohl unkoordiniert, sicherlich ohne eine Gesamtplanung. Und trotzdem haben sich wesentliche Elemente des Palastplanes bis heute erhalten. Die Mauer mit den Türmen und Toren hat noch lange Zeit die Erinnerung an die äußere Gestalt des Palastes wachgehalten. Cardo und decumanus sind im Prinzip erhalten, da sie die wichtigen Stadttore verbanden, ebenso auch die periphere Straße. Der Peristyl ist nach wie vor Hauptplatz geblieben, mit zum Teil noch freistehenden, zum Teil in Platzwände eingebauten Säulen. Der Jupitertempel wurde als Taufkapelle Sv. Ivan umgenutzt, das Mausoleum, durch einen Glockenturm unter Verwendung von Spolien aus dem nahen Salona ergänzt, wurde zum Dom umgebaut. Überall in der Stadt trifft man auf die enge Verflechtung der römischen und der mittelalterlichen Bausubstanz. Der Bezug zur Geschichte des Ortes ist hier ungezwungen und lebendig geblieben.[212] Als die Kroaten um ihre seitlich am Palast liegende Siedlung eine Stadtmauer zogen, wiederholten sie in etwa die Größe und Gesamtform des alten Palastes. Eine Zwillingsstadt entstand sozusagen nach dem Prinzip der Zellteilung.

Die kontextuellen Bezüge des Mittelalters zur römischen Hinterlassenschaft lassen sich anhand von Großobjekten noch überzeugender nachvollziehen als bei Stadtgrundrissen, da wir über den Originalzustand dieser Bauten in der Regel besser Bescheid wissen als über die einzelnen Stadtgrundrisse. Die Rede ist hier von Theatern, Amphitheatern, Tempeln, seltener von Thermen, Basiliken und Torbauten.[213] Im Mittelmeerraum, wo die städtische Kontinuität eher gegeben war, wurden die beeindruckenden Großbauten – nachdem sie spätestens seit dem 5. Jahrhundert dem ursprünglichen Zweck nicht mehr dienten – oft wie selbstverständlich neuen Nutzungen zugeführt. Für Volksversammlungen mußten sie nicht einmal besonders hergerichtet werden. Eine der berühmtesten Umnutzungen ist für das Amphitheater von Mailand nachgewiesen, wo sich Adoaldo zum König krönen ließ – auch hier wohl ein bewußter Bezug zu der Geschichtsträchtigkeit römischer Ruinen, um den Anspruch auf Legitimität zu untermauern.[214]

In den meisten Fällen jedoch war die Umnutzung der Großbauten mit Um- und Ausbauten verbunden, die ihre Erscheinung mehr oder minder veränderten. Das Marcellustheater in Rom wurde zu Wohnzwecken umgebaut, das Tabularium auf dem Kapitol ist Festung eines römischen Adelsgeschlechtes geworden. Auch die Ampthitheater sind oft zu Festungen oder kleinen Städten ausgebaut worden. In Nîmes teilte sich seit dem 6. Jahrhundert eine »Ritterkommune« das dortige Amphitheater, indem sie es zu einer Festung mit vier Türmen ausbaute. In Arles waren es die Sarazenen, die nach 730 das Amphitheater in eine Burg verwandelten. Auch sie bauten vier Türme über den vier Zugängen in den beiden Achsen der Ellipse.[215] Man könnte aus diesen beiden Beispielen den vorsichtigen Schluß ziehen, daß eine bestimmte architektonische Form bei vergleichbaren Nutzungsanforderungen zu ähnlichen baulichen Reaktionen führt.

Das Festungswerk der Porta Nigra in Trier wurde zu einer Kirche des Hl. Simeon ausgebaut, wie auch der Trierer Dom in seinem Kern einen antiken Bau birgt. »Die städtebauliche Leistung in dem frühen Trier, wie in vielen Römerstädten Südfrankreichs oder Italiens, bestand darin, daß man die Monumentalbauten und Ruinen wie ›Spolien‹ in einem ganz andersartigen Gesamtprogramm wiederzuverwenden wußte.«[216]

War der Verfall der Großbauwerke schon zu weit fortgeschritten oder die Nutzungsanforderung seiner Struktur gegenüber zu konträr, haben sich unter Umständen keine sichtbaren Reste mehr erhalten. Aber auch in diesen Fällen kann man meist das Bauwerk an der Parzellierung und der Struktur der neuen Bebauung noch erkennen. Ganz deutlich ist dies in Florenz an der Stelle des antiken Amphitheaters zu sehen, obwohl der ovale Innenraum zugebaut und von zwei Straßen zerschnitten ist, oder in Lucca, wo nicht nur die äußere Strktur, sondern auch der geschlossene Innenraum als Stadtplatz noch erhalten ist. Wesentlich verwischter, aber dennoch auch heute im römischen Stadtgrundriß erkennbar sind die Spuren des Pompeiustheaters oder des Odeons des Domitian.

Aber nicht nur das frühe Mittelalter war gegenüber dem Bestehenden auf seine pragmatische Art sensibel, auch im späten Mittelalter kann man eine ähnliche Haltung bei Stadterweiterungen beobachten. In den meisten Fällen wurde nicht nur die Haltung der Siedlung zum Gelände übernommen, sondern auch das raumstrukturelle Schema der alten Stadt fortgesetzt. So wurde das lineare Schema der parallelen Straßen von Bern dreimal hintereinander angewendet, bis die Stadt aus der prägenden Aarschleife herausgewachsen ist. In Landshut wurde zunächst das Einstraßen-

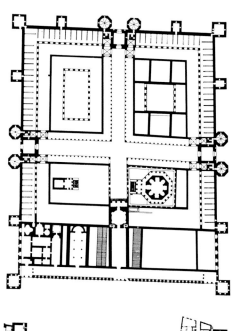

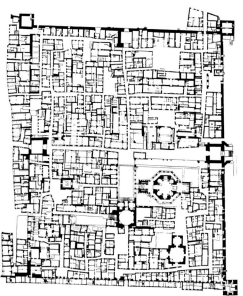

27. Diokletianspalast, Split, Kroatien, um 300. Rekonstruktion des Originalzustands.
28. Diokletianspalast, Split. Aktueller Bebauungszustand.

212 Siehe hierzu Peter Grünwald, »Umnutzung eines Kaiserpalastes«, in: Tomáš Valena, *Eine Architekturreise durch Jugoslawien*, nicht veröffentlichter Reiseführer, herausgegeben vom Lehrstuhl für Entwerfen und Denkmalpflege der Technischen Universität München, München 1984. Zur Entwicklungsgeschichte des Palastes siehe auch Jerko Marasović, Sheila McNally, *Diocletian's Palace*, Split 1972 und 1976.

213 In *Lotus international*, 65, 1990, finden sich zwei wertvolle Dokumentationen zur Umnutzung antiker Bauten für christliche Kultzwecke. Nützlich und in seinem Umfang einmalig ist das zusammengetragene graphische Material zu etwa 80 Umnutzungen, das die kontextuelle Dimension der Eingriffe erkennen läßt: Jan Vaes, »Christian reutilization of the buildings of classical antiquity«, S. 17–39; Alberto Ferlenga, »Roman cities, Christian transformations«, S. 41–51; Gerrit Confurius, »Die Geschichte der Architektur ist eine Geschichte der Umnutzung«, *Werk und Zeit*, 1, 1984, S. 4 bis 6.

214 Enrico Guidoni, *Die europäische Stadt*, Stuttgart 1980, Abschnitt »Städte und Amphitheater«, S. 42 ff.

215 Ebd., S. 43.

216 Wolfgang Braunfels, *Abendländische Stadtbaukunst*, Köln 1976, S. 28.

29, 30. Diokletianspalast, Split. Details der Südwand.
31. Das Amphitheater in Arles als mittelalterliche Kleinstadt.
32. Porta Nigra als Simeonskirche, Trier. Stich von Merian, 1670.
33. Überbauung des antiken Amphitheaters in Florenz.

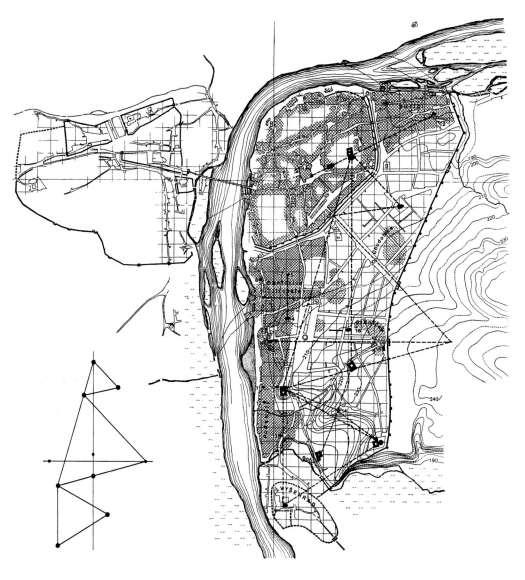

217 Vgl. Martin Grassnick, »Das Problem einer möglichen Erweiterung historischer Stadt-Systeme«, *Die alte Stadt*, 2, 1985, S. 105–129.
218 Vilém Lorenc, *Nové Město pražské*, Praha 1973, S. 59 ff., dt. *Das Prag Karls IV. – die Prager Neustadt*, Stuttgart 1982.
219 Ebd., S. 47. Aus der Gründungsurkunde vom 8. 3. 1348.
220 J. Gantner 1928, S. 54 ff.
221 »Harmonie und Zusammenhalt des alten mit dem neuen (Bau-)Werk«. Zitiert in Hanno Walter Kruft, *Geschichte der Architekturtheorie*, München 1985, S. 36.
222 Walter Haas, »Wandlungen in der Denkmal-pflege«, *Die alte Stadt*, 1, 1988, S. 43 ff.
223 Vgl. den Abschnitt »Plaisirspiegel Mittelalter« in: Wolfgang Welsch, *Unsere postmoderne Moderne*, Weinheim 1988, S. 57–59, in dem der Autor an Hand von zwei ähnlich betitelten Werken zwei entgegengesetzte Sichtweisen des Mittelalters bespricht: Nicolai Berdiajew, *Das neue Mittelalter*, Tübingen 1927, und Umberto Eco, »Auf dem Wege zu einem neuen Mittelalter«, in: *Über Gott und die Welt*, München 1985.

34. Prag. Das geometrische Bezugssystem zwischen Altstadt und Neustadt.
35. Prag. Die strukturelle Verankerung des Wenzelsplatzes im Markt des Galliviertels.

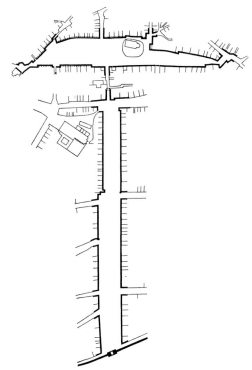

schema verdoppelt und die so gewonnene Leiter linear fortgesetzt. Aachen und Nürnberg legten hingegen konzentrische Ringe hinzu – in allen genannten Fällen also Erweiterungen gemäß den Wachstumsprinzipien der ursprünglichen Siedlung. [217]

Für die Anlage der **Prager Neustadt** aus dem Jahre 1347 konnte sogar ein **geometrisches Bezugssytem** zwischen der Alt- und der Neustadt nachgewiesen werden. [218] Es handelt sich um eine Art Triangulation ausgehend vom Turm der St. Jakobskirche in der Altstadt. Von hier aus wurde der Horizont in 24 Teile (15°) unterteilt; so wurden bestimmte Schlüsselstellen in der Neustadt festgelegt. Außerdem wurde der zentrale Raum der neuen Komposition – der heutige Wenzelsplatz – so angelegt, daß er im großen Markt des Galliviertels fest verankert ist.

Dabei wurde nicht nur zum cardo und decumanus des Galliviertels Bezug genommen, sondern auch zum dortigen Maßsystem. Die gotischen Städtebauer hatten offensichtlich das Bedürfnis, die intuitiv für wesentlich gehaltenen Bezüge auch mathematisch zu rationalisieren. Neben diesen geometrischen Bezügen lassen sich in der Prager Neustadt auch symbolische feststellen, etwa dann, wenn mehrere Kultbauten als regelmäßige Kirchenkreuze angelegt werden, wie dies in Opatovice oder unterhalb von Vyšehrad der Fall ist. Diese vielfältigen und festen kompositionellen Verbindungen der Neustadt zur Altstadt und zur bereits vorhandenen Bebauung entsprechen auch voll der Gründungsabsicht Karls IV.: »... aus den Häusern und Gebäuden, erbaut auf diesen Grundstücken, soll eine Stadt wie ein Leib mit der Altstadt zusammengefügt werden, eine (Stadt) aus mehreren (Städten) wie ein Ganzes aus seinen Teilen ...« [219]

In diese Kategorie der mittelalterlichen Bezüge gehören auch jene Städte, die nach Joseph Gantner in Abhängigkeit und im formalen Bezug zu architektonischen Dominanten entstanden sind. [220] Es sind vor allem jene Fälle, wo ein starkes geistiges Zentrum auch baulich seinen Ausdruck fand und die Siedlung sich um diese Mitte herum konzentrisch entwickelte. Aachen mit der Pfalzkapelle und dem Kloster in seiner Mitte ist ein gutes Beispiel. Auch der alte Stadtkern in Eich-

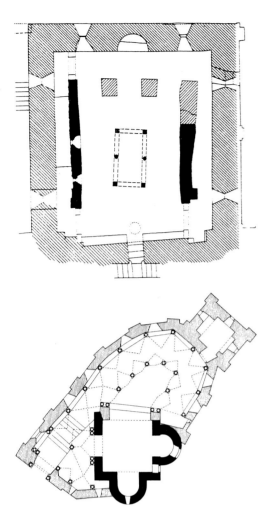

36. Klosterkirche St. Mang, Füssen. Magnuskrypta mit älterem Kern.
37. Saint Michel, Le Puy, Auvergne.

stätt wurde durch die Anziehungskraft des Missionsklosters St. Willibald und des Doms upsrüng-
lich zu einem Rundling geformt. Schließlich ist etwa das kleine Bram bei Carcassonne mit seiner
Kirche in der Mitte und absolut regelmäßigen kreisrunden Straßenringen ein selten vollkommenes
Beispiel dieser Beziehung zu einer geistigen Mitte.

Auch im Detail ließen sich mittelalterliche Beispiele anführen, die von Respektierung und bauli-
cher Beachtung des architektonischen Bestandes Zeugnis geben. Dabei sollte man sich allerdings
von unseren heutigen, auch von der Denkmalpflege geprägten Vorstellungen von einem sensiblen
Umgang mit alter Bausubstanz freimachen. Das mittelalterliche Bedürfnis nach Bezügen war nicht
ästhetisch, sondern im Grunde genommen religiös geprägt und existentiell. Die Vorstellung von
der Harmonie des ganzen Universums erstreckte sich auch auf das Bauen beziehungsweise Um-
bauen. Das Neue sollte mit dem Alten wieder eine Einheit bilden. Der Abt Suger von Saint-Denis
mag dies im Sinn gehabt haben, als er sich in der Begründung für den Neubau des Chores um
die »convenientia et cohaerentia antiqui et novi operis« sorgte. [221] Konnte diese Forderung nicht
erfüllt werden, wurde oft ohne Sentimentalität abgebrochen.

Relativ sicher hingegen waren Bauten, die einen Reliquiencharakter besaßen oder die Heiligkeit
des Ortes verkörperten. Als im 11. Jahrhundert in Füssen die Klosterkirche St. Mang neu erbaut
wurde, ließ man einen Rest der Magnuskrypta stehen und baute um sie herum die neue wie einen
schützenden Mantel. [222] Ähnlich verfuhr man im 12. Jahrhundert mit der alten Michaelskapelle auf
der Felsnadel in Le Puy. In beiden Fällen ging man in der Raumkonzeption voll auf den Bestand
ein, so daß man auch im modernen Sinne durchaus von kontextueller Architektur sprechen kann.

Als letztes Beispiel sei die Verwendung von **Spolien** im frühen Mittelalter als Grenzbereich architektonischer Bezüge erwähnt. Sicherlich ist der Einbau von alten Architekturgliedern zunächst
ganz pragmatisch zu deuten, insbesondere wenn diese nicht weit von der Baustelle liegen oder
die Herstellung kostspieliger als der Transport ist. Dieser Spoliengebrauch hatte bereits in der Antike eine lange Tradition. Anders verhält es sich allerdings mit den Säulen und anderen Architekturteilen, wie sie etwa Karl der Große in Italien für Aachen sammeln ließ. In diesem ausdrücklichen
Wunsch nach einer haptischen Beziehung zu Fragmenten römischer Größe erkennen wir wieder
den Versuch, den eigenen Machtanspruch durch fremde Geschichte, wie sie sich in der Architektur niederschlägt, zu legitimieren.

Der Balanceakt der Renaissance

Da es nicht meine Absicht ist, hier eine Kulturgeschichte der Renaissance oder eine Übersicht
über die Architektur jener Zeit zu versuchen, möchte ich selektiv nur auf solche Entwicklungen der
Renaissance eingehen, die für die vorliegende Betrachtung der kontextuellen Aspekte der Architektur von Bedeutung sind. Die Veränderungen kamen nicht über Nacht und haben ihre tiefen
Wurzeln im Spätmittelalter. Als die vielleicht wichtigste von allen kann die sich entwickelnde rationale Denkweise gelten, die zu einer umfassenden Emanzipation von überkommenen Werten geführt hat. Sie betraf den Glauben, die Ethik und Moral und führte zur Abkehr von der religiös geprägten Grundhaltung der Gotik. War Gott die Lebensmitte des mittelalterlichen Menschen, so
besetzte nach und nach der Mensch selber diese zentrale Position. Der Humanismus gründete in
eben dieser Vorstellung eines autonomen, vernunftorientierten Menschen. Daß ein solches Men-
schenbild (das in der Praxis freilich nur in der Oberschicht Anwendung fand) Auswirkungen auch
auf die Architekturhaltung haben mußte, ist naheliegend.

Soweit wäre die Abgrenzung zum Mittelalter noch eindeutig und unproblematisch. Schwieriger
wird es schon, die Behauptung zu begründen, daß mit der Renaissance die universalistischen
Tendenzen die Oberhand gewinnen; ließe sich doch von einem anderen Standpunkt aus leicht
das Gegenteil behaupten: War nicht gerade das hohe Mittelalter, insbesondere die Gotik, von der
universalen Idee des christlichen Glaubens durchdrungen, gab es nicht den europaweiten, über-
nationalen gotischen Stil und das Lateinische als eine Universalsprache unter den Gelehrten? Folgerichtig konnte die Scholastik auch den Grundsatz »universalia sunt realia« aufstellen, denn das
Allgemeine, das Übergreifende war überall sichtbar. Und beobachten wir nicht in Folge der Renaissance eine zunehmende Individualisierung und Zersplitterung der menschlichen Gesellschaft?
Ganz offensichtlich wird dies im religiösen Bereich. War nicht schließlich die Renaissance eigentlich eine italienische Angelegenheit, sozusagen eine nationale Wiedergeburt unter Rückgriff auf die
eigene römische Tradition?

Sicherlich ist auch diese Darstellung zu einseitig, obwohl sie sich auf offensichtliche Tatsachen
stützt. [223] Der mittelalterliche Universalismus war außerhalb des Menschen begründet, in einem

Gott, der den gemeinsamen Bezugspunkt aller darstellte. Diese Art der Universalität erlaubte es dem Menschen, sich intensiv dem Einzelnen, dem Konkreten und Besonderen der unmittelbaren Realität zuzuwenden. Jede Einzelerscheinung, ob materiell, spirituell oder »übernatürlich«, war gleichermaßen real, und folglich mußte man zu ihr in eine Beziehung treten. Die Universalität der Neuzeit (von der hier die Rede ist) gründet hingegen in dem Anspruch der individuellen Vernunft, in der persönlichen Rationalität, die vom Konkreten zum Allgemeinen führt. Freilich ist diese Universalität der Neuzeit »atomisiert« (wie es der allgemeinen Individualisierung seit der Renaissance entspricht), ihre gemeinsame Richtung ist aber erkennbar.

Der architektonische Rückgriff auf die römische Antike war jedenfalls eine bewußte Entscheidung für den universalen Anspruch und die Gültigkeit der Klassik. Dementsprechend konnte man auch von einer barbarischen Gotik sprechen. Bezeichnend ist hier zum Beispiel die Überheblichkeit und Intoleranz, mit der Leon Battista Alberti jene als Unwissende abqualifiziert, die seine unveränderlichen Gesetze der Kunst nicht anerkennen wollen.[224] Befremdlich wirkte ebenfalls die Abgehobenheit von konkreten Lebensumständen und Bauaufgaben der Zeit, wenn Alberti und andere Schreiber zum Beispiel Anweisungen zum Bau von Tempeln für römische Götter geben. Wie lebensnah hingegen, auf die Bedürfnisse der Zeit und die Eigentümlichkeiten des Ortes eingehend, waren trotz aller christlichen Universalität im Vergleich dazu die gotischen Baumeister.

Es ist diese neue Haltung, die in der Folge immer weiter weg vom konkreten Kontext zu einem ideal geometrischen Baukörper in vollkommener Isolation geführt hat: die Idealstädte der Renaissance nach konzentrischem Prinzip konzipiert, wie Sforzinda oder Palma Nuova; der ideale Palasttyp (im Palazzo Farnese selten rein verkörpert); die vielen Vorschläge für Zentralkirchen oder die zweifach symmetrischen, freistehenden Villen Palladios. Sie sind Beispiele aus der Renaissance, die diesen Zug zu den absoluten platonischen Körpern, zu der universellen Sprache der Geometrie illustrieren. Hinzu kam noch der von Vitruv abgeleitete Kanon von Proportionen und Säulenordnungen, der Anspruch auf universelle Gültigkeit erhob und auch bald zu einer akademischen Erstarrung führte. Man rufe sich in Erinnerung, wie grundverschieden die Anwendung der Geometrie in der Gotik war – bis hin zu einer mystischen Deutung der Zahlen.

Worin besteht nun bei dieser Lage der Dinge der angekündigte Balanceakt der Renaissance? Die idealen Baukörper sind in der Regel nicht auf freier Flur, sondern in den dichtbebauten mittelalterlichen Städten entstanden, und die gegebene Situation hat dann dem Ideal ihre Konzessionen abgefordert. »... die Realität der Renaissancestadt (ist) eine mittelalterliche Stadt, welche die Renaissancegebäude, die sie aufnimmt, deformiert und gleichzeitig selber deformiert wird.«[225] Es ist also gerade dieser delikate Balanceakt zwischen den utopisch-idealistischen Konzepten und der städtischen Realität, es sind diese »vest pocket utopias«[226] der Renaissance, die das besondere Gleichgewicht und die Unbeständigkeit dieses geschichtlichen Augenblicks ausmachen. Der Wunsch nach Freiheit und Unabhängigkeit vom Kontext, wie er sich in den absoluten Körpern und Räumen manifestiert, hält sich die Waage mit der Notwendigkeit, sich in der gebauten Realität einzurichten.

Ein von Colin Rowe hierzu gern zitiertes Beispiel ist der **Palazzo Borghese** in Rom (begonnen um 1570), wo die Idealvorstellung etwa eines Palazzo Farnese auf einem sehr unregelmäßigen Grundstück verwirklicht werden sollte. Vom Ideal sind der regelmäßige, zweifach symmetrische cortile und zwei in der Symmetrieachse betonte, auf den cortile bezogene Fassaden übriggeblieben. Die restliche Baumasse ist als »poché« eingesetzt, als Füllmasse, welche die verschiedenen Geometrien der Umgebung zu absorbieren hat. Der Palazzo ist so einerseits eingefügt und auf seine Umgebung bezogen, andererseits bewahrt er aber innen wie außen die wesentlichen Elemente des idealen Typus. Ähnliches ließe sich für den idealen öffentlichen Raum der Uffizien, den Palazzo Ducale in Modena, den Quirinalkomplex und für viele andere Bauten aufzeigen. Daß diese Verflechtung mit der Umgebung nicht nur passiv hingenommen, sondern durchaus bewußt als Gestaltungspotential verstanden wurde, zeigen Beispiele von Sichtbezügen oder eingerahmten Aussichten, wie man sie etwa im Palazzo Ducale in Urbino beobachten kann. Die damals entdeckte Funktion des Gartens als Vermittler zwischen Haus und Landschaft weist in dieselbe Richtung.

Hier taucht die Frage auf, ob die beschriebene Architekturhaltung in der doch so theoriefreudigen Renaissance nicht auch eine **theoretische Begründung** erfahren hat. Diesbezügliche Erwartungen müssen enttäuscht werden – eine »Theorie des Kontextuellen« hat die Renaissance nicht hervorgebracht, was bei einer Entwicklungstendenz zum Universellen hin eigentlich auch nicht verwundert. Die beschriebene Situation des Übergangs vom Mittelalter zur Neuzeit findet aber durchaus indirekt einen Niederschlag in den Architekturtraktaten der Frührenaissance und hier insbesondere bei **Alberti**. Der kontextuelle Aspekt seiner Architekturtheorie läßt sich aus seiner

38. Martino Longhi d. Ä. und Flaminio Ponzio, Palazzo Borghese, Rom, 1590–1613.
39. Antonio da Sangallo d. J. und Michelangelo, Palazzo Farnese, Rom, 1534–46.

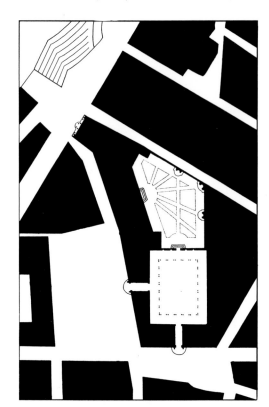

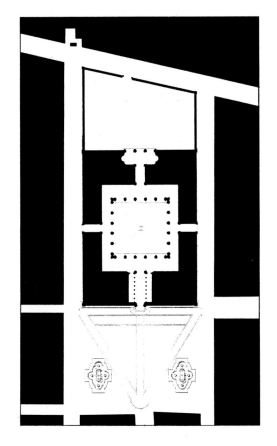

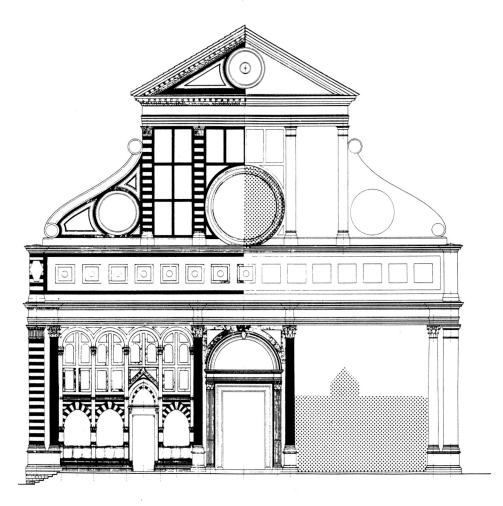

40. Leon Battista Alberti, Neugestaltung der Fassade von S. Maria Novella, Florenz, 1456–70. Ansicht mit eingetragenem gotischen Bestand.

Anschauung des Schönen, aus der Harmonie und Einheit aller Teile (concinnitas universarium partium) ableiten. Aber Alberti war weder der erste noch der einzige, der die harmonische Beziehung von Teilen zum Ganzen zum Leitsatz der Architektur erhob.

Auch Antonio Averlino Filarete spricht in seinem um 1460 verfaßten *Trattato di architettura* von der Wichtigkeit der Beziehung zwischen dem Ganzen und seinen Teilen. Und in seinem phantastischen Roman *Hypnerotomachia Poliphili* erhebt Francesco Colonna die harmonische Integration von Teilen im Ganzen bereits zum Hauptprinzip der Architektur.[227]

Es war aber Alberti, der die Idee von der Übereinstimmung der Teile endgültig ausformulierte. So definiert er die Schönheit als »eine Art Übereinstimmung und Zusammenklang der Teile zu einem Ganzen«[228] oder, wie er bildhaft ausführt: »Man baue daher so, daß man an Gliedern nie mehr wünscht, als vorhanden sind, und nichts, was vorhanden ist, irgendwie getadelt werden kann ...«[229] Wie ihm das Problem der harmonischen Zusammenfügung von Teilen einer Bauaufgabe am Herzen liegt, zeigt eine weitere Stelle: Alles, sagt er, sei so zu behandeln, »daß es mehreres zu einem Ganzen und einem Körper vereinige und in richtigem und beständigem Zusammenhange und Zusammenklange bleibe«. Dazu ist es nötig, »die Wirkung alles dessen und gleichsam seine Natur zu kennen, zu wissen, womit etwas sich zusammenbringen und vereinigen läßt«.[230]

Dies alles wird im Zusammenhang mit Gebäuden ausgeführt, doch muß dabei bedacht werden, daß für Alberti die Baukunst aus sechs Elementen besteht, wozu an erster Stelle auch die Gegend und der Grund gehört – also der unmittelbare Ort, der im Bauwerk nach den Prinzipien des Zusammenklangs ebenso wie die Teile des Gebäudes selbst zu berücksichtigen ist. Daß er das Gebot der Harmonisierung von Einzelelementen nicht zu eng ausgelegt wissen will, sagt Alberti im Abschnitt über das Ebenmaß. Dieses hat »auch die Aufgabe und Bestimmung, Teile, welche sonst von Natur aus untereinander verschieden sind, nach einem gewissen durchdachten Plan so anzuordnen, daß sie durch ihre Wechselwirkung einen schönen Anblick gewähren«.[231] Ganz unzweideutig erkennt er die Rolle des Ortes für die Stadtplanung an, wenn er schreibt: »Wir wissen, daß der Umfang der Stadt selbst und die Verteilung ihrer Teile je nach der Verschiedenheit der Orte wird verschieden sein müssen, da Du ja auf Bergen, natürlicherweise, die Stadtmauern nicht in runder, viereckiger oder anderer Gestalt, die Dir gefällt, ebenso ziehen kannst, wie in der offenen Ebene.«[232]

[224] Leon Battista Alberti, *Zehn Bücher über die Baukunst*, Darmstadt 1975, VI, 2, S. 294.
[225] Thomas L. Schumacher, »Contextualism: Urban Ideals and Deformations«, *Casabella*, 359/360, 1971, S. 85.
[226] Graham Shane, »Contextualism«, *Architectural Design*, 11, 1976.
[227] Emil Kaufmann, *Architecture in the Age of Reason*, New York 1968, S. 89ff.
[228] Alberti 1975, IX, 5, S. 492.
[229] Ebd., I, 9, S. 49.
[230] Ebd., IX, 5, S. 489f.
[231] Ebd., IX, 5, S. 492.
[232] Ebd., IV, 3, S. 189f.

Sollte man immer noch meinen, diese Ableitung einer kontextuellen Haltung aus Albertis Theorie sei zu allgemein und unspezifisch, dann wird man zu seinen ausgeführten Bauten Zuflucht nehmen müssen.

So ist von den Kirchen, die er umzugestalten hatte, insbesondere Sta. Maria Novella in Florenz für unsere Betrachtung von Bedeutung. Hier waren Teile der gotischen Fassade bereits vorhanden und mußten integriert werden (die außenliegenden Grabnischen, avelli, die spitzbogigen Seiteneingänge, die Blendarkaden und die große Rosette).[233] Alberti blieb auch bei dieser schwierigen Aufgabe seinen theoretischen Prinzipien treu, nahm all die vorhandenen Architekturteile mitsamt der farbigen Marmor-Inkrustation in sein Konzept auf und verband alles mit seinen neuen Elementen zu einer Einheit. Das Resultat ist freilich eine unklassische Lösung. Daß dies aber für Alberti keine Notlösung, sondern das Resultat seiner kontextuellen Haltung war, scheint eine Stelle aus seinem Brief an Matteo de'Pasti, den ausführenden Architekten an einem ähnlichen Umbauprojekt (S. Francesco in Rimini), zu bestätigen: »Man will das, was bereits gebaut ist, verbessern, und jenes, was noch getan werden muß, nicht verderben.«[234] Und Rudolf Wittkower bestätigt diese Ansicht, wenn er schreibt, daß es Albertis »professionelle Überzeugung (war), daß es möglich sein sollte, die Kontinuität zwischen alten und neuen Teilen zu wahren und gleichzeitig das Werk der Vorgänger zu verbessern«.[235] So scheint Alberti diejenige Architektenpersönlichkeit zu sein, die den Umbruch zwischen der mittelalterlichen Sensibilität und dem Rationalismus der Renaissance am besten verkörpert.

Andrea Palladio bringt in seinen vier Büchern keine wesentlich neuen Erkenntnisse zu unserem Thema, wenngleich ihm Aldo Rossi bescheinigt, daß in seiner Architekturtheorie der Begriff Genius loci eine große Rolle spielt, obwohl er dort vorwiegend topographischen und funktionellen Charakter annimmt. Man soll in den Texten noch einen »geheimnisvollen Schauer des Genius loci« verspüren.[236] Selbst wenn ich dies für die Texte nicht nachvollziehen kann, so gilt es sicherlich für die meisten seiner Villenbauten, die »eigentlich nur aus ihrem Ambiente heraus zu begreifen (sind), da sie ihre grundlegenden, jeweils charakteristischen Baugedanken aus Topographie, Bewuchs und atmosphärischen Qualitäten des Standortes entwickeln, aus dem heraus, was insgesamt den Genius loci ausmacht«.[237]

Als ein Beispiel von vielen sei auf die Villa Barbaro bei Maser hingewiesen. Palladio hat sie an den Fuß eines bewaldeten Hügelausläufers gesetzt, eine weite Ebene überblickend. Beide Landschaftstypen – der Bergwald und das Tiefland – wurden architektonisch thematisiert und durch gerahmte Ausblicke im Zentralraum der Villa miteinander konfrontiert. Die Tiefe der Ebene mitsamt der fernen Stadtsilhouette am Horizont wurde durch eine Lindenallee hereingeholt. Hinten in einem flachen, aperspektivischen Hofraum wurde ein Nymphäum halbkreisförmig in den Hügel und den dunklen Wald hineingebaut. Obwohl man sich einen härteren Kontrast kaum vorstellen kann, ist er doch dem Wesen nach in dieser landschaftlichen Grenze bereits angelegt. Ihn so herauszuarbeiten, bedarf es freilich eines entsprechenden Gespürs für den Genius loci.[238]

Ein bereits klassisches Beispiel kontextueller Vorgehensweise der Renaissance, einer Architektur der Beziehung, oder »das Prinzip des zweiten Mannes«, wie Edmund Bacon es nennt, ist die **Piazza Annunziata** in Florenz. Hier eine kurze Rekapitulation der zeitlichen Abfolge: Auf einem unansehnlichen Platz vor der nun 170 Jahre alten Kirche SS. Annunziata baut Brunelleschi ab 1421 seine berühmte Loggia vor dem Ospedale degli Innocenti. Sie wird wegen der »Wiederentdeckung« der freistehenden antiken Säule als das erste Renaissance-Gebäude apostrophiert. In der zweiten Hälfte des Jahrhunderts wird nun auch die SS. Annunziata nach dem Zeitgeschmack umgebaut. Michelozzo baut den Vorhof aus, und Alberti soll für die Rotunde verantwortlich zeichnen. Diese Veränderungen wirken sich aber nicht nach außen, zum Platz aus. Erst der Baldachinvorbau, 1453 von Manetti errichtet, bringt den ersten Eingriff in den Platz seit Brunelleschi. Und Manetti hält sich auch erstaunlich treu an das Vorbild, was die Proportionen und die Säulenordnung betrifft.

Das Entscheidende aber geschieht erst hundert Jahre nach Brunelleschi. Als nämlich Antonio Sangallo der Ältere mit Baccio d'Agnolo für den Servitenorden auf der gegenüberliegenden Platzseite einen Umbau zu planen hat, analysiert er das architektonische Potential des Platzes und nutzt es aus, indem er es respektiert. 1516–25 baut er eine nahezu identische Kopie der Loggia von Brunelleschi. Damit ist die Gestalt des Platzes praktisch vorgegeben. Giovanni Caccini tut 1601–04 sozusagen nur noch seine Schuldigkeit, indem er den vorhandenen Baldachin vor der Kirche mühelos in eine Säulenvorhalle inkorporiert. Bald darauf wird der Platz in seinen beiden Achsen durch Brunnen und ein Reiterstandbild betont und vollendet. Den entscheidenden kontextuellen Zug hat aber Sangallo getan, dem nach Bacon auch das eigentliche Verdienst für das Gesamtkunstwerk zuzuschreiben ist.

233 Franco Borsi, *Leon Battista Alberti. Das Gesamtwerk*, Stuttgart 1982, S. 80; Helmut Lorenz, »Zur Architektur L. B. Albertis: Die Kirchenfassaden«, *Wiener Jahrbuch für Kunstgeschichte,* 29, 1976, S. 76 ff.
234 »Vuolsi aiutare quel ch'è fatto, e non guastare quello che s'abbia a fare«. Zitiert in Rudolf Wittkower, *Architectural Principles in the Age of Humanism*, New York 1971, S. 43.
235 Ebd., S. 45.
236 Aldo Rossi, *Die Architektur der Stadt*, Düsseldorf 1973, S. 91.
237 J. Pieper, *Kunstforum 69*, 1, 1989, S. 55.
238 Ebd.
239 Edmund N. Bacon, *Stadtplanung von Athen bis Brasilia*, Zürich 1968, S. 94 f.
240 Die folgenden Ausführungen stützen sich hauptsächlich auf Herbert Siebenhüner, *Das Kapitol in Rom – Idee und Gestalt*, München 1954. Vgl. außerdem auch Giuseppe de Angelis d'Ossat, Carlo Pietrangeli, *Il Campidoglio di Michelangelo*, Rom 1964; Paul Künzle, »Die Aufstellung des Reiters vom Lateran durch Michelangelo«, *Miscellanea Bibliothecae Hertzianae*, 1961, S. 255–270.

41. Piazza Annunziata, Florenz. Zustand nach 1439 und nach 1525.
42. Piazza Annunziata, Florenz. Zustand seit dem 17. Jahrhundert.

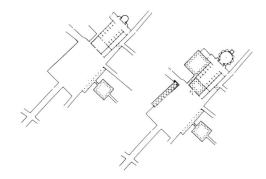

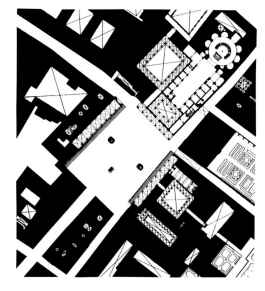

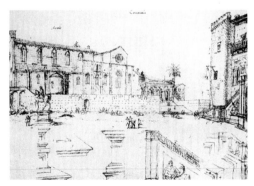

»Es war Sangallos große Entscheidung, seinem Drang nach eigenem Ausdruck nicht nachzugeben, sondern bis in Einzelheiten hinein der Planung des zu dieser Zeit 89 Jahre alten Gebäudes Brunelleschis zu folgen. Dieser Entwurf gab der Piazza della Santissima Annunziata ihre Form und schaffte im Geiste der Renaissance einen Raum, der durch einzelne aufeinander bezogene Gebäude gebildet wird. Wir kommen damit zum ›Prinzip des zweiten Planers‹. Es war der Entschluß des zweiten Planers, ob die Schöpfung des ersten weitergeführt oder gestört werden sollte.«[239]

Zum Abschluß dieser Betrachtung über den Balanceakt der Renaissance möchte ich die kontextuelle Dimension des Eingriffs Michelangelos am **Kapitol** besprechen. Um diese zu begreifen, muß man sich das Aussehen des Ortes vor 1538 vergegenwärtigen: topographisch gesehen ein Sattel zwischen zwei Hügeln, vom antiken Tabularium besetzt, das ursprünglich zum Forum Romanum orientiert, nun aber als Senatorenpalast sich der mittelalterlichen Stadt zuwandte. Der Konservatorenpalast mit seiner eigenartigen Schrägstellung ist bereits gebaut, ebenso S. Maria d'Aracoeli auf dem gegenüberliegenden Hügel. Auch der Wille, hier einen Platz anzulegen, ist erkennbar – das Gelände am Sattel wurde planiert und zum Teil erheblich aufgeschüttet.

Ein weiterer Umstand wird für die Entwicklung des Kapitols von Bedeutung: Sixtus IV. stiftet eine Sammlung antiker Statuen – in deren Nachfolge kommen auch die beiden Kolossalstauen der Flußgötter vor den Konservatorenpalast. So wird schließlich 1538 auch das Reiterstandbild Marc Aurels vom Lateran zum Kapitol überführt. Michelangelo wird mit der Aufstellung des Reiters betraut. Die damit eingeleitete Umgestaltung des Kapitols verläuft in drei Phasen:[240]

Aufstellung des Reiterstandbilds
Michelangelo sucht einige wesentliche Elemente der gegebenen Situation heraus, interpretiert sie und entwickelt sie zum Konzept. Er erkennt die Qualität der Sattellage mit ihrer Achse (die jedoch nur einseitig ausläuft) und gleichzeitig die ihr innewohnende Mitte, die vom topographischen Equilibrium des Sattels herrührt. Und er akzeptiert die Drehung des Konservatorenpalastes zum entwurfsbestimmten Element. So zieht er senkrecht zu der damals noch asymmetrischen Fassade des Senatorenpalastes eine Achse und stellt auf ihr den Reiter auf einem Podest so auf, daß sein Kopf genau den Punkt markiert, wo eine zu dieser Hauptachse senkrechte Querachse die Mitte des Konservatorenpalastes trifft. Marc Aurel mit seiner nach vorne weisenden Geste wendet sich dem damaligen Rom zu, obwohl das Kapitol zu dieser Zeit von dort überhaupt keinen Zugang hat. Trotz dieser Axialität übt das Standbild eine eminent zentrierende Wirkung aus. Die etwas naive Darstellung des Zustandes um 1555 zeigt anschaulich, wie deplaziert der einsam dahinreitende Kaiser in dieser chaotischen Umgebung wirken mußte. Und doch sind mit dieser scheinbar so belanglosen Aufstellung alle wesentlichen Elemente des späteren Konzeptes festgelegt – die neuzeitliche Geschichte des Kapitols beginnt.

Konsolidierung und räumliche Fixierung der Idee
Als fünf Jahre später Michelangelo an der Freitreppe vor dem Senatorenpalast wieder am Werk ist, hat sich am Kapitol einiges geändert: Vignola hat die beiden seitlichen Freitreppen mit den dazugehörigen Loggien geplant. Daß er das imaginäre Konzept Michelangelos wohl verstanden hatte, bewies er durch die Wahl der Drehung und der Breite der Treppe zur S. Maria d'Aracoeli, die so bemessen sind, daß ein zum Konservatorenpalast spiegelbildliches Gebäude möglich war.

Michelangelo hat sich umgekehrt bei seinem zweiseitigen Treppenaufgang (der für öffentliche Bauten jener Zeit absolut neu war) offensichtlich von Vignolas beiden Freitreppen inspirieren lassen. Ganz sicher aber regten ihn dazu die beiden im Umriß etwa dreieckigen Flußgötter an. Auch die geschichtliche Erinnerung an das Figurentympanon des seinerzeit hier stehenden Jupitertempels mag verarbeitet worden sein.

Der Sockel des Reiters wurde verfeinert und von einem elliptischen Ring aus drei Stufen umgeben, der die zentripetale Wirkung des Platzes verstärkte. Die Rückwand des späteren Palazzo Nuovo wurde mit einer acht Meter hohen Stützwand gegen S. Maria d'Aracoeli genau vorgegeben, und schließlich wurde im Vordergrund der Platzraum mit einer Balustrade unter Verwendung antiker Statuen gefaßt und gleichzeitig eine schlichte Zugangsrampe gebaut, die das Ausfließen des Platzraumes erlaubte. Mit dieser räumlichen Fixierung des Parameters und der Verstärkung der Mitte wurde das Terrain für die endgültige Formulierung der architektonischen Idee vorbereitet.

Ausführung der Gesamtplanung
1562 legte Michelangelo den Gesamtplan für die Kapitolgestaltung vor. Erst hier wurde die architektonische Schale des Platzes festgelegt, das heißt der Bau des Palazzo Nuovo vorgeschlagen,

43. Die Kolossalstatuen der Flußgötter vor dem Konservatorenpalast am Kapitol, Rom, vor der Umgestaltung durch Michelangelo. Zeichnung von Maerten van Heemskerck.
44. Das Kapitol, Rom, mit dem Reiterstandbild. Anonyme Zeichnung, um 1555.
45. Freitreppe vor dem Senatorenpalast am Kapitol, Rom, mit den beiden Aufgängen von Giacomo Barozzi da Vignola.
46. Stützwand vor S. Maria d'Aracoeli am Kapitol, Rom. Anonyme Zeichnung, nach 1553.

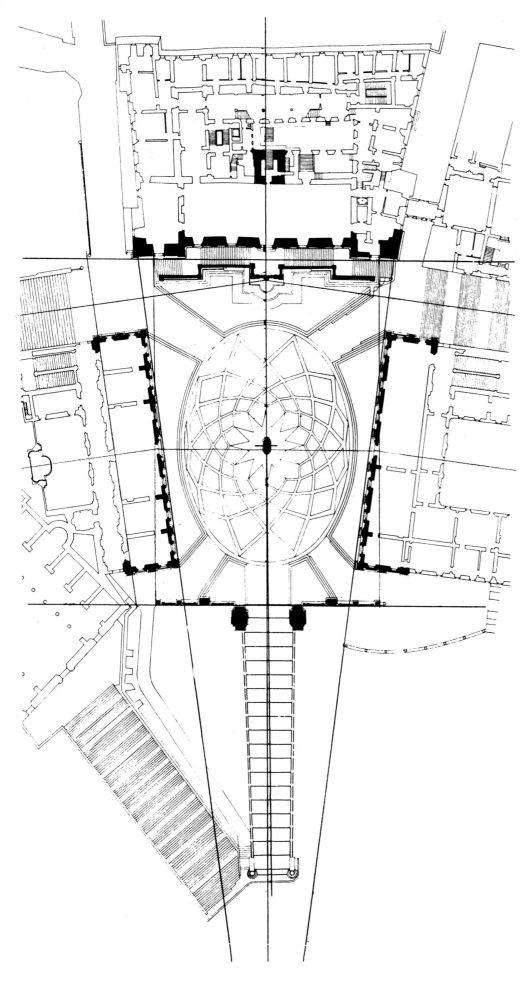

47. Das Kapitol, Rom. Geometrie der Platzanlage.

48. Das Kapitol, Rom.

eine einheitliche Platzwand und der berühmte Bodenbelag entworfen sowie der Turm des Senatorenpalastes um drei Meter in die neue Achse gerückt. Als Michelangelo 1564 starb, hatte er nicht einmal die Fertigstellung der Fassade am Konservatorenpalast erlebt.

Seine Nachfolger (della Porta und Lunghi il Vecchio) haben dann am architektonischen Gewand des Platzes kräftig herumgeändert; an den konzeptuellen Festlegungen kam man aber nicht mehr vorbei. 90 Jahre nach Michelangelos Tod wurde die Gesamtanlage baulich abgeschlossen. Sie gibt Zeugnis von der genialen Meisterschaft, mit der Michelangelo kontextuelle Vorgaben zu einer einheitlichen Idee sublimierte, die den Eindruck einer absoluten schöpferischen Freiheit vermittelt.

Barock und kontextueller Manierismus im Architekturentwurf

Seit der Mensch in der Renaissance die Autonomie seines Verstandes entdeckte, wurde der Rationalismus nach und nach zur Ersatzreligion und befand sich bis in unser Jahrhundert im Vormarsch. Auch der Barock liegt trotz seiner oft aufwühlenden Dynamik und irrationalen Zügen innerhalb dieser Grundströmung. So nennt ihn Egon Friedell etwas bissig einen »Rationalismus, der sich einen Rausch antrinkt«.[241] Man erinnert sich in diesem Zusammenhang der großmaßstäblichen, einheitlich gestalteten Platz- und Straßenräume sowie Stadtanlagen, bis hin zum Totaldesign von Versailles, wo selbst die Natur dem absoluten Anspruch untergeordnet wird.

Parallel zu dieser Entwicklung kamen architektonische Musterbücher auf, die weniger durch ihre Theorien als durch die recht brauchbaren Architekturvorlagen zur rationellen Vereinheitlichung der Architekturszene über Nationalgrenzen hinweg wesentlich beigetragen haben. Eines der ersten umfangreich bebilderten Architekturtraktate waren die fünf Bücher von Sebastiano Serlio (1537–84), die vor allem in Frankreich eine unglaubliche Breitenwirkung hatten. Es folgten ähnliche Bücher von Andrea Palladio, Giacomo da Vignola, Jacques Androuet Du Cerceau und anderen. Das 1593 erschienene Werk von Vincenzo Scamozzi trägt dann auch den bezeichnenden Titel *Idea dell'architettura universale*.

In allen diesen Zeiterscheinungen ist wenig von einem architektonischen Eingehen auf den unmittelbaren Ort zu spüren, so daß kaum Grund besteht, an der generellen Zuordnung der Barockarchitektur zu der rationalen Tradition zu zweifeln. Und dennoch sind auch im Barock Strömungen auszumachen, die eindeutig kontextuelle Dimensionen aufweisen. Zum einen hat sich die in der Renaissance beobachtete, noch aus dem Mittelalter stammende Sensibilität bei der Einfügung von idealtypischen Raumvorstellungen in unregelmäßige Stadtstrukturen zum Teil erhalten. Zum anderen ist die akademische Strenge der klassischen Formsprache der Renaissance bald in einen Manierismus umgeschlagen, der nun bewußt seine Freude im Unklassischen, sprich im Unregelmäßigen, in verschlüsselten Botschaften (wozu auch versteckte Ortsbindungen gehörten) sowie bald auch in der virtuosen Beherrschung einer komplexen Situation fand.

[241] Egon Friedell, *Kulturgeschichte der Neuzeit*, München 1960, S. 235.

Diese Spielfreude läßt sich als eine Nebenströmung oder besser gesagt als eine dünne kontextuelle Zwischenschicht im Barock bis ins 18. Jahrundert beobachten, wo sie in dem geistigen Klima der Aufklärung ihr Ende fand.

Ein wohlvertrautes Beispiel voll von diesen »versteckten Beziehungen« und Verbindungen zu seiner Umgebung ist der Petersplatz in Rom (1656–67) von Gianlorenzo Bernini. In seiner außerordentlich genauen und minutiösen Untersuchung der geometrischen Beziehungen zwischen den Kolonnaden und dem Baubestand der Umgebung wollte Massimo Birindelli unter anderem, wie er bescheiden schreibt, die »Gültigkeit einer architektonischen Analyse (verifizieren), die die ›Umgebung‹, den spezifischen Ort als eines der möglichen Basiselemente in Betracht zieht«.[242] Er hat mit seiner Untersuchung nicht nur dieses Ziel erreicht, sondern gleichzeitig eine der präzisesten und komplexesten Analysen zum Thema der geometrischen kontextuellen Beziehungen geliefert. Hier eine kurze Darstellung der wesentlichsten Feststellungen seiner Untersuchung:

Es gibt nachweisbar drei im Entwurf des Platzes eingearbeitete Beziehungen zu dem nördlich gelegenen Baubestand:

1. Koaxialität zwischen dem (heute nicht mehr bestehenden) Borgo Nuovo und dem nördlichen Korridor sowie dem ersten Abschnitt der Scala Regia.

2. Der Mittelpunkt des nördlichen Kolonnadenhalbrundes liegt auf der Verlängerung der Ostfront des Palazzo Nuovo.

3. Die freie Stirnseite des nördlichen Kolonnadenhalbrundes liegt parallel zur Südfront des Palazzo Nuovo.

Hinzu kommen zwei untergeordnete Beziehungen, deren Existenz im Entwurf schwer nachzuweisen ist, die vor Ort aber evident sind:

4. Die schmale Ostfassade des Flügels Pauls V. liegt parallel zur platzzugewandten Ansicht der Überschneidung von Korridor und Halbrund.

5. Die Südseite des Flügels Pauls V. liegt parallel zur Fassade des Nordkorridors.

So bilden »alle Elemente, die nach Norden hin den offenen Raum begrenzen«, und dies sind nicht nur die Kolonnaden und der Nordkorridor im Vordergrund, sondern auch die bestehende »zweite Platzwand« (gebildet vom Palazzo Nuovo, dem Hof von S. Damaso und dem Flügel Pauls V.), »gemeinsam ein einziges großes System, das durch eine Vielzahl von Überkreuzbeziehungen zusammengehalten wird und auch den Borgo Nuovo und die Scala Regia einbezieht«.[243]

Die Nordwand des neuen Platzes wurde über die Achse zwischen dem Obelisken und der Kirche nach Süden gespiegelt. Die Südwand besitzt somit nicht das einzigartige Beziehungsgeflecht der nördlichen Hälfte, was aber auch nicht not tat, denn zum einen führte der Hauptzugang zum Petersdom und zum vatikanischen Gebäudekomplex eben über den Borgo Nuovo, zum anderen gab es im Süden keine sichtbare Platzwand, die man visuell in das neue System integrieren mußte. Das Bezugssystem der Nordseite hat es aber ermöglicht, endlich auch die Peterskirche geo-

242 Massimo Birindelli, *Ortsbindung – Eine architektonische Entdeckung: der Petersplatz des Gianlorenzo Bernini,* Braunschweig 1987, S. 115.
243 Ebd., S. 128 f.
244 Ebd., S. 113.
245 Wegen seiner Vorliebe für außerordentliche Dimensionen und seiner großzügigen, oft rücksichtslosen Planung ging Bramante der Ruf »il ruinate« voraus. Zu der Platzanlage in Vigevano siehe Wolfgang Lotz, *Studies in Italian Renaissance Architecture,* Cambridge 1977, S. 117–139.
246 So z. B. Vincenzo Scamozzi 1615, zitiert in Pierre Pinon, »Architektonische Komposition und das Gebot der Regelmäßigkeit von Peruzzi bis Franque«, *Daidalos,* 15, 3, 1985. Auch Palladio muß sich notgedrungen häufig »den Gegebenheiten des Bauplatzes anpassen, da man nicht immer an freien Stellen« bauen kann. Andrea Palladio, *Die vier Bücher über die Architektur,* Zürich 1988, Kap. 17, S. 192.

49. Der Petersplatz, Rom. Anonyme Zeichnung, um 1600.
50. Petersplatz, Rom: Parallelität der Stirnseite des nördlichen Kolonnadenhalbrunds mit der Südfront des Palazzo Nuovo.

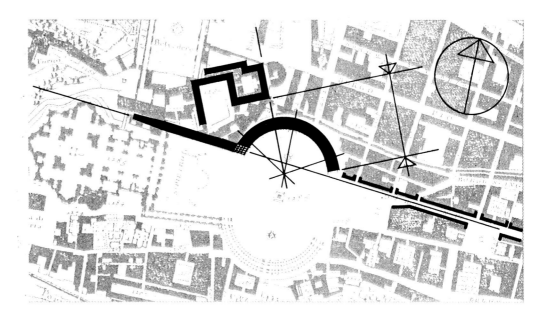

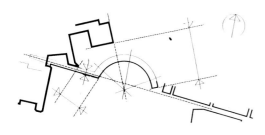

51, 52. Petersplatz, Rom. Fünf geometrische Beziehungen der Kolonnaden zum nördlich angrenzenden Baubestand, ermittelt von Massimo Birindelli.

53, 54. Piazza Ducale mit Dom, Vigevano.

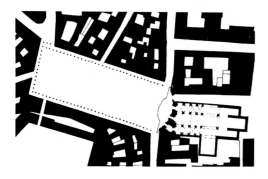

metrisch präzise in das große Sixtinische Straßensystem einzubinden. Birindelli weist darauf hin, daß eine derartige Einbindung in den Kontext bei Bernini keine Ausnahme war. Vielmehr war es in seiner gesamten Aktivität als Architekt sein Ziel, »präzise Beziehungen herzustellen zwischen einem Gebäude, das er gerade entwarf, und schon bestehenden Bauten der unmittelbaren Umgebung«. [244]

Die Kulissenfassade des Doms S. Ambrogio auf der **Piazza Ducale in Vigevano** enthüllt einen weiteren, beinahe spielerischen Aspekt des kontextuellen Manierismus im städtebaulichen Entwurf. Mitten aus der Altstadt Vigevanos wurde 1492–94 ein riesiger, rechteckiger Platz so herausgeschnitten, daß er dem Fürstenpalast wie auch dem Dom als Vorplatz diente. Da die Geometrien beider Teile nicht übereinstimmten, der Renaissanceplatz aber als ideale geometrische Figur konzipiert wurde, übernahm er die Geometrie der weltlichen Macht. Die alte Domfassade, die schräg und asymmetrisch auf die Schmalseite des neuen Platzes zu liegen kam, wirkte unbefriedigend, insbesondere da der recht rohe (Bramante zugeschriebene) Eingriff mit einer umlaufenden Säulenarkade vereinheitlicht wurde. [245]

1680 löste Juan Caramuel de Lobkowitz, der als Bischof von Vigevano gleichzeitig Architekturtheoretiker war, das Problem und baute vor die alte Kirchenfassade eine verschobene konkave Kulisse, mit der er das Raumkonzept des Platzes nach fast 200 Jahren zu Ende geführt hat. Ein roher Eingriff in die Stadtstruktur wurde erst durch diese kontextuelle Reaktion auf die neugeschaffene Situation in die Stadt integriert.

Die Kulissenarchitektur ist freilich im wahrsten Sinne des Wortes »vordergründig«. Sie driftet so weit von der Kirche weg, daß sie sogar die Ecke des Nachbarblocks mit einbezieht und eines der »Kirchenportale« nicht die Kirche, sondern eine Straße erschließt.

Es war bereits die Rede davon, daß in der Renaissance die platonisch reinen Körper und Formen als Ausdruck der neuentdeckten Vernunft und des Selbstverständnisses des Menschen in die Architektur Einzug gehalten haben. Die reine Form ist prägnant, identifizierbar und besitzt eine Individualität, insbesondere auf dem Hintergrund der mittelalterlichen Unregelmäßigkeit (heute nach fünf Jahrhunderten des Rationalismus mag es eher umgekehrt sein). Der aufgeklärte Mensch der Renaissance konnte sich mit solchen architektonischen Formen identifizieren. Es war nicht nur das regelmäßig zugeschnittene Raumvolumen (zum Beispiel der cortile des Palazzo), das für die Renaissance typisch war, es war ebenso der Idealkörper, der angestrebt wurde. Man denke hier an Palladios Villen oder die freistehenden Zentralkirchen in der Landschaft (zum Beispiel S. Maria della Consolazione in Todi). Vereinfachend könnte man sagen, daß in der Stadt naturgemäß der ideale Raum als Hof und Platz das Thema war, auf dem Lande eher das freistehende Objekt. Das Ideal blieb jedoch die gleichzeitige Regelmäßigkeit des Raum- wie auch des Körpervolumens, wie es beim Palazzo Farnese in Rom oder beim Palazzo Piccolomini in Pienza verwirklicht wurde. Dieser Wunsch nach Regelmäßigem in der Architektur erstreckte sich natürlich auch auf den Parzellenzuschnitt, selbst wenn Palladio, Serlio und andere in ihren Publikationen gelegentlich auch Grundrißbeispiele für unregelmäßige Parzellen zeigen. In diesen Fällen beeilen sich aber die Verfasser, zu erklären, daß die Baumeister es sehr begrüßen würden, wenn die Grundstücke sich auf das perfekte Quadrat zurückführen lassen würden. [246]

nächst die Unregelmäßigkeiten der linken Grundstücksgrenze architektonisch formuliert und anschließend über die Mittelachse nach rechts gespiegelt wurden. Es ist diese Raumsequenz aus porte-cochère, Vestibül und cour d'honneur, die dem ganzen Hôtel Halt gibt. Das aus der Fassade heraustretende runde Vestibül klingt im hinteren Hofabschluß nach, von dessen Halbrund die Wagenremisen und der Pferdestall radial abgehen. Im Obergeschoß findet die Mittelachse in einer Kapelle wirkungsvoll ihren Abschluß. Zu der Nebenstraße hin wurde im Obergeschoß hinter der länglichen Galerie ein Terrassengarten angeordnet, an der Straße selber ein kleines Appartement.

Insgesamt wurden vier orthogonale Raster und unzählige lokalsymmetrische Figuren (die von »poché«-Bereichen unterstützt werden) angewendet sowie etliche Gelenkräume eingeführt, um diesen unregelmäßigen Ort zu meistern.

Die symmetrisch geformte zentrale Raumfigur ermöglicht die große Freiheit am Perimeter, indem sie die verschieden zugeschnittenen Räume an sich binden kann, die ihrerseits die Unregelmäßigkeiten des Ortes absorbieren können. Das Hôtel des Beauvais zeigt anschaulich, »daß die Unabhängigkeit und Identität der Teile erreicht werden kann, ohne die Einheit des Ganzen zu opfern«.[254]

Hundert Jahre später, am Übergang vom Rokoko zum Klassizismus, scheint die Freude am spielerischen Umgang mit schwierigen Parzellen, aber auch die Fähigkeit dazu, durchaus noch vorhanden zu sein. Vor allem François Franque brilliert um diese Zeit mit virtuosen Lösungen auf schwierigsten Parzellen. J.F. Blondel bemerkt dazu: »Es scheint gleichsam das Los des Herrn Franque gewesen zu sein, daß ihm für die meisten der Bauten, die er errichten ließ, Grundstücke angeboten wurden, deren Umriß von geradezu unfaßlicher Unregelmäßigkeit war«, und er bescheinigt ihm gleichzeitig Geschmack und Intelligenz bei der Lösung der Schwierigkeiten.[255] Als Illustration hierzu mag das Hôtel de Villefranche in Avignon (um 1740) gelten. Franque hat hier drei parallel versetzte Hauptachsen eingeführt, um das wüst zugeschnittene Grundstück zu ordnen, wobei der Versprung von der Eingangsachse zur Gartenachse im runden Salon erfolgt.

Das Thema ließe sich ergiebig weiterverfolgen, doch ist dies für die französischen Hôtels bereits an anderer Stelle und gründlicher, als es hier beabsichtigt ist, geschehen.[256] Umgekehrt wäre eine Nachforschung interessant, inwieweit anderswo ähnliche Erscheinungen der barocken Architektur zu beobachten sind. Man könnte sie bei Residenzstädten erwarten, die während der Barockzeit Adel angezogen hatten, wie es zum Beispiel in Prag oder Wien der Fall war.[257]

Aufklärung und die Wiederentdeckung des Genius loci in der Natur

Die Aufklärung liegt innerhalb der humanistischen Tradition der Neuzeit. Sie versucht sozusagen, jenes zu vollenden, was die Renaissance zu ihrer Zeit noch nicht vollbringen konnte: die völlige Emanzipation des Menschen kraft seiner Vernunft. Das Endziel – der aus allen Bindungen befreite, autonome Mensch – ist freilich eine Utopie, die uns nach der Renaissance ähnlich kraftvoll zunächst in der Aufklärung und dann noch einmal Anfang des Jahrhunderts in der Moderne begegnet ist; diese Utopie wird die Entwicklung der menschlichen Gesellschaft wohl immer begleiten. Der Glaube an die Vernunft, an die Machbarkeit der Dinge und damit an die Unabhängigkeit des Menschen äußert sich dabei architektonisch immer in der verstärkten Anwendung platonischer Körper und idealer geometrischer Formen. Ob es nun in der Renaissance die Idealstädte oder die zweifachsymmetrisch organisierten Kirchen, Palazzi oder Villen sind, in der Aufklärung die französische Revolutionsarchitektur oder in der Moderne der russische Konstruktivismus und die absoluten Baukörper von Mies van der Rohe oder Le Corbusier – die Tendenz ist eindeutig.[258]

Es liegt also nahe, in dieser Periode der Architekturgeschichte wenig Bezüge zum Kontext zu erwarten. Wie der Mensch selbst, so wird auch seine Architektur autonomer, von ihrer Umgebung unabhängiger. Beim späten französischen Hôtel konnte man bereits eine Tendenz zum freistehenden Objekt beobachten, in der französischen Revolutionsarchitektur wird diese ganz offensichtlich. **Etienne-Louis Boullée** mit seinen stimmungsvollen Zeichnungen geometrisch reiner Innenräume und Solitärbaukörper von gigantischen Dimensionen ist dafür nur das extreme Beispiel. Seine Projekte sind von der Realität abgehoben, die Zeichnungen stellen die Bauten ohne Bezüge zur Umgebung dar, oder diese wird in gleichsam idealer Weise dazu entworfen. Auch die Thematik der Projekte deutet eher auf kosmische Bezüge hin (Kenotaph für Newton) oder interpretiert Grundbegriffe der Aufklärung (Tempel der Vernunft, Tempel der Natur usw.). Mit dem Newton-Kenotaph (1784) hat Boullée darüber hinaus als erster die Kugelidee in der Architektur konsequent ausformuliert und damit den erdflüchtigen und wirklichkeitsfernen Tendenzen der Architektur ihr gültiges Symbol gegeben.[259]

[254] Dennis 1986, S. 75.
[255] Zitiert in Pinon, *Daidalos*, 15, 3, 1985, S. 62.
[256] So vor allem in Dennis 1986; siehe auch Pierre Pinon, »Référence et coexistence. Hôtels parisiens de la fin du XVIIIe siècle et parcellaire foncier«, *AMC*, 42, 1977.
[257] Für Prag siehe Václav Hlavsa, Jiří Vančura, *Malá Strana/Menší město pražské*, Praha 1983; Jiří Vančura, *Hradčany, Pražský hrad*, Praha 1976. Für weitere Beispiele kontextueller Grundrißanpassung auch Alain Borie, Pierre Micheloni, Pierre Pinon, *Forme et déformation des objets architecturaux et urbains*, Paris 1984.
[258] Einen aufschlußreichen Vergleich zwischen der französischen und der russischen Revolutionsarchitektur hat Max Vogt angestellt. Max Vogt, *Russische und französische Revolutionsarchitektur, 1917/1789*, Köln 1974.
[259] Adolf Max Vogt, *Boullées Newton-Denkmal, Sakralbau und Kugelidee*, Basel 1969. Vgl. auch Hans Sedlmayr, *Verlust der Mitte*, Frankfurt/M. 1977 (1948), S. 78ff.

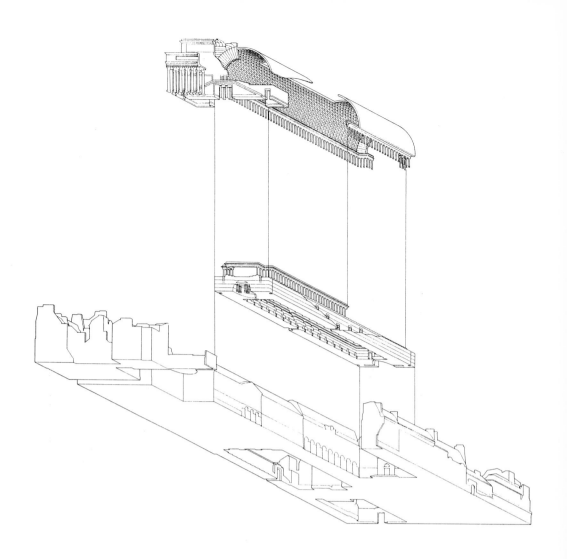

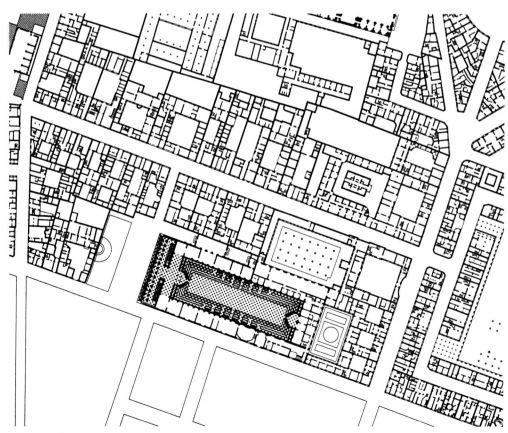

59, 60. Etienne-Louis Boullée, Projekt für die
Bibliothèque Royale im Hof des Hôtel de Never,
Paris, 1785.

An dieser Grundtendenz der idealen und beziehungslosen Architektur des Theoretikers Boullée ändert auch wenig die Tatsache, daß eines der Hauptprojekte, die Bibliothèque Royale (1785), für ein konkretes Grundstück gedacht war. Boullées berühmte tonnenüberwölbte Lesehalle sollte genau den Hof des Hôtel de Nevers ausfüllen, die Stelle also, wo später Henri Labrouste seine Erweiterung der Bibliothèque Nationale errichtet hat.[260] Boullée selbst freilich hat die Bibliothèque Royale immer als freistehenden, isolierten Bau gezeichnet.

Ähnlich verhält es sich mit **Claude-Nicolas Ledoux**. Auch bei ihm herrscht das isolierte Architekturobjekt vor – bei den theoretischen Projekten wie bei den realisierten Bauten gleichermaßen. Mit seinem Vorschlag für die Ansiedlung Maupertuis aus lauter verschiedenen, geometrisch geformten, freistehenden Einfamilienhäuschen treibt er diese Haltung auf die Spitze. Auch er experimentiert mit der Schwerelosigkeit und dem Schwebecharakter der Kugel, so zum Beispiel in dem Kugelhaus des Flurwächters, das überhaupt nur noch punktuell Bezug zur Erdoberfläche hat, bis hin zu der verklärten kosmischen Ansicht seines Friedhofs von Chaux (»Elévation du cimetière de la ville de Chaux«), dargestellt als reine Kugelobjekte (Planeten) auf himmlischer Laufbahn.

An vielen seiner Bauten ließe sich aufzeigen, daß ihm weniger der Ort als vielmehr die Artikulation seiner Architekturphilosophie am Herzen lag. Bei dem Neubau des Palais de Justice in Aix-en-Provence weigerte er sich zunächst jahrelang, den altehrwürdigen Standort in der Stadt zu akzeptieren, sondern schlug immer wieder isolierte Objekte auf geschichtslosem Grund außerhalb der Stadt vor. Als die Entscheidung für den alten Standort endgültig gefallen war, schlug Ledoux neben dem Justizpalast noch ein Gefängnisgebäude vor und paßte den beiden quadratischen Neubauten die Umgebung an, indem er rundherum aus der alten Stadtstruktur einen »Sicherheitsstreifen« ausbrechen ließ. Wenn gleichwohl behauptet wird, daß »er mit seinem Entwurf auf den historischen Kontext, in dem er sich befand, auf zwei Ebenen einzugehen« versuchte

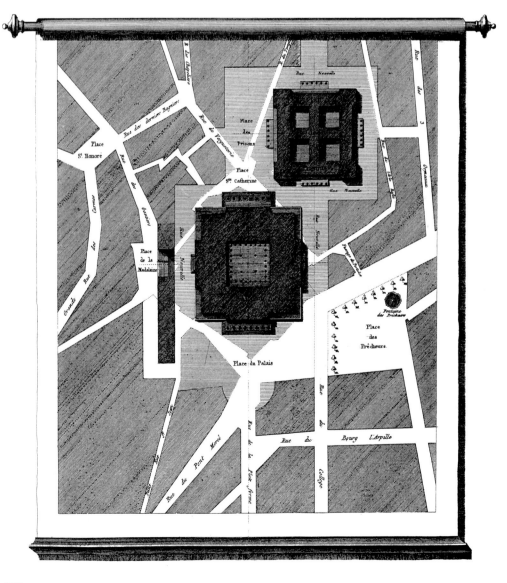

61. Claude-Nicolas Ledoux, Justizpalast und Gefängnis in Aix-en-Provence, begonnen 1785, eingestellt 1790.

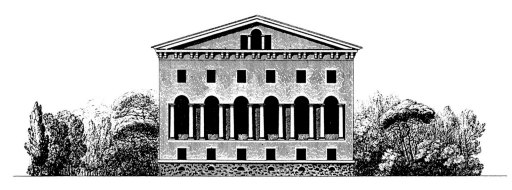

62. Claude-Nicolas Ledoux, Projekt für das Hôtel
d'Evry, Paris, um 1780.
63. Claude-Nicolas Ledoux, Projekt für das Hôtel
d'Evry, Paris. Idealisierte Ansicht.

260 Boullée kommentiert selbst das Projekt in seinem Manuskript *Architektur. Abhandlung über die
Kunst*, Zürich 1987, S. 117ff.: »Ausgangspunkt des
Projektes war für mich die Notwendigkeit, Mittel
und Wege zu finden, unter Anpassung an ältere
vorhandene Gebäude die Anordnung angemessen
zu gestalten; das allein war schon schwierig.«
Siehe auch Bruno Fortier, »L'Atlante di Parigi–3«,
Casabella, 540, 11, 1987, und ders., *La métropole
imaginaire – un atlas de Paris*, Liège 1989, S.
121ff.
261 Anthony Vidler, *Claude-Nicolas Ledoux*, Basel
1988, S. 103.
262 Rudolf Wittkower spricht ebenfalls von einer
»neuen Sensibilität« im 18. Jahrhundert, wo das
subjektive Erleben des Schönen zum erstenmal in
der Geschichte die Regel (das kanonisierte Schön-
heitsideal) relativiert. E. Wittkower, »Classical
Theory and Eighteenth-Century Sensibility«, in:
Collected Essays of Rudolf Wittkower, Bd. 1, S.
193–204.
263 Alexander Pope, »Epistle to Lord Burlington«,
Moral Essays IV, in: Edward Malins, *English Land-
scaping and Literature 1660–1840*, London 1966,
S. 37f. »Befrage den Geist des Ortes in allem,
Was dem Wasser befiehlt, zu steigen oder zu fallen
(Er) ...
Bricht hier ab und leitet dort die geplanten Linien,
Malt, wenn du pflanzt, und entwirft, während du
arbeitest.«
Freie Übersetzung des Autors.
264 Edmund Burke, *A Philosophical Enquiry into
the Origin of our Ideas of the Sublime and the
Beautiful*, London 1958 (1757).
265 J. Pieper, *Kunstforum 69*, 1, 1989, S. 45. Dort
auch ein kurzer Abschnitt zu diesem Thema.

(räumliche Organisation im Inneren, symbolische Architektursprache), so bleibt dies mehr als
zweifelhaft und war wohl in der Realität auch nicht nachzuvollziehen.[261]

Einen interessanten Einblick in Ledoux' Denk- und Arbeitsweise bietet das unausgeführte Projekt des Hôtel d'Evry (um 1780). In dem diagonal zu einem Straßeninnneneck liegenden Grundstück entwickelt er ein klassisches barockes Hôtel nach dem Vorbild des Hôtel de Beauvais, dessen Hofzuschnitt er wörtlich übernimmt. Die (anscheinend später gezeichnete) Fassade stellt das
Bauwerk (beziehungsweise einen Teil davon) als isolierten Pavillon im Garten dar. Daß hier offensichtlich idealisiert wurde, zeigt auch der »vergessene«, weil asymmetrische Eingang.

Die Aufklärung eine späte Reformbewegung des ins Stocken geratenen Renaissance-Huma-
nismus? Natürlich bestehen auch wesentliche Unterschiede: Die Renaissance markiert den Wen-
depunkt zweier konträrer Haltungen, und so mußte ihre Position gegenüber dem Mittelalter extrem formuliert werden – der Mensch wurde ins Zentrum des Universums gestellt. Die Aufklärung hingegen ist innerhalb der aufsteigenden Tendenz dieses Anthropozentrismus zu sehen,
die extreme Position ist nicht mehr vonnöten, die Stellung des Menschen im Kosmos wird relativiert. Dafür treten andere Belange ins Blickfeld. So wird auch die Beziehung zur Natur neu definiert. Zusammen mit dem Freiheitsgedanken bildet sich eine neue Sensibilität heraus.[262] Sie führt
nicht nur zur Wiedergeburt des Begriffes Genius loci, sondern begründet tatsächlich eine neue
kontextuelle Tradition in der Landschafts- und Gartenarchitektur.

Diese Tradition wurde aus vielen Quellen genährt, wovon die meisten zunächst in England zu
suchen sind. Im Kreise der englischen Augustäer wurde bereits Anfang des 18. Jahrhunderts die
Vorstellung entwickelt, daß die in den Dingen (in der Natur) bereits vorhandene Schönheit durch
die Kunst nur freigelegt werden mußt. Die Entdeckung der geheimnisvollen und stimmungsgela-
denen Natur war zunächst eine literarische Angelegenheit, angeregt durch die Lektüre von Horaz
und Vergil und die dort beschworenen arkadischen Landschaften. Maler haben das Geschaute
dargestellt, und die Architekten bekamen aus den Briefen des Plinius direkte Anregungen. Allein
der idyllische Rückgriff auf die arkadische Landschaft wäre nicht gänzlich neu, hätte er nicht zum
erstenmal auch die Augen für das latent vorhandene Schönheitspotential der heimischen Natur
geöffnet. Dafür wurde aus den antiken Autoren als adäquater Begriff der »Genius loci« herausdestilliert. Alexander Pope hat diese neue Erkenntnis in poetische Worte gekleidet:

»Consult the Genius of the Place in all;
That tells the water or to rise, or fall,
(he) ...
Now breaks or now directs, th' intending lines;
Paints as you plant, and, as you work, designs.«[263]

Edmund Burke aus dem Kreis der Augustäer griff nach dem Tode von Pope die Idee auf und formulierte sie theoretisch in seinem Werk *A Philosophical Enquiry into the Origin of our Ideas of the
Sublime and the Beautiful*[264]. Darin wurde der Grundsatz aufgestellt, daß nicht die universellen
Proportionsprinzipien und Ordnungen das Wesen der Schönheit ausmachen, sondern daß diese
vor allem durch die Freilegung der Eigentümlichkeiten eines Objektes, eines Ortes entsteht. Die
Idee, »daß der Genius loci das atmosphärische Geheimnis einer naturräumlich vorgeprägten Situation ist, die es architektonisch zu fassen gilt«, wurde begründet.[265]

Die praktischen Anwendungen in der Gartenarchitektur, der Landschaftsgestaltung, dem Städtebau und nicht zuletzt im englischen Landhaus sind bekannt. Nicht nur der überall verbreitete
»englische Garten« wurde aus diesen Grundlagen entwickelt; weite Teile englischer Kulturlandschaft, wie wir sie noch heute kennen und schätzen, wurden damals nach den neuen Prinzipien

64. Genius loci der englischen Landschaft: Thomas Gainsborough, Landschaft mit Kreideformationen, 1746/47.

umgestaltet.[266] Die englische Kulturlandschaft war abgewirtschaftet, die Landwirtschaft rückständig. So war die neue Landschaftsbewegung nicht nur von ästhetischen, sondern durchaus auch von pragmatischen Überlegungen geleitet worden; eine fruchtbare, praktisch organisierte und schöne Kulturlandschaft war das Ziel. Hügel und Hänge wurden bewaldet, in den Tälern wurden Wiesen und Teiche künstlich angelegt, die Bachläufe wurden in einen »natürlichen« Zustand zurückreguliert. Bei alledem wurde aus der Natur direkt gelernt, wurden heimische Pflanzenarten, die sich selber erneuern, verwendet, und die Besonderheiten der Landschaft – insbesondere die formalen Aspekte der Geomorphologie – wurden herausgestellt.[267]

Ähnliche Neuerungen kamen auch im Städtebau auf. Um den gewünschten Kontakt mit der Natur zu erreichen, wuchsen die Städte nun in die Landschaft hinaus. Hier ist besonders **Bath** zu nennen, wo die neue Stadtentwicklung seit 1725 von Vater und Sohn John Wood bestimmt wurde. Die Straßen, Circus und Crescents wurden unter Beachtung des Geländes angelegt, so insbesondere der Royal Crescent, der an den Rand einer Hangterrasse angelehnt ist.[268] Es sollte aber noch einmal betont werden, daß diese neuerwachende kontextuelle Sensibilität nun nicht mehr vom Mittelalter inspiriert wurde, sondern sich aus dem neuen Naturverständnis entwickelte.

Die englische Landschaftsbewegung übte einen weiten Einfluß aus. Insbesondere in Deutschland war man für die neuen Ideen empfänglich. Zu großflächigen Landschaftsumgestaltungen ist es hier zwar nicht gekommen, doch konnte Hermann von Pückler-Muskau in Muskau einen riesigen Landschaftsgarten anlegen, und Karl Friedrich Schinkel mit Peter Joseph Lenné und später Ludwig Persius gelang es, in der ersten Hälfte des 19. Jahrhunderts »das gesamte **Haveltal** zwischen Potsdam und Tegel in die Kunst- und Kulturlandschaft klassischer Prägung umzuwandeln«.[269] Die klassizistische Architektur Schinkelscher Prägung ist zwar der rationalen Tradition verpflichtet, bevorzugt also einfache geometrische Körper und schlichtes Dekor und ist immer eine vollplastische, das heißt freistehende Architektur. Doch ähnlich wie die englischen Landhäuser (die jedoch auch eine innere, »funktionale« Irregularität entwickelt haben) versucht sie, durch entsprechende Raumschichtung (vor allem außerhalb des Gebäudes) in ein inniges Verhältnis mit der Natur des Ortes zu treten. Man kann dies recht schön an einigen Bauten von Schinkel beobachten, wie zum Beispiel dem Casino im Park von Glienicke oder an den Römischen Bädern in Charlottenhof. Diese Einzelarchitekturen besetzen bestimmte kritische Orte im Haveltal und treten mit ihnen in ein inniges Zwiegespräch. Sie interpretieren und überhöhen nicht nur diese Orte selbst, sondern wandeln die ganze Landschaft im Sinne einer Idee – hier also im Sinne des klassischen Humanismus – um. Einerseits geht diese Architektur auf das Wesen der einzelnen Orte ein, andererseits prägt sie aber der Landschaft eine importierte Idee, ein Programm, auf.[270]

[266] Lancelot Brown, William Kent, Richard Payne Knight, Sir Uvedale Price, Humphrey Repton und William Shenstone waren einige der an diesem monumentalen Unterfangen beteiligten Landschaftsarchitekten.

[267] So wies z. B. Lancelot Brown (1715–1783), der weite Teile Süd- und Mittelenglands umgestaltete, ständig auf die naturgegebenen »Möglichkeiten« eines Ortes hin, und dies brachte ihm den Spitznamen »Capability« Brown ein.

[268] »Die Form, die sich zweifellos herschreibt von den sanften Terrassen und Plateaus der Hügelabhänge, auf denen Bath seine Erweiterung suchen mußte, und welche also die Ränder dieser Terrassen in der erwähnten Weise, geometrisch meßbar, variiert, ist dann in England außerordentlich beliebt geworden.« Gantner 1928, S. 145. Zu Bath siehe auch Walter Ison, *The Georgian Buildings of Bath from 1700 to 1830*, London 1948.

[269] Jan Pieper, »Der Ort des Humanismus, Antikenkonstruktion in der Havellandschaft des Berliner Klassizismus«, *Archithese*, 4, 1989, S. 42.

[270] Vgl. Rand Carter, »Ludwig Persius and the Romantic Landscape of Potsdam«, *Composición Arquitectónica*, 4, 1989, S. 116–160; Paulgerd Jesberg, »Schloß Charlottenhof und Römische Bäder«, »Siam – Land der Freien«, *Baukultur*, 5, 1981, S. 2–9.

[271] Zitiert nach Heinz Wetzel, *Stadt Bau Kunst*, Stuttgart 1962, S. 62.

[272] Wolfgang Herrmann, *Gottfried Semper, Theoretischer Nachlaß an der ETH Zürich*, Basel 1981, S. 75.

Es wurde bereits darauf hingewiesen, daß mit der Aufklärung auch eine Sensibilisierung gegenüber der Natur und der Umwelt neu aufgekommen ist, die im ganzen 19. Jahrhundert als eine begrenzte Nebenströmung zu beobachten ist. So kann man im Städtebau neben der offiziellen geometrisch-formalen »Hauptlinie« auch einen Strang der situationsbedingten Stadtbaukunst feststellen. Als die herausragendste Gestalt dieser Ausrichtung gilt trotz (oder vielleicht gerade wegen) seiner generell materialistischen Position **Gottfried Semper** (1803–1879). Die Bejahung der formbildenden Bedeutung der örtlichen Situation zieht sich wie ein roter Faden durch alle seine städtebaulichen Planungen von Dresden über Hamburg, London, Zürich bis nach Wien.

Zu seinen (abgelehnten) Wiederaufbauplänen für Hamburg (1842) schreibt er: »Eine Verirrung des Geschmackes ist die rücksichtslose Verfolgung der geraden Linien, der … Symmetrie, der Rechtwinkligkeit und dergleichen mehr bei der Anlage architektonischer Werke, die sich nicht nach den lokalen Umständen fügen sollen, sondern nach denen Berge sinken, Täler sich füllen, die Betten der Flüsse sich verändern müssen … Man soll das Werk dem Ort und den Umständen anpassen.«[271] Auch bei den späteren Detailprojekten für Hamburg betont Semper immer wieder den »historischen Gesichtspunkt« und die »Berücksichtigung des Vorangegangenen und des Chrakteristischen«.[272]

Auch bei den Projekten für das Forum in Dresden verwendet Semper Elemente des Bestandes als Ausgangspunkt seiner Komposition, so das Hoftheater und den unvollendeten Palastvorhof Pöppelmanns. In seinem ersten Projekt von 1837 schlägt er eine axiale Erweiterung bis zur Elbe

65. Karl Friedrich Schinkel, die Römischen Bäder, Potsdam, 1833–36.
66. Karl Friedrich Schinkel, Pergola am Casino, Klein-Glienicke, Berlin, 1824/25.

vor, wobei er die bestehenden Monumente wie auch die neuen Bauten entgegen dem üblichen Zeitgeschmack asymmetrisch entlang der Achse aufreiht. »Er gestaltet vielmehr eine ausgewogene Gesamtanlage, die nicht nur die nächsten baulichen Gegebenheiten, sondern auch die weitere Umgebung wie Schloßturm und Katholische Hofkirche mit einbezieht. Daß dies nicht nur Interpretation ist, sondern Sempers Anliegen war, zeigen die Skizzen zur Gemäldegalerie. Die Asymmetrie der Situation bleibt klar spürbar, das Gleichgewicht der Bedeutungen wird erreicht.« [273]

Wenig bekannt ist das nur skizzenhaft erhaltene Projekt zu einem Palast in Whitehall, London (1857). Hier macht Semper zwei wichtige bestehende Gebäude, Horse Guards und Banqueting Hall, »zum Mittelpunkt einer weitläufigen Palastanlage, die er ganz bewußt in ihre bauliche Umgebung einbindet«. [274] Die in den Skizzen eingezeichneten Sichtbeziehungen geben darüber hinaus eine seltene Auskunft über Sempers Bemühungen, sein Projekt mit der Stadt zu verklammern. Es sind fast durchweg klassizistische Monumente, zu denen er seinen Bau in Beziehung setzt, sei es mit der Zentralachse der Anlage, den flankierenden Straßen oder der Orientierung des Straßenrasters. Es wird offensichtlich, »daß die Ausrichtung der neuen Gebäude auf ein Bezugsnetz umliegender Monumente als Idee der Anlage zugrunde liegt«. [275]

Mit dem Kaiserforum in Wien (geplant 1869) gelang Semper in späten Jahren wenigstens teilweise die Realisierung seiner kontextuellen Städtebauideen. Der neue Trakt wächst einerseits organisch aus dem Konglomerat der Hofburg heraus, schafft aber andererseits Ansätze für idealtypische Raumfiguren. »Ein Bauwerk, wenngleich in sich selbständig, sollte doch … sich möglichst an die Umgebung anschließen, eine solche aufsuchen oder sich schaffen, dieselbe vervollständigen und mit ihr zusammenwirken.« [276] Dies scheint für Semper der Leitsatz eines ortsgebundenen Städtebaus gewesen zu sein.

Der Ortsbezug im 20. Jahrhundert

So weit angelangt, fassen wir den Stand der Dinge am Ende des 19. Jahrhunderts – am Vorabend der Moderne – zusammen, um die Voraussetzungen für eine eventuelle Kontinuität der kontextuellen Tradition zu verstehen. So kann zunächst ohne Zweifel die absolute Vorherrschaft des Allgemeinen, dessen, was eingangs mit der Sammelbezeichnung »Typus« definiert wurde, festgestellt werden. Dies gilt sowohl für die große Masse der Architekturproduktion wie auch für die generelle Einstellung der Architekten der Zeit und ihrer Auftraggeber. Der Rationalismus und der damit verbundene Fortschrittsglaube war noch ungebrochen, die Emanzipation des Individuums kam langsam, aber stetig voran. Auch die Industrialisierung war noch weitgehend jene Kraft, die einigen Wohlstand, den anderen ein Auskommen gebracht hat. Vor allem war sie aber der Motor der »besseren Zukunft«. Die Weltausstellungen des 19. Jahrhunderts sind dafür bezeichnend. Innerhalb dieser Hauptströmung gab es für die Architektur keinen Anlaß, sich kontextuell zu gebärden. Öffentliche Großbauten wurden nach wie vor als sauber isolierte Solitäre mit höchstens einem axialen Bezug zu einer nicht selten extra dafür freigeräumten Umgebung konzipiert. Flächensanierungen waren damals schon bekannt, und die neu angelegten Stadtteile wurden nicht nur wegen ihrer Architektur als geistlos empfunden, sondern auch weil sie das Potential des erschlossenen Geländes nicht zu nutzen wußten. In der Architekturpraxis und -diskussion stand das architektonische Kleid, das man bekanntlich wechseln kann und auch tatsächlich öfters wechselte, im Vordergrund.

Diese Architektur des »fin de siècle« war reformbedürftig. Doch die vielen Reformkräfte, die sich damals gebildet hatten, nährten sich meist aus der einen gemeinsamen Tradition. Es war dieselbe Tradition der Neuzeit, die bereits im 18. Jahrhundert jene Reformkräfte gedeihen ließ, welche die purifizierte architektonische Form – den Klassizismus – hervorgebracht haben. Nicht unähnlich war die Situation vor der Affirmation der modernen Bewegung. Hier ist zum Beispiel der rationalistische Ansatz von Otto Wagner zu nennen, der durch seine Schule über die Grenzen der Donaumonarchie hinweg starke Verbreitung fand. Seinen Wahlspruch »Artis sola domina necessitas« übernahm Wagner mitsamt der »Bekleidungstheorie« von Gottfried Semper, der die Architekturtheorie des späten 19. Jahrhunderts nachhaltig prägte. Für Semper allerdings war die necessitas »eher die Gesamtheit der Faktoren, die das Werk von außen bestimmen«, [277] so zum Beispiel Klima und andere lokale und ethnische Einflüsse. Und es verwundert nicht, daß Wagner bereits in seiner Antrittsrede an der Kunstakademie 1894 unter vielen anderen auch die Anforderungen des Genius loci erwähnt. [278] Bei dem Wagner-Schüler Jan Kotěra finden wir dann als die drei wesentlichen, die Architektur bestimmenden Elemente den Zweck, die Konstruktion und die lokalen Einflüsse des Ortes. [279] Es läßt sich jedoch an ihrem architektonischen Werk aufzeigen, daß der Geni-

[273] Martin Fröhlich, *Gottfried Semper, Zeichnerischer Nachlaß an der ETH Zürich*, Basel 1974, S. 40.

[274] Ebd., S. 85.

[275] Ebd., S. 86.

[276] Zitiert nach Heinz Wetzel, *Stadt Bau Kunst*, Stuttgart 1962, S. 63.

[277] Ákos Moravánszky, *Die Architektur der Donaumonarchie*, Berlin 1988, S. 73.

[278] Nachgedruckt in Marco Pozzetto, *Die Schule Otto Wagners 1894–1912*, Wien 1980, S. 144.

[279] Jan Kotěra, »O novém umění« (»Von der Neuen Kunst«), *Nové směry*, 4, 1900, abgedruckt in Josef Pechar, Peter Urlich, *Programy české architektury*, Praha 1981, S. 107ff. »Die neue Form entsteht also aus dem neuen Zweck, aus der neuen Konstruktion angepaßt an den Ort.«

[280] Siehe die beiden Hauptmanifeste der böhmischen kubistischen Architektur: *Von der modernen Architektur zur Architektur*, 1910, und *Das Prisma und die Pyramide*, 1911. Deutsche Übersetzung in: Marco Pozzetto 1980, S. 158–168. – Eine Aussage Vlastislav Hofmans verdeutlicht die Beziehungslosigkeit des Architekturobjekts: »Die Architektur ging von einer Idee des Objekts aus, die ebenso frei war, wie die Idee der Malerei.« Zitiert in François Burkhard, *Vlastislav Hofman. Architektur des böhmischen Kubismus*, Ausstellungskatalog, Berlin 1982, S. 32. In der Praxis zeigen einige der ausgeführten Bauten aber durchaus Elemente der Einfügung in ihre Umgebung. Siehe hierzu Jan Bentley, Georgia Butina, »Cubist Architecture in Prague 1911–1921«, *Composición Arquitectónica*, 3, 6, 1989, S. 71–102.

[281] Man könnte annehmen, daß der Jugendstil gegenüber der puristischen Moderne dieselbe Position einnimmt wie das Rokoko zum Klassizismus.

[282] Die wissenschaftlichen Grundlagen der Wahrnehmungspsychologie gehen auf Hermann von Helmholtz, *Handbuch der physiologischen Optik*, Berlin 1855–67, zurück. Von Hermann Maertens, *Der optische Maßstab oder die Theorie und Praxis des ästhetischen Sehens in den bildenden Künsten*, Berlin 1884, sowie *Optisches Maß für den Städtebau*, Bonn 1890, wurden die wahrnehmungspsychologischen Grundsätze auch auf die Architektur übertragen. Die sogenannte »Einfühlungstheorie« von Theodor Lipps und Wilhelm Worringer bedeutet eine subjektivistische Weiterführung der Theorien der Wahrnehmung. Theodor Lipps, *Ästhetik, Psychologie des Schönen und der Kunst*, Bd. 1, 2, Hamburg 1903, 1906; Wilhelm Worringer, *Abstraktion und Einfühlung. Ein Beitrag zur Stilpsychologie*, München 1908.

[283] Siehe Max Guther, »Theodor Fischer, Gründer der ›Stuttgarter Schule‹, und die Städtebaulehre an deutschen Universitäten«, in: *Theodor Fischer zum 50. Todestag*, München 1988, S. 56–82.

[284] Camillo Sitte, *Der Städtebau nach seinen künstlerischen Grundsätzen*, Braunschweig 1983 (Wien 1889), S. 35ff.

[285] Reinhard Baumeister, *Stadt-Erweiterungen in technischer, baupolizeilicher und wirtschaftlicher Beziehung*, Berlin 1876, S. 183: »Diese Bauten sollten geschont, aber freie Plätze und Straßenachsen vorgelegt werden, natürlich unter sorgfältiger Berücksichtigung und vorsichtiger Restau-

ration der alten herausgeschälten Bestand-
teile.« Leicht geändert zitiert in C. Sitte 1983,
S. 37.
[286] C. Sitte 1983, S. 33.
[287] Ebd., S. 162 ff.

67. Gottfried Semper, Projekt zu einem Palast in
Whitehall, London, um 1857.
68. Camillo Sitte, Vorschlag zur Umgestaltung des
Votivkirchenplatzes, Wien, 1889.

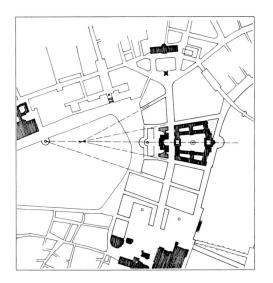

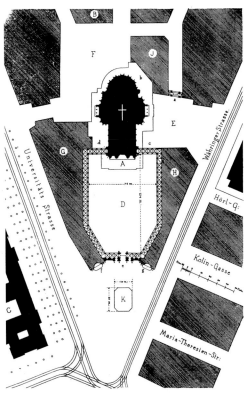

us loci weder für Kotěra noch für Wagner ein zentrales Thema darstellte. Ähnliches ließe sich für die meisten anderen Wegbereiter der modernen Architektur, etwa für Peter Behrens, Tony Garnier oder Louis Sullivan, nachweisen. Aber auch poetische Bewegungen in der Architektur wie der lokal begrenzte böhmische Kubismus, dem es vor allem um die Plastizität der Baumasse, um die Vergeistigung der Materie ging, waren zumindest in ihren Manifesten eher akontextuell.[280]

Es sei an dieser Stelle, an der die Architekturentwicklung komplexer wird, noch einmal angemerkt, daß diese kurze Übersicht über die Architekturgeschichte mit der dualistischen Brille des Typus und des Topos vorgenommen wird, daß also in erster Linie nach architektonischen Bezügen zum Kontext, zu den Besonderheiten des Ortes Ausschau gehalten wird und die Gegenposition des Allgemeinen, des Typus nur so weit behandelt wird, als sie zur Einordnung und zum Verständnis des ersteren beiträgt. Mit dieser spezifischen Sehweise werden andere (dualistische) Betrachtungsweisen der Architektur wie etwa klassisch-romantisch, rational-organisch oder urban-antiurban höchstens berührt, jedoch nicht in Frage gestellt. Das kontextuell-antikontextuelle Verhalten kann sich gelegentlich mit solchen Unterscheidungen decken, geht aber in der Regel eher quer durch die Lager. Wenn also oben von einer Tradition der Neuzeit die Rede war, dann war damit in diesem Zusammenhang die »akontextuelle« Tradition gemeint, innerhalb derer dann zum Beispiel auch der Jugendstil (beziehungsweise die Sezession usw.)[281] anzusiedeln ist, weil er keine besonderen kontextuellen Bezüge aufweist, und dies unabhängig davon, daß er bei einer Unterscheidung nach rational-organisch wohl nicht zum rationalen Flügel zu rechnen wäre.

Bereits im vorigen Abschnitt habe ich eine neue kontextuelle Tradition als Nebenerscheinung des neuen Naturverständnisses der Aufklärung feststellen können. Diese Tradition hat im 19. Jahrhundert aus der Hinwendung zur Gotik, die zunächst zwar formaler beziehungsweise struktureller Natur war, sich aber später zu einem allgemeinen Interesse auch an den geistigen Grundlagen des Mittelalters entwickelte, neue Impulse erhalten. Die Romantik sensibilisierte nicht nur die Empfindungen, sondern auch die Wahrnehmungsfähigkeit was die Natur, aber auch die Architektur betraf. In der zweiten Hälfte des vorigen Jahrhunderts erwachte auch das Interesse an der Bauernarchitektur und an der Volkskunst ganz allgemein. Vielerorts resultierte dies in Bemühungen zur Entwicklung von Nationalstilen, die die lokale oder regionale Tradition weiterführen wollten. Wie abwegig diese Nationalstile im einzelnen auch sein mochten und obwohl sie als verallgemeinernde Regionalstile letztlich »lokal begrenzte Universalismen« darstellten, die der Definition der Ortsbindung im engeren Sinne nicht genügen können, setzten sie doch durch die Hinwendung zum Konkreten eine gewisse Sensibilität gegenüber dem Kontext frei. Die etwa gleichzeitig sich entwickelnde Wahrnehmungspsychologie sowie die Formulierung der Gestalttheorie schufen dafür seitens der Psychologie die theoretischen Grundlagen.[282]

Weitere Verallgemeinerungen zum Umfang und zur Bedeutung der kontextuellen Aspekte in der »Prämoderne« und vor allem in der Moderne der ersten Hälfte des 20. Jahrhunderts sind hier noch nicht zu treffen, bevor nicht die einzelnen Beiträge aufgedeckt und gewertet worden sind.

Einer der ersten, der die Isolationstendenzen von öffentlichen Bauten und den geometrischen Schematismus der neuen Stadterweiterungen ohne Berücksichtigung des gegebenen Kontexts vehement angeprangert hatte, war **Camillo Sitte**. Mit seinem 1889 erschiedenen Buch *Der Städtebau nach seinen künstlerischen Grundsätzen* sensibilisierte er die in recht sturen Bahnen sich bewegende städtebauliche Theorie und Praxis.[283] Ein Blick auf die Bautätigkeit jener Jahre bestätigt Sittes Klage: Öffentliche Bauten wurden damals in der ganzen Welt fast ohne Ausnahme mitten auf den Plätzen aufgestellt, ohne Bezüge zu ihrer Umgebung. »Dem Zeitgeschmack genügt es aber nicht«, schreibt Sitte, »die eigenen Schöpfungen möglichst ungünstig zu stellen, auch die Werke der alten Meister sollen durch Freilegung beglückt werden, selbst dann, wenn es klar ersichtlich ist, wie dieselben eigens in ihre Umgebung hineinkomponiert wurden.«[284] Hierzu zitiert Sitte aus dem Handbuch des Städtebaus von Reinhard Baumeister die Empfehlung, daß die alten Bauwerke zwar geschont, aber aus ihrer Umgebung »herausgeschält« werden sollen.[285] »So ein freigelegtes Bauwerk«, vermerkt Sitte dazu, »bleibt ewig eine Torte am Präsentierteller. Ein lebensvolles, organisches Verwachsen mit der Umgebung ist da von vornherein ausgeschlossen.«[286]

Mit seiner Kritik an diesen isolationistischen Tendenzen der damaligen Architektur formuliert Sitte aber gleichzeitig ein positives Konzept einer Architektur der Beziehung, wenn er von einem »lebensvollen und organischen Verwachsen«, von einem »Hineinkomponieren in die Umgebung« spricht. Er beruft sich dabei nicht nur auf die Architekturgeschichte, indem er zum Beispiel nachweist, daß von den seinerzeit 255 Kirchen Roms nur 6 freistehend waren, sondern will den Ortsbezug als konkrete Methode des städtebaulichen Entwurfs verstanden wissen, wie er es etwa mit seinem Vorschlag für die Umgestaltung des Votivkirchenplatzes in Wien demonstriert.[287]

Als enger Mitarbeiter Otto Wagners bezog **Max Fabiani** gegenüber den städtebaulichen Gedanken Sittes eine polemisch ablehnende Haltung. [288] Es läßt sich freilich unschwer aufzeigen, daß dieser Pionier der modernen Wiener Architektur seine eigene Theorie des Genius loci entwickelt und in seiner langjährigen Praxis erprobt hatte. Dabei kam es auf dem Gebiet des Städtebaus zu Ergebnissen, die durchaus mit jenen von Camillo Sitte vergleichbar waren.

Der Begriff des Genius loci, den Fabiani wohl ausgehend von Otto Wagner [289] häufig in seinen schriftlichen Äußerungen verwendet, ist anfangs primär mit dem Charakter des Ortes gleichzusetzen. Da die geschichtliche Kontinuität des architektonischen Schaffens trotz aller Modernität nicht in Frage gestellt wurde, ist auch ein bewußter Bezug zu diesem Ortscharakter für Fabiani selbstverständlich. Er geht ihm sogar in theoretischen Überlegungen zur lokalen Kontuität in der Architektur nach. Den Aufsatz *Über locale Architektur-Tradition in Toscana* von 1898 schließt er mit einer aktuellen Bemerkung, mit der er dem ganzen Text eine programmatische Note verleiht: »Heute ist es uns bei einer Concurrenz noch nicht ganz selbstverständlich, dass das Bauwerk sich dem überwiegenden Charakter der Stadt anpassen muß – diese Vorstellung und Erkenntnis ist erst sehr jungen Datums.« [290]

Bereits ein Jahr später formuliert er diesen Gedanken präziser anhand einer konkreten Aufgabe. In der Beschreibung zum Regulierungsplan der Stadt Bielitz (Bielsko-Biala) fordert er: »Der locale Charakter der Architektur muß aus der localen Tradition, den örtlich zweckmäßigsten Constructionen, den ortsüblichen Materialien und Gebräuchen von selbst hervorgehen. Unbewusst verbinden sich alle richtig beobachteten Bedingungen in der Architektur zu einer Type, welche für den ›genius loci‹ charakteristisch ist.« [291]

Was er unter Anpassung an den »überwiegenden Charakter der Stadt« verstand, hat Fabiani durch unzählige ausgeführte Bauten dargelegt. Die Einfühlung in den barocken Grundcharakter von Wien – am besten durch das Urania-Theater und das Palais Palmers demonstriert – brachte seiner Architektur das Etikett »baroccus fabianensis« ein.

Jahre später, in seiner kargen Karst-Heimat, verhält er sich beinahe wie ein anonymer Architekt, und das nicht nur wegen der bescheideneren Mittel, die zur Verfügung standen. Bei dem Wiederaufbau des Schlosses und der Errichtung der Villa Ferrari in Štanjel sind es nur wenige Elemente (wie zum Beispiel die Treppenanlage im Schloßhof oder der ungewöhnliche Stützenrhythmus bei der Pergola im Garten der Villa), welche die Aufmerksamkeit erwecken. Das meiste ist vom Bestand kaum zu unterscheiden.

Später hat Fabiani den Begriff Genius loci um den Aspekt des Volkscharakters beziehungsweise des »Nationalstils« erweitert. Etwas eigentümlich klingt es in den Beschreibungen von Besonderheiten, ästhetischen Empfindungen und der daraus resultierenden Kunst bei verschiedenen Völkern in seinem lebensphilosophischen Werk ACMA. [292] Der Grundgedanke freilich kann dadurch nicht diskreditiert werden. Das bauliche Sediment eines Ortes, einer Region ist ohne Zweifel auch das Resultat der kollektiven Anstrengung der hier lebenden Menschen beziehungsweise des Volkes. »Diese Zusammenarbeit, in der die Poesie eines jeden Volkes zum Ausdruck kommt, setzt eine völlig untendenziöse, ideelle Arbeit jedes Einzelnen voraus. Damit, und mit der Vollendung all des Wertvollen, was uns die Vergangenheit hinterlassen hat, wird der Genius loci zum Leben erweckt, der die Seele des Volkes und des Ortes widerspiegelt.« [293]

Im Bereich des Städtebaus ergibt sich ein interessanter Direktvergleich zwischen der Haltung Fabianis und jener von Camillo Sitte zum Genius loci durch den Umstand, daß beide nach dem Erdbeben von 1895 einen **Regulierungsplan für Ljubljana** vorgelegt hatten. [294] Beide behandeln die Stadt als Ganzes, sehen also die neuen Teile im organischen Bezug zur bestehenden Stadtstruktur, beide erkennen die historischen Werte der Stadt an, so vor allem die Sichtbezüge zur Burg. Beide wählen für die neuen Baugebiete ein orthogonales Raster – auch dies eine naheliegende, kontextuelle Reaktion auf die bereits vorhandene Parzellierung des Geländes. So wird auch den beiden Kontrahenten übereinstimmend der gleiche Respekt vor dem traditionellen Chrakter der Stadt bescheinigt. [295] Fabiani, der sieben Jahre lang in Ljubljana die Realschule besucht hatte, hat freilich Platzvorteile gegenüber Sitte, dem man die fehlende Kenntnis der realen Situation im Schematismus des Planes und in den dazu vorgetragenen Erläuterungen anmerkt. So schlägt er an einigen Stellen der Altstadt Durchbrüche und Straßenverbreiterungen vor, während Fabiani die Altstadt unangetastet läßt.

Es verwundert also nicht, daß Fabiani in zwei Punkten die Individualität des Ortes besser zum Ausdruck bringt als Sitte. Zum einen erkennt er die sichelförmig gebogene und in zwei Endplätzen verankerte Raumachse zwischen Fluß und Burgberg als das zentrale Strukturmotiv der Stadt und wiederholt es am anderen Ufer, indem er bereits vorhandene Rudimente zu einer zweiten Sichel mit Ankerplätzen an ihren Enden ergänzt. (Vielleicht könnte man sogar die große Ringstraße als

288 Max Fabiani war 1894–98 führender Mitarbeiter Otto Wagners und maßgeblich an der Formulierung seiner programmatischen Schrift *Moderne Architektur*, Wien 1895, beteiligt. Siehe auch Marco Pozzetto, *Max Fabiani. Ein Architekt der Monarchie*, Wien 1983, S. 14.

289 Siehe Anm. 278.

290 Veröffentlicht in *Wiener Bauindustrie Zeitung*, XV, 1889, S. 183–185. Abgedruckt in M. Pozzetto 1983, S. 48–51.

291 Max Fabiani, *Regulierung der Stadt Bielitz*, Wien 1898, zitiert in M. Pozzetto 1983, S. 59.

292 Max Fabiani, ACMA, *L'anima del Mondo*, Gorizia 1945, auszugsweise in Marco Pozzetto (Hrsg.), *Maks Fabiani, O kulturi mesta*, Trst 1988, S. 111 bis 136.

293 Max Fabiani, »Ljubljana – Slika mesta in moji vtisi iz leta 1934«, *Kronika*, 1, 1935, S. 6.

294 Beide Pläne sind abgebildet in Breda Mihelič, *Urbanistični razvoj Ljubljane*, Ljubljana 1983. Siehe auch Nace Šumi, *Arhitektura secesijske dobe v Ljubljani*, Ljubljana 1954; Maks Fabiani, *Regulacija deželnega stolnega mesta Ljubljane*, Nachdruck Ljubljana 1989 (Wien 1899).

295 So z.B. von M. Pozzetto, N. Šumi, B. Mihelič und anderen. Diese Übereinstimmung in der Praxis wirft ein besonderes Licht auf die theoretische Gegnerschaft der beiden Architekten.

296 Vgl. Rossana Pettirosso, »Intervju: Marco Pozzetto«, *Arhitektov bilten*, 97/98, 1988, S. 29–32; Leonardo Miani, Matjaž Garzarolli, »Regulacijski načrti za manjša mesta, trge in vasi v porečju Soče 1917–1922«, *Arhitektov bilten*, 101/102, 1989, S. 68–73.

297 Boris Podrecca, Hrsg., *Max Fabiani 1865 bis 1962, Bauten und Projekte in Wien*, Wien 1983.

298 Ebd.

299 Die graphische Analyse bei B. Podrecca (s. oben) legt diese Beziehung nahe (der Mittelpunkt des Kreissegments bei Fabiani entspricht dem Fassadenknick bei Semper). Die Zeichnung weist jedoch Ungenauigkeiten auf, die diese These zunächst in Frage stellen.

300 George L. Collins, Christiane Grasemann Collins, *Camillo Sitte and the Birth of Modern City Planning*, London 1965.

69. Max Fabiani, Regulierungsplan für Ljubljana, 1895.

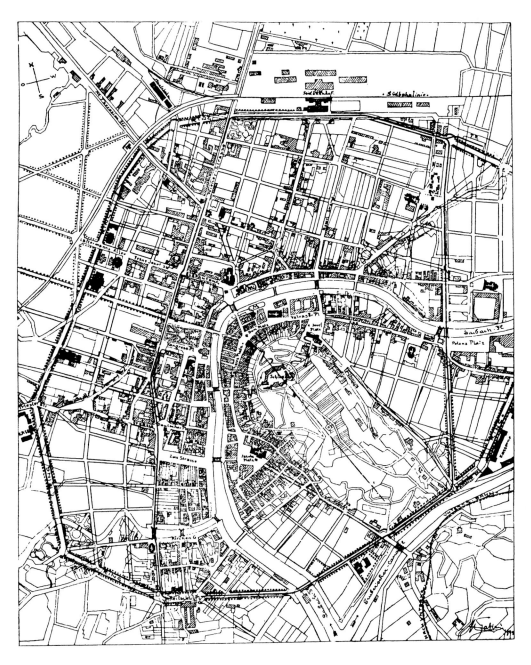

70. Max Fabiani, das Grundmotiv der Stadt Ljubljana, 1895.

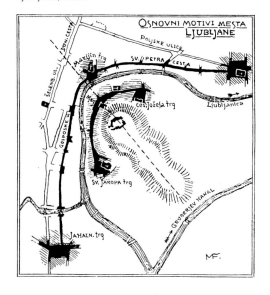

Ausklang desselben Motivs interpretieren.) Zum anderen führt er die bereits durch Fernstraßen vorgegebenen, radial auf den Burgberg gerichteten Trassen (soweit möglich) bis ins Zentrum. Die Visuren zur Burg wurden als ordnende Kraft erkannt und für die zukünftige Stadtentwicklung festgeschrieben.

Mit einer ähnlichen Ausgewogenheit zwischen rationalem Grundrißschema und sensiblem Eingehen auf die jeweilige Stadtindividualität hat Fabiani Planungen für Bielitz, Gorizia und etwa 80 weitere kleinere Orte des Soča-(Isonzo-)Beckens (1917–22) durchgeführt.[296]

»Bei jeder Arbeit Fabianis gibt es eine herausfordernde, global erfaßte Entwurfsidee, die immer einer kongenialen, urbanen Entscheidung entsprang.«[297] Im Falle des Wiener **Palais Palmers** von 1912 ist es die trapezförmige, von einem Torbau abgeriegelte Piazzetta, die so im Straßenknick angeordnet ist, daß sie als Hafenbecken das gegenüberliegende, spitz zulaufende Kulissendepot Gottfried Sempers als einlaufendes Schiff aufzunehmen scheint. Der Bau »entfaltet einen der eindringlichsten Architekturdialoge der Wiener Innenstadt«[298] nicht nur mit diesem komplementären Raum-Masse-Gegensatz, der Außenraum bei Fabiani korrespondiert ebenfalls mit dem großen Luftraum der »Birne« im Kulissendepot. Darüber hinaus wurde mit dem Hofgrundriß eine Analogie zu dem Grundriß des Semper-Baus hergestellt, und es scheint, daß auch eine geometrische Beziehung besteht.[299]

Gemessen an der raschen Verbreitung und der weltweiten Rezeption des Städtebaus von Camillo Sitte[300] sind die konkreten Auswirkungen seiner Ideen auf die gebaute Umwelt eher bescheiden ausgefallen. Einer, der in Theorie und Praxis Sittes Gedanken adaptiert, weiterentwickelt und einer Reihe von bedeutenden Schülern vermittelt hat, war **Theodor Fischer**.[301] Obwohl er bei seinen Erklärungen die pragmatischen Belange immer gern in den Vordergrund kehrte und für alle Entwurfsentscheidungen auch praktische Gründe anführen konnte, läßt sich doch als das vielleicht beständigste Merkmal seines praktischen wie theoretischen Schaffens gerade der architektonische Bezug zu der natürlichen und gebauten Umgebung verfolgen.

Fischers »gesamte Tätigkeit als Architekt ist vom städtebaulichen Ansatz und Zugriff bestimmt... Jeder Entwurf ... geht vom größeren städtebaulichen Rahmen aus, ist immer aus der konkreten Verkehrs- und Raumsituation entwickelt und für diesen Raum konzipiert.«[302] So wie er seine Architekturen aus dem jeweiligen städtebaulichen Kontext entwickelt, so richtet er sich bei seinen städtebaulichen Entwürfen nach den landschaftlichen Gegebenheiten. Was immer auch seine »drei Grundelemente des Städtebaus« sein mögen, »die Anpassung an die Natur« ist immer dabei.[303] Und Fischer formuliert in seinem vierten Vortrag über die Stadtbaukunst geradezu ein Manifest: »Ich bekenne mich zu denjenigen, welche der Natur nachgehen und nachgeben, welche die Herrschaft, die der Mensch über die Natur zu haben glaubt, höchstens darin suchen, daß sie das Naturgegebene durch die Kunst bis zur größten Wirkung steigern.« Fischer spricht in diesem Zusammenhang von Weltanschauungen, welche die Architektur bestimmen, und bestätigt damit die Gültigkeit einer Architekturinterpretation, die das Werk nach den Motiven, Haltungen und Beziehungen zur Natur, zum Kontext befragt. So will die Gegenpartei, wie er schreibt, »die Macht des Menschen über die Natur schlechthin ausüben. Die künstlerische Idee wird mitgebracht, nicht aus der Natur herausgeholt, und mit gewaltigen, wohl auch gewaltsamen Mitteln durchgesetzt«.[304]

In der Stadtplanung gilt für Fischer in erster Linie »sich so eng wie möglich an das Gelände an(zu)passen«[305] und die Charakteristika des Terrains durch die Bebauung zu steigern, die Erhebungen also durch hohe Bauten zu betonen und nicht durch hohe Bebauung an ihrem Fuß zu verunklären.[306] Beide Forderungen findet man beispielhaft erfüllt in der Siedlung Gmindersdorf in Reutlingen (1903–15). Insbesondere das oberhalb der Siedlung angeordnete Altenheim folgt mit seinem Halbkreis dem oberen Rand einer Hangmulde. Eine unscheinbare Geländeform wird architektonisch interpretiert und überhöht.

Mit demselben Einfühlungsvermögen behandelte Fischer auch die anthropomorphen Elemente der Landschaft. Immer fügte er sich dem vorhandenen Wegeverlauf, der Parzellenstruktur und der bestehenden Bebauung an. »Sehr oft liegt nichts näher, als vorhandenen Wegen einfach zu folgen«,[307] schreibt Fischer und befolgte diese Einsicht bei allen seinen Stadterweiterungsplanungen. Auch hier ging seine Argumentation zunächst vom Praktischen aus: Eine an der Besitz- und Verkehrsstruktur orientierte Planung war natürlich leichter und billiger auszuführen als ein stures geometrisches Straßenschema, das viele Grundstücke in Mitleidenschaft zog. Für Fischer war aber darüber hinaus die materialisierte geschichtliche Sedimentation eine wesentliche Bereicherung des Ortes, seines Genius loci, die als Nachricht an die Nachwelt, als geschichtliches Dokument zu erhalten war. »Die Jahrhunderte haben unserem Boden Linien und Runzeln aller Art eingegraben, die ehrwürdig sein sollten. Was erzählt ein alter Feldweg, was erzählt der Lauf der Grundstücks- und Gemarkungsgrenzen, was berichtet der und jener Hag und Hain, was diese alte Mauer und jener alte Graben?«[308]

So stellt Fischer folgerichtig auch seine eigenen Architektureingriffe in die Tradition der »geschichtlichen Erinnerungen des Ortes«. Es lassen sich immer Bezüge feststellen, sei es in Form von Grundrißdeformationen, durch Sichtbeziehungen, durch vielfältige Rückgriffe auf einen eventuellen Vorgängerbau oder ganz allgemein auf die örtliche Überlieferung, die regionale Tradition und sogar auf den Fundus der Architekturgeschichte.[309] Im Zusammenhang mit dieser Untersuchung interessiert vor allem die Reaktion auf den unmittelbar einwirkenden physischen Kontext des Ortes.

Am Neubau der **Universität Jena** (1903–08) läßt sich die ganze Bandbreite von kontextuellen Bezügen aufzeigen, wie sie Fischer mit allen seinen Bauten anstrebte. Erbaut an Stelle des abgerissenen Jenaer Schlosses, griff das Universitätsgebäude viele architektonische Elemente seines Vorgängers auf. Schon die Gliederung der Baumassen um zwei Höfe erinnert an die Disposition der alten Schloßanlage. Auch die zwei Giebel an der Längsseite des Universitätshauptgebäudes verweisen auf den Hauptbau des ehemaligen Schlosses mit seinem hohen, flachgedeckten Mittelteil. Hier wurden im 18. Jahrhundert zwölf Figuren aufgestellt, die Fischer im offenen Turmgeschoß aufgegriffen und in zwölf Skulpturen der Tierkreiszeichen umgedeutet hat. Ursprünglich wollte er auch den mittelalterlichen Rundturm erhalten und in den Universitätskomplex einbeziehen. Als dies wegen der Raumnot nicht mehr möglich war, hat er wenigstens seine Grundmauern

71. Max Fabiani, Palais Palmers, Wien, 1911/12, und das Kulissendepot von Gottfried Semper.
72. Max Fabiani, Palais Palmer, Wien. Blick vom Hof auf das Kulissendepot.

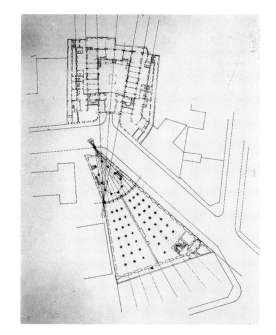

301 Vgl. Theodor Fischer, »Camillo Sitte«, Nachruf, *Deutsche Bauzeitung*, 1904, S. 33f.

302 Winfried Nerdinger, *Theodor Fischer, Architekt und Städtebauer 1862–1938*, Berlin 1988, S. 39.

303 Theodor Fischer, »Sechs Vorträge über Stadtbaukunst«, in: *Theodor Fischer zum 50. Todestag*, München 1988, S. 22: »Die drei realen Grundelemente des Städtebaus, die Wohnfrage, die Verkehrsfrage und die Anpassung an die Natur.« S. 19: »Wirtschaftliche, technische und landschaftliche Gegebenheiten.«

304 Ebd., S. 31.

305 Ebd., S. 33.

306 Siehe z. B. Vorschläge für Stuttgart in Theodor Fischer, *Stadterweiterungsfragen mit besonderer Rücksicht auf Stuttgart*, Stuttgart 1903.

307 Th. Fischer, »Sechs Vorträge über Stadtbaukunst«, a. a. O., S. 31.

308 Ebd., S. 32.

309 Vgl. W. Nerdinger 1988, Abschnitt »Architektur und ›kulturelles Gedächtnis‹«, S. 68–85.

310 Ebd., S. 78 ff. und 207 ff.

311 Ebd., S. 83.

erhalten und das Motiv in einem Treppenturm an derselben Stelle nachgebaut. Außerdem wurden bedeutungsträchtige Einzelteile des Vorgängerbaus im Neubau als »Spolien« verwendet, so die beiden astronomischen Globen, die vor dem Eingang im kleinen Hof wieder Verwendung fanden, oder die alte Schloßtür, die im Universitätsneubau wieder eingebaut wurde.[310]

Fischer versuchte außerdem, durch Hinweise auf das Collegium Jenense die geschichtliche Kontinuität der Universität zu symbolisieren. So hat er den Grundriß der neuen Aula in Anlehnung an die alte Collegienkirche – in der Versammlungen des Collegiums stattfanden – entwickelt, und die alte Turmhaube der Kirche hat er beim Brunnen im Innenhof nachgebildet. »Diese Einbindung des Neubaus in die geistige und materielle Überlieferung von Stadt und Universität«[311] war für Fischer nicht nur in Jena, sondern überall ein zentrales Anliegen seiner Architektur.

Das **Cornelianum** und die Rathauserweiterung in Worms (1905–13) fügen sich mit ihrem Grundriß und mit ihrer Baukörpergliederung nahtlos in die enge Situation zwischen der Dreifaltigkeitskirche und der gekrümmten Hagenstraße. Die neue Fassade an der schmalen Gasse ist zwar stark gegliedert, bildet aber mit der alten Rathausfassade eine Einheit. Fischer erreichte dies, indem er den vorhandenen Turm und den alten Rathausflügel aufnahm und jenseits einer symme-

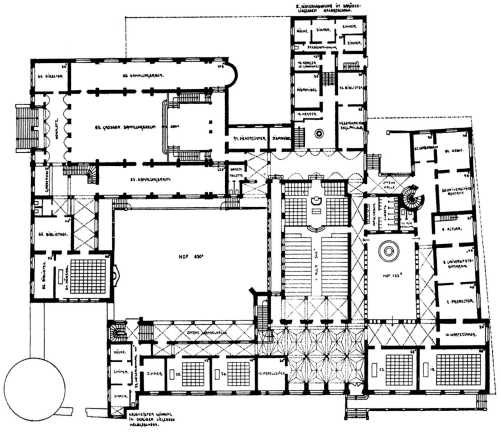

73, 74. Theodor Fischer, Universität Jena, 1903–08. Nicht ausgeführte Variante mit Rundturm.

trisch aufgebauten Arkadenhalle abgewandelt wiederholte. Dieser Mittelteil schafft das Gleichgewicht zwischen dem Altbau und dem Neubau und ermöglicht eine übergeordnete Einheit.

Das Cornelianum am Marktplatz hingegen ist ganz auf die Kirche ausgerichtet, mit der es in einen vielschichtigen Dialog verwickelt ist. Ein niedriger Bauteil lehnt sich eng an die Südfront der Kirche, übernimmt ihre Dachform und unterstützt durch einen Maßstabssprung die Vertikalität der Türme. Der eigentliche Saalbau des Cornelianums ist höher und an der Straßenecke durch einen schmalen Turm betont, der zu den Kirchentürmen wie auch zu den beiden Rathaustürmen in der Hagenstraße vermittelt. Die Zuordnung dieses Baues zur Kirche drückt sich auch in der verstärkten Steinverwendung an der Marktfassade aus. Der Haupteingang mit der dazugehörigen Fassadenbetonung in der Hagenstraße ist auf eine Seitengasse ausgerichtet.

Die Reihe der kontextuellen Einfügungen läßt sich bei Fischer beliebig fortsetzen. So nahm er mit dem Münchner Polizeipräsidium (1909–13) die Umrisse des abgetragenen Augustiner-Stokkes fast vollständig auf und stellte damit die wichtigen, im Bewußtsein der Münchner fixierten Platzräume an der Michaelis- und an der Frauenkirche wieder her. [312]

Ganz im Geiste Camillo Sittes [313] machte Fischer bereits vor der Jahrhundertwende Vorschläge für die Wiederherstellung der historischen Raumfolge zwischen Dom und Neumünsterkirche in Würzburg. Noch 1921 versuchte er mit seinem Entwurf des Sparkassengebäudes in Anlehnung an den abgebrochenen Saalhof die enge Verzahnung des Domes mit der umgebenden Stadtstruktur zu erneuern. [314]

Diese häufigen Verweise auf den geschichtlichen wie auch den physischen Kontext entsprechen dem »ästhetischen Assoziationsprinzip« von Gustav Theodor Fechner, auf den sich Fischer selber bezog. [315] Nach dieser Theorie gewinnt das Wahrgenommene erst durch die Assoziation mit dem Bekannten und Vertrauten – mit unseren Erinnerungsbildern – Gestalt und Bedeutung. Je vielschichtiger die Assoziationen sind, die ein Gebäude in uns hervorruft, um so größer ist der ästhetische Genuß. So gesehen, wäre also die kontextuelle Einbindung mit ihrer bewußten Assoziation der örtlichen Gegebenheiten bereits an sich ein ästhetisches Kriterium.

Als letztes sei hier noch auf das Erweiterungsprojekt für die Alte und Neue Pinakothek in München (1912) hingewiesen. Nicht die Wiederherstellung einer vertrauten räumlichen Situation ist hier

75, 76. Theodor Fischer, Cornelianum und Rathauserweiterung, Worms, 1905–13. Fassade zur Hagenstraße und Lageplan.
77. Theodor Fischer, Cornelianum und Rathauserweiterung, Worms. Blick vom Marktplatz.

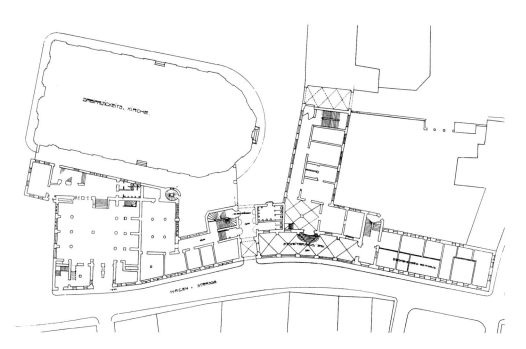

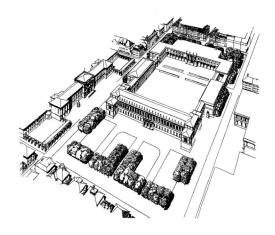

78. Theodor Fischer, Erweiterungsprojekt für die Alte und Neue Pinakothek, München, 1913.

[312] Ebd., S. 75 und 283 ff.

[313] Rudolf Pfister, *Theodor Fischer, Leben und Wirken eines deutschen Baumeisters,* München 1968, S. 25.

[314] M. Guther, Anm. 283, S. 56 ff.; W. Nerdinger 1988, S. 295 ff.

[315] Guastav Theodor Fechner, *Vorschule der Ästhetik,* Leipzig 1871, kurz besprochen in Nerdinger 1988, S. 73 f.

[316] Winfried Nerdinger, »Theodor Fischer – der Lehrer und seine Schüler«, *Baumeister,* 11, 1988, S. 18.

[317] Ebd., S. 18. An dem »Lehrstück« Gmindersdorf arbeitete außerdem auch Heinz Wetzel, siehe M. Guther, Anm. 283, S. 70.

[318] Herman Sörgel, *Einführung in die Architektur-ästhetik. Prolegomena zu einer Theorie der Baukunst,* München 1918, S. 222.

[319] Ebd., S. 282 und 286.

[320] Ebd., S. 286.

[321] Fritz Schumacher, »Das bauliche Gestalten«, in: *Handbuch der Architektur*, Leipzig 1926 (4. Auflage), S. 44 ff.

[322] Fritz Schumacher, *Grundlagen der Baukunst,* München 1919, S. 41.

[323] Auf Betreiben von E. Howard wurde 1904 mit der Errichtung der ersten Gartenstadt in Letchworth begonnen. Barry Parker und Raymond Unwin waren mit den Planungen betraut und entwickelten schon damals den später oft modifizierten Typus des Wohnhofes.

das Thema, sondern ihre völlige Neuinterpretation und Umwandlung, entwickelt jedoch aus dem Geiste und der Haltung der bestehenden Bauten. Die axiale Bezogenheit der beiden Pinakothek-bauten sowie der Ansatz einer Eckbildung bei der Alten Pinakothek regten Fischer zur Verbindung beider Solitäre um einen monumentalen Museumshof an. Versucht die Hoffassade, die heterogenen Bauten möglichst nahtlos zusammenzufügen, so reagiert die stark gegliederte Außenfront auf die örtlichen Gegebenheiten und hilft mit, eindeutige Räume zu artikulieren.

Die Bedeutung Fischers für die kontextuelle Tradition erschöpft sich aber nicht in seinen Planungen. Genauso wichtig ist die Vermittlung seiner Ideen an eine ganze Generation deutscher Architekten während seiner fast dreißigjährigen Lehrtätigkeit. So hat Fischer die »Organiker« wie Erich Mendelsohn, Alois Welzenbacher und vor allem Hugo Häring wesentlich geprägt. Adolf Abel in München und Heinz Wetzel in Stuttgart setzten Fischers Städtebaulehre fort, wobei besonders Wetzel im Geiste seines Lehrers eine detaillierte Methode zur Einfügung städtischer Strukturen ins Gelände entwickelte. Aber auch bei Vertretern des Neuen Bauens läßt sich Fischers Entwerfen aus den Bedingungen des Ortes feststellen, so zum Beispiel bei seinem Schüler Ernst May, dessen Frankfurter Siedlungen sich wohltuend von der oft rigiden Zeilenbauweise anderer Vertreter des Neuen Bauens abheben, weil sie auf die Höhenentwicklung des Geländes abgestimmt sind.[316] Eine ähnliche Haltung läßt sich auch bei Bruno Taut feststellen, der bei Fischer unter anderem an den Planungen für die Universität Jena und die Siedlung Gmindersdorf mitgearbeitet hatte.[317] Besonders aufschlußreich ist in dieser Hinsicht die Berliner Hufeisensiedlung, deren Konfiguration sich aus der Bodenbewegung und den kleinen Weihern erklären läßt.

Fischers kontextuelle Haltung fand schließlich Eingang auch in die Architekturtheorie der Zeit. **Herman Sörgel** bezieht sich in seiner Architekturästhetik ausdrücklich auf Fischers Bemerkung von der »Mimikry« in der Architektur.[318] Und im Abschnitt über den Genius loci spricht er für jene Zeit erstaunlich klare Worte aus, die ohne die Vorarbeit Theodor Fischers kaum denkbar wären: »Der Formcharakter muß der Stimmung des Ortes entsprechen, muß der Eigenart der Örtlichkeit Ausdruck verleihen und sie steigern … Die Formgebung an sich allein spielt also eine ungleich untergeordnetere Rolle als ihre Anpassung an die Umgebung und ihre einheitliche Beseelung aus dem Gesamtstimmungscharakter der Örtlichkeit heraus.«[319] Er geht dann noch weiter und definiert als den ersten und wichtigsten Wertmaßstab der Architektur die Art und Weise, »wie sich das Werk des Einzelnen in die räumliche Gesamtheit des schon Bestehenden im Sinne eines örtlich dimensional beseelten Raumdetails einfügt«.[320]

War Theodor Fischer die prägende Gestalt der kontextuellen Ausrichtung in Süddeutschland, so kann man eine ähnliche Rolle **Fritz Schumacher** in Hamburg zuschreiben. Dank seiner Doppelbegabung kann dies an Hand seiner Planungen und schriftlichen Äußerungen leicht nachgewiesen werden. Als Hamburger Baudirektor hatte er reichlich Gelegenheit, durch herbeigeführte Entscheidungen und eigene Bauten seine dem Ort verpflichtete Haltung unter Beweis zu stellen. In dem seinerzeit sehr verbreiteten *Handbuch der Architektur* begründet er im Abschnitt über das bauliche Gestalten, warum die Architektur nicht losgelöst von der Umgebung, für die sie gebaut wurde, bewertet werden kann, und meint schließlich, »daß es Architektur ohne Auseinandersetzung mit einem Stück Welt und einem Stück Menschenbedürfnis überhaupt nicht gibt, und daß die wirklich gesunde Phantasie sich erst auf diesem fruchtbaren Mutterboden entfalten kann. Ihre beiden Patengeister heißen: Genius temporis und Genius loci.«[321]

Schumacher scheut sich auch nicht, in diesem Zusammenhang von Liebe zu sprechen, aus der Verantwortung erwächst und die letztlich die Grundlage jeder kontextuellen Haltung ist. »Diese Liebe erstreckt sich auf mancherlei. Obenan steht die Liebe zur Natur. Sie offenbart sich nicht nur in der Ehrfurcht vor dem Material, das man behandelt, sondern vor allem in der Ehrfurcht vor dem Stück Welt, in das man sein Werk setzt. Alle Reize muß man diesem Stück Welt abzulauschen suchen und danach trachten, sie zur erhöhten Geltung zu bringen. Man sieht es einem Bauwerk, das in der Landschaft steht, deutlich an, ob es entstanden ist aus Eigenliebe oder aus Naturliebe, aus dem Streben, sich zu verherrlichen, oder dem Streben, ein Stück Schöpfung zu verherrlichen, und das letzte Urteil wird sich nach dieser Unterscheidung richten.«[322]

Ähnlich wie Theodor Fischer in Deutschland wurde auch der Engländer **Raymond Unwin** von Camillo Sittes Ideen zum Städtebau beeinflußt. Aufbauend auf der englischen Tradition der Landschaftsgestaltung und in Zusammenarbeit mit Ebenezer Howard entwickelte er das raumtypologische Vokabular der ersten Gartenstädte, das bis zum Zweiten Weltkrieg aktuell blieb.[323] Ab 1909 konnte Unwin mit seinem Partner in Hampstead die erste Gartenvorstadt verwirklichen. Dabei ging er ausgesprochen sensibel auf das Geländerelief ein, sei es mit der Anlage des Zentrums an einer Hügelkuppe oder bei der Erschließung der beiden Anhöhen von der Finchley Road aus mittels eines geschickt an die Talmulde gelegten Straßenfächers.

Diese kontextuelle Haltung findet auch in seinen theoretischen Äußerungen ihren Niederschlag. In dem ebenfalls 1909 erschienenen Werk *Town Planning in Practice* nennt er die beiden Grundvoraussetzungen des Städtebaus: »Wenn der städtebauliche Entwurf von Erfolg gekrönt sein soll, [muß] er sich in der Hauptsache entwickeln … aus den Bedingungen der Lage und den Erfordernissen der Einwohner".[324] Er gibt detaillierte Anweisungen für die nötigen Bestandsaufnahmen und erläutert ihren Sinn. »Jegliche… Eigentümlichkeiten, welche die Individualität, Volkswirtschaft, Geschichte und das künstlerische Gepräge der Stadt ausmachen, sollten sorgfältigst aufgezeichnet werden mit der Absicht, solche Individualität zu erhalten und zu fördern."[325]

Einer der jüngeren Kollegen, der die Forderung Unwins, »zuerst daran zu denken, wie ihr Haus seinen Platz in dem schon vorhandenen Bilde ausfüllen wird«,[326] wohl beherzigt hatte, war **Louis de Soissons**. Als Planer der zweiten Gartenstadt in **Welwyn** hatte er ab 1919 nicht nur das von Unwin entwickelte städtebauliche Vokabular angewandt, sondern wie dieser auch das formale Potential des Grundstücks in den Entwurf voll eingebracht. Die vorhandenen Wege bestimmten das primäre Wegenetz der Siedlung, in die auch die bestehende Vegetation, zwei Bauernhöfe und mehrere Einzelhäuser voll integriert wurden. Der gerade Verlauf der Eisenbahn regte im östlichen Teil eine straffere geometrische Komposition an, wobei der Bogen der Eisenbahnlinie im Norden in einer halbkreisförmigen Platzanlage verarbeitet wurde.[327] Wie sensibel die vorgefundene Situation berücksichtigt wurde, zeigt exemplarisch der nördliche Bereich des Handside Walk. Hier wurde der geschwungene Verlauf der Wege aufgegriffen, vier vorhandene Gebäude wurden nicht nur integriert, sondern als Anregung zum Bebauungsschema verarbeitet und eine prächtige Kastanie zum Anlaß genommen, um sie herum einen Wohnhof (The Quadringle) anzulegen.

Selbst diese kurze Betrachtung der kontextuellen Tradition in England wäre unvollständig, wenn man nicht das Wirken von **Sir Edwin Lutyens** wenigstens erwähnen würde. Er wirkte auch im Hampstead Garden Suburb als beratender Architekt mit. Neben Grey-Walls sei hier vor allem das 1905 erbaute **Lambay Castle** in Dublin County hervorgehoben. Eine kleine Festung des 16. Jahrhunderts auf einer vorgelagerten Insel war erheblich zu erweitern. Lutyens ordnete die neuen Bauten um unregelmäßige Höfe an und schloß das ganze heterogene Konglomerat mit einer kreisrunden Mauer ein.[328] Das Haus erstreckt sich über Terrassen und geometrisch gestaltete Gartenteile bis zu den Grenzen seines runden Universums. Die Konzentration des Ortes wurde so nicht nur erhalten, sondern erheblich gesteigert. Die kreisrunde Mauer bietet fiktiven Schutz vor der bedrohlichen Natur einer exponierten Landschaft – eine Insel innerhalb der Insel. Die Isolation der Insellage wurde in der sich selbst genügenden Figur des Kreises abgebildet. Hingegen nimmt al-

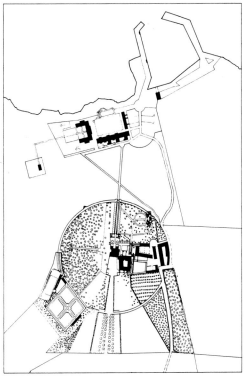

79. Barry Parker und Raymond Unwin, Hampstead Garden Suburb, England, ab 1909.
80. Sir Edwin Lutyens, Lambay Castle, Irland, 1905.

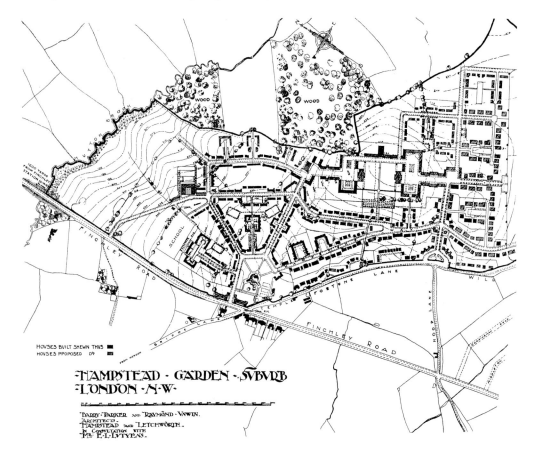

HOVSES BVILT SHEWN THVS
HOVSES PPOPOSED DΟ

HAMPSTEAD · GARDEN · SVBVRB · LONDON · N·W·

BARRY·PARKER AND RAYMOND·VNWIN.
ARCHITECTS.
HAMPSTEAD AND LETCHWORTH.
IN CONSVLTATION WITH
Mr. E·L·LVTYENS·

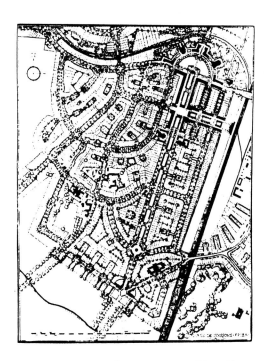

81. Louis de Soissons, Gartenstadt Welwyn, England, ab 1919. The Quadringle und Handside Lane.
82, 83. Louis de Soissons, Gartenstadt Welwyn. Bestand und Planung.

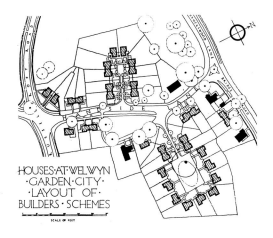

HOUSES·AT·WELWYN·
·GARDEN·CITY·
·LAYOUT·OF·
BUILDERS·SCHEMES

324 Raymond Unwin, *Grundlagen des Städtebaus*, Berlin 1910, S. 181.

325 Ebd., S. 89.

326 Ebd., S. 227.

327 Siehe Philippe Panerai, Jean Castex, Jean-Charles Depaule, *Vom Block zur Zeile, Wandlungen der Stadtstruktur*, Braunschweig 1985, S. 63ff.

328 Juan Antonio Cortes, »The Autonomy of Contour in the Houses by Sir Edwin Lutyens«, *Composición Arquitectónica*, 1, 1988, S. 115ff. Peter Inskip, »Sir Edwin Lutyens: The Gardens«, ebd., S. 129ff.

329 Auch in der klassischen Moderne lassen sich freilich kontextuelle Elemente ausmachen. Siehe weiter unten.

330 Eine von F. L. Wright selber verwendete Bezeichnung. Siehe z. B. Frank Lloyd Wright, *An Organic Architecture*, London 1939.

331 Auf eine provokative Frage nach einem Vortrag in London, wie er wohl in dieser Stadt bauen würde, antwortete Wright eher ausweichend: »...if I build at all I should try to build something at least not outrageous, something which would least insult and mortify my sense of London.« Ebd., S. 16.

les, was innerhalb dieser Grenze geschieht, Bezug zu ihr auf, wird von ihr aus verortet. Obwohl die absolute Kreisfigur völlig neu ist und aus der Geometrie des Ortes vordergründig nicht abgeleitet werden kann, verkörpert sie doch auf ideale Weise die wehrhafte Haltung der Festung, ihre Isolation und den Charakter des Inselortes.

Es gab also Anfang des Jahrhunderts duchaus kontextuelle Tendenzen in der Architektur. Diese sind jedoch weniger bei den Protagonisten der modernen Bewegung zu suchen, deren Anliegen nicht die Kontinuität des Ortes, sondern eher die Formulierung eines zeitgemäßen Architekturprogramms war. Die moderne Architektur stellt zumindest in ihrem theoretischen Ansatz mit der Betonung des isolierten vollplastischen Baukörpers keinen Bruch mit der akontextuellen Tradition der Neuzeit dar, sie ist vielmehr ihr vorläufig letzter Höhepunkt [329]

So ist es naheliegend, eher bei jenen Architekten nach kontextueller Sensibilität Ausschau zu halten, bei denen weder die Verbindlichkeiten eines Formenkanons noch die rationale Optimierung der Funktion zu stark im Vordergrund standen, bei jenen also, für die der individuelle Ort noch ein Wesen war, mit dem man kommunizieren konnte. Mit der üblichen Etikette des »Traditionalismus« oder »Regionalismus« wird man der Fragestellung nach dem Ortsbezug im 20. Jahrhundert nicht gerecht. Kontextuelles Entwerfen setzt immer erst eine individuelle Beziehung zum konkreten Ort voraus, und diese verlangt weitgehende Unabhängigkeit von vorgefaßten Architekturideen.

Im Werk von **Frank Lloyd Wright** lassen sich kontextuelle Elemente innerhalb seiner »organischen Architektur«[330] ausmachen. Diese war von seiner romantischen Naturliebe her bestimmt, die sich nicht nur aus seiner ruralen Herkunft erklärt, sondern auch aus der Lektüre von Henry David Thoreau. Von hier aus ist auch seine Ablehnung der Stadt und des Urbanen schlechthin verständlich. So finden wir bei Wright Bezüge eher zur Natur im allgemeinen, zur generellen Idee des organischen Wachstums oder zur Landschaft beziehungsweise zum Landschaftstyp, seltener jedoch zu der individuellen Morphologie eines konkreten Ortes. Daß ihm dagegen eine kontextuelle Haltung zu einer urbanen Umgebung eher fremd war, zeigt zum Beispiel sein Guggenheim Museum in New York. [331]

So beantworten seine Prairie Houses durch die Vorherrschaft der Horizontalen das wesentlichste Element der flachen Landschaft des Mittleren Westens. Indem sie die horizontale Schichtung des Erdbodens gleichsam fortsetzten, scheinen die Häuser aus der Erde herauszuwachsen. Die Verwendung lokaler Materialien, eine der Natur »abgeschaute« Unregelmäßigkeit im Grundriß sowie die Einordnung in die bestehende Vegetation sind weitere bestimmende Merkmale eines sehr weit gefaßten Natur-Kontextualismus bei F. L. Wright.

Den engsten Bezug zur Morphologie eines konkreten Naturortes realisierte F. L. Wright mit seinem berühmten **Haus Fallingwater** (1935–37) für E. Kaufmann. Sehr offensichtlich übernahm er hier mit den auskragenden weißen Stahlbetonterrassen die Struktur der Felsbänder des unterhalb des Hauses fließenden Bear Run. Alle Wandteile hingegen sind im dunkleren Naturstein ausgeführt und so mit ihrer Farbigkeit, der rauhen Textur und ihrer Vertikalität eindeutig den Bäumen als

84. Frank Lloyd Wright, Kaufmann House (»Fallingwater«), bei Mill Run, Pennsylvania, 1935–39.

dem zweiten wesentlichen Merkmal des Ortes zugeordnet. Darüber hinaus ist das Haus um die Bäume herum und in den felsigen Hang so hineingebaut, daß es aus dem Gelände herauszuwachsen scheint, ungeachtet einer strikt orthogonalen Geometrie und der kristallin harten Linien der Terrassen. Zwischen diesen schwebenden Scheiben scheint die Natur ungehindert durchzugehen. Auch auf der symbolischen Ebene setzt die Architektur die Kontinuität des Ortes fort: Die Terrassenscheiben greifen die Schichtung des Bodens auf, die vertikalen Elemente sind, wie die Bäume, fest in den Untergrund verwurzelt und verdeutlichen das organische Wachstum der Natur. Und schließlich kann auch der freie Raumfluß zwischen den horizontalen Scheiben als Reinterpretation des fließenden Wassers unterhalb des Hauses gedeutet weren. [332] Das Haus Fallingwater ist ein Musterbeispiel für die kontextuelle Integration einer in jeder Hinsicht selbstbewußten Architektur in einen natürlichen Ort.

Einer der meistzitierten Kontextualisten des 20. Jahrhunderts ist **Erik Gunnar Asplund**. Für Kenneth Frampton liegt die augenblickliche Bedeutung seines Werkes »in der Fähigkeit, den Kontext, in dem es sich befindet, direkt zu reflektieren, das heißt in seiner Kapazität, aus den unmittelbaren Bedingungen der Umgebung einen Ort zu schaffen.« [333]. Als Paradestück wird dabei vor allem der nicht realisierte Wettbewerbsentwurf für die **Königliche Kanzlei** in Stockholm zitiert, [334] den Asplund zusammen mit Ture Ryberg 1922 einreichte.

Im Baumassenplan ist der neue Gebäudekomplex trotz seiner Größe und Komplexität kaum auszumachen, so gründlich ist er in die bestehende Raumstruktur integriert. Asplund greift nicht nur die länglichen Blockzuschnitte mit ihren schmalen Passagen auf, sondern führt diese auch bis zur Hauptstraße fort. Hier knickt er die Zeilen, um mit der ersten die Geometrie eines bestehenden Palastes aufzunehmen. Die anderen drei neigt er wieder zunehmend, um am Kopfbau mit dem Portikus die städtebaulich gewünschte Richtung zu erhalten. Auch im Detail beantwortet er die vorgefundene Situation, zum Beispiel wenn er die bestehenden Kopfbauten behutsam ergänzt, weiterführt und am anderen Ende neu interpretiert – sie eigentlich zum Thema des ganzen Entwurfs macht, oder wenn er mit einem dieser Kopfbauten am Wasser exakte Bezüge zu dem Raum vor dem palais beziehungsweise dem dahinter anschließenden Garten sucht, oder wenn er den Portikus genau auf den Eingang des Königspalastes richtet.

Asplund reagiert aber keineswegs nur passiv auf die Zwänge der räumlichen Situation. Den aus dem Kontext entwickelten Gedanken des L-förmigen Bauteils (Kopf und Schwanz) vervollkommnet er zum Typus, mit dem er die gesamte Bauaufgabe meistert. Aus dem Eingehen auf das Bestehende entwickelt er seine Entwurfsstrategien. »Als Empiriker reagiert er auf den Ort und ist gleichzeitig als Idealist mit normativen Bedingungen beschäftigt. Im selben Werk reagiert er, gleicht aus, überträgt – und alles zugleich – und macht geltend, passive Antenne und aktiver Reflektor zu sein.« [335]

In einer seiner berühmten dialektischen Gegenüberstellungen vergleicht Colin Rowe Le Corbusiers Plan Voisin von 1925 mit Asplunds Königlicher Kanzlei. »Das eine ist eine Aussage über historische Notwendigkeit, das andere über historische Kontinuität; das eine ist Verherrlichung des

[332] Siehe z. B. Maria Teresa Muñoz, »The House on Nature, Villa Malaparte and Kaufmann House«, *Arquitectura*, 269, 11–12, 1987, S. 20-31.

[333] Aus dem Vorwort von Kenneth Frampton zu Stuart Wrede, *The Architecture of Erik Gunnar Asplund*, Cambridge, Mass., 1983 (1980).

[334] Im Urban Design Studio an der Cornell University analysiert, diente die Königliche Kanzlei Colin Rowe und seinen Schülern als Beispiel kontextueller Architektur im 20. Jahrhundert.

[335] Colin Rowe, Fred Koetter, *Collage City,* Basel 1984, S. 104f.

[336] Ebd., S. 101ff.

[337] Verner von Heidenstam hielt bei der Einweihung der Stockholmer Stadthalle von Östberg die Eröffnungsrede und Östberg war Asplunds Lehrer an der Klara-Schule. Siehe hierzu S. Wrede 1983, S. 23f.

[338] »In Schweden wurde der romantische Klassizismus, der weit von Sachlichkeit und normativem Denken entfernt war, durch die Tendenz zur Verformung des Grundrisses und eine Vorliebe für lokale Anspielung verwässert, wie sie sich in den schiefwinkligen Plänen und der Ikonographie von Östbergs nationalromantischen Arbeiten manifestiert hatten. Es handelt sich hier um eine zurückhaltende, synthetische Ausdrucksform, die sich stets auf die Topographie und den Genius loci bezog.« Kenneth Frampton, *Die Architektur der Moderne. Eine kritische Baugeschichte*, Stuttgart 1987 (London 1980), S. 168.

[339] Ebd., S. 26.

[340] Essey von Hakon Ahlberg in: *Gunnar Asplund – Architect*, Stockholm 1950, S. 10.

[341] Ebd., S. 36.

[342] Ebd., S. 18.

Allgemeinen, das andere des Besonderen.«[336] Einmal wird der Ort als Hintergrund für eine programmatische Idee mißbraucht, das andere Mal wird der Beziehung zwischen Gebäude und Ort selbst der Gebäudetypus untergeordnet.

Die Frage nach den Quellen dieses ungewöhnlichen Kontextualismus bei Asplund ist gerechtfertigt. In den neunziger Jahren des vorigen Jahrhunderts entstand im Zuge der schwedischen Version der Nationalromantik eine neue Sensibilität im Bezug auf die heimische Landschaft, die zunächst in der Landschaftsmalerei und der Literatur Ausdruck fand. Es waren vor allem die Schriften Verner von Heidenstams, die später auch die Architekten zu größerer Empfindlichkeit gegenüber dem besonderen Ort geführt haben. Die Verbindung Heidenstams zu Ragnar Östberg ist bekannt, und beide übten ihren Einfluß auf den jungen Asplund aus.[337] So hat Östberg mit dem Grundplan zu seiner Stockholmer Stadthalle (endgültiger Plan 1913, fertiggestellt 1923) eine Reaktion auf die Geometrien der Umgebung vorgeführt, die in ihrer Subtilität als Vorbild für Asplunds Vorschlag der Königlichen Kanzlei dienen könnte.[338] Daß die Beziehung der Architektur zu ihrem räumlichen Kontext für Asplund bereits früh ein wesentliches Thema war, belegen außerdem die Tagebucheintragungen von seiner Italienreise, die ein starkes Interesse an der Beziehung des Gebäudes zur Landschaft erkennen lassen.[339]

Asplunds kontextuelle Sensibilität liegt aber letztlich in seiner Persönlichkeit begründet. Seine Freiheit für eine selbstgewählte und selbstgesteuerte Bindung an den Ort ist das Resultat seiner Unabhängigkeit von irgendwelchen Programmen, vom Zwang zum Neuen, von Modeerscheinungen. Hakon Ahlberg, ein Freund und intimer Kenner seines Werkes, bescheinigt ihm, daß er »kein Mann des Programmes, keiner, der neuen Grund erschloß, kein Schöpfer von Neuem ...«[340] war. Asplund ist ein Individualist, der nicht das Allgemeingültige, das Universelle sucht, sondern das Besondere achtet und allem einen individuellen Ausdruck verleiht. Er »reagiert gegen die Uniformität der Zeit und die Unterdrückung des Individuellen. Er kämpft für das Persönliche, das Menschliche, für das Verfeinerte und das Subtile«.[341] Ganz folgerichtig treten auch kontextuelle Elemente in seinem Schaffen in den Hintergrund, als er sich in den frühen dreißiger Jahren dem Internationalen Stil anschließt und die Beschäftigung mit der neuen Form die Oberhand gewinnt.

Die kontextuelle Haltung kann also bei Asplund nicht auf die Königliche Kanzlei beschränkt sein (obwohl sie dort in einer selten reinen Form erscheint), man wird sie auch bei anderen Projekten erwarten dürfen. So hatte er bereits 1913 den Wettbewerb für eine Schule in Hedemora gewonnen, der schließlich aber nicht zur Ausführung kam, weil der Vorschlag den Stadtvätern »zu wenig monumental war. Asplund hatte nämlich seinen Entwurf in Harmonie mit dem Maßstab des pittoresken Ortes entwickelt und sogar einige bestehende Gebäude als Werkstätten integriert«.[342]

85, 86. Erik Gunnar Asplund, Projekt für die Königliche Kanzlei, Stockholm, 1922. Baumassenplan und Grundriß des 1. Obergeschosses.

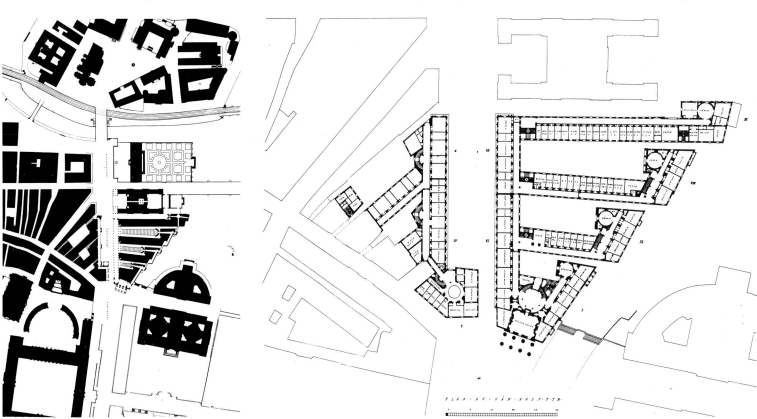

Der zusammen mit Sigurd Leverentz eingereichte Wettbewerbsbeitrag für den **Waldfriedhof** im Süden Stockholms (1915) wurde deswegen prämiiert, weil er wie kein anderer die Stimmung der nordischen Waldlandschaft architektonisch umzusetzen wußte. Trotz vieler Konzeptveränderungen im Laufe des Vierteljahrhunderts seiner Realisierung wurde dieser Wesenszug des ursprünglichen Vorschlags erhalten.[343] Insbesondere die berühmte Waldkapelle (1918–20) ist ganz und gar aus dem Waldort heraus entwickelt (eigentlich wurde der »Ort« erst mit der weißverputzten Mauer aus dem Wald herausgeschnitten). Die Kapelle selber thematisiert mit dem großen dunklen pyramidalen Dach und den hellen Stützen die Kronen und Stämme des Waldes. Der halb in der Erde versunkene, grasüberwachsene Aufbewahrungsraum ist – abgesehen von der sonstigen Symbolik – ganz aus dem bewegten Waldboden entwickelt.

Selbst bei dem von der Formensprache der Revolutionsarchitektur geprägten Gerichtsgebäude in Sölvesborg (1917–21) läßt sich zumindest ein architektonischer Bezug zum Ort feststellen: Das Gebäude ist über eine baumumstandene Straße axial auf den Haupteingang des Bahnhofs bezogen, dessen Bogenform es in seinem eigenen Eingang wiederholt. Auch der nicht ausgeführte klassizistische Wettbwerbsvorschlag für den schwedischen Pavillon auf der Pariser Ausstellung der dekorativen Künste (1924) ist in eine Baumallee so eingebunden, daß sein Hauptteil – ein von korinthischen Säulen flankierter Korridor – auf die Seine Bezug nimmt. Asplund hat seinen Beitrag auch selbst mit »Vers la Seine« betitelt. Ob er damit auf Le Corbusiers 1923 erschienenes Zukunftsmanifest *Vers une architecture* eine auf das konkrete Hier und Jetzt bezogene Antwort geben wollte, bleibt eine Spekulation.[344]

Die kontextuelle Dimension der Stockholmer **Stadtbibliothek,** dem aus reinen stereometrischen Körpern gefügten Hauptwerk Asplunds, ist komplexer und auf den ersten Blick nicht ersichtlich. Problematisch ist bereits die Lage an der Ecke eines Baublocks, in dessen Mitte sich ein steiler Hügel mit der Sternwarte befindet. Trotz vieler Planungsvarianten haben sich bald einige Bezüge zu dieser Umgebung als Fixpunkte herauskristallisert.[345] So liegt die Bibliothek abseits der Ecke mit ihrem Bücherzylinder genau auf der Achse der Sternwarte, mit der sie außerdem durch ihre leichte Herausdrehung aus der Geometrie des Karrees und – wenn man so will – auch durch ihre kosmischen Bezüge (die Vertikalität des Zylinders) verwandt ist. Zur »irdischen« Umgebung hingegen vermittelt das Quadrat des äußeren Mantels, das die Höhe der Straßenrandbebauung aufgreift, und die erdgeschossige Basis der Bibliothek, welche die Blockecke an der wichtigen Straßenkreuzung im Fußgängerniveau definiert.

Auch in Finnland bewirkte die dort besonders intensive Phase der Nationalromantik eine Sensibilisierung gegenüber der Umwelt. Einer ihrer Hauptvertreter, **Eliel Saarinen**, wurde darüber hinaus auch von Camillo Sitte stark geprägt. An Hand seiner städtebaulichen Arbeiten entwickelte er nach und nach eine Theorie der organischen Dezentralisation der Stadt. Die daraus resultierenden

[343] Stuart Wrede, »Landscape and Architecture. The Work of Erik Gunnar Asplund«, *Perspecta*, 20, 1983.

[344] Ebd.

[345] Ebd.

[346] Siehe den Beitrag von Kirmo Mikkola, »Eliel Saarinen and Town Planning«, in: Marika Hausen und weitere, *Eliel Saarinen, Projects 1896–1923*, Hamburg 1990, S. 187-220. Für eine theoretische Begründung der organischen Dezentralisation siehe Eliel Saarinen, *The City: Its Growth, Its Decay, Its Future*, New York 1943.

[347] Carolyn Senft, »The Contextualism of E. Saarinen«, *Précis*, IV, 1983, S. 36.

[348] E. Saarinen 1943, S. 57.

[349] Vgl. die zwei antagonistischen Entwicklungslinien der Moderne, die Demetri Porphyrios bis in die Aufklärung zurückverfolgt. D. Porphyrios, *Sources of Modern Eclecticism, Studies on Alvar Aalto*, London 1982. Siehe auch die Neubegründung der kontextuellen Tradition in der Naturbewegung der Aufklärung (weiter oben).

[350] *Alvar Aalto, Skizzen und Essays*, Ausstellungskatalog, Wien 1985, S. 58.

[351] Vgl. Tomáš Valena, »Plečniks Gärten am Hradschin in Prag«, *Bauwelt*, 39, 1986, S. 1493.

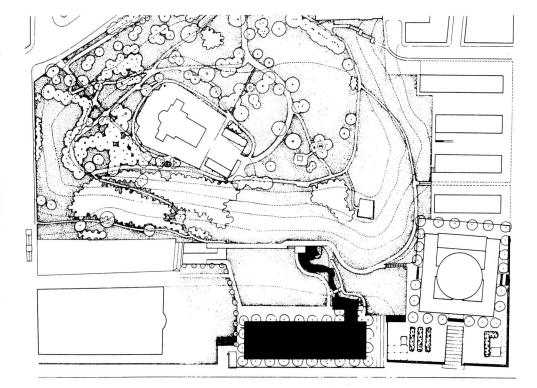

87. Erik Gunnar Asplund, Stadtbibliothek, Stockholm, 1926. Lageplan.

kleineren Siedlungseinheiten erlaubten es ihm, präziser auf die Gegebenheiten des Geländes einzugehen, was besonders bei der stark zergliederten finnischen Seenplatte auch von praktischem Nutzen war.[346] Dieses Prinzip kann man in seinen Grundzügen bereits bei dem Bebauungsplan für Tallin von 1913 beobachten. Vollendet tritt es uns in dem Bebauungsplan für Groß-Helsinki von 1918 entgegen. Dieser und auch der etwas ältere Munkkiniemi-Haaga-Plan zeigen eine große Affinität zu den topographischen Gegebenheiten, sei es in der Anlage von Straßen nach den Konturen des Geländes oder in der Akzentuierung der Erhebungen, wie bei dem als »Stadtkrone« ausgebildeten Projekt Laajalahdenlinna.

So ist es durchaus begründet, wenn Saarinen aufgrund seines Werkes als Kontextualist bezeichnet wird[347], wobei dies weniger in den geometrischen Bezügen der Bauten zum physischen Kontext deutlich wird, sondern sich vielmehr in der Einfühlung in den Charakter des Ortes und in der Verarbeitung seiner oft unscheinbaren Inhomogenitäten zeigt. Diese Bezogenheit der Architektur ist bei Saarinen aber keineswegs eine nach rückwärts gerichtete Bindung, sondern eine in der Realität begründete Haltung, die Raum schafft für die Herausforderungen der Zeit. »Jedes neue Gebäude muß die Anforderungen des heutigen Lebens zum Ausdruck bringen und gleichzeitig auf seine Umgebung bezogen sein. Stil ist dabei nicht das wesentliche Element.«[348]

Auch der große Protagonist der modernen Bewegung in seiner »organischen« Variante, Saarinens jüngerer Landsmann **Alvar Aalto**, ist der naturalistischen, empirisch-individualistischen Tradtion der Moderne zuzuordnen.[349] In seinem Werk ist überall das Interesse an der naturbedingten Form, aber auch konkret an den Gegebenheiten des Baugeländes zu spüren. Die sogenannte organische oder freie Form ist aber bei Aalto eher als Analogie zu topographischen Zufälligkeiten und anderen Unregelmäßigkeiten des Ortes und der Landschaft, denn als direkte strukturelle Korrespondenz zu verstehen, eher eine Anregung beim Entwerfen als ein Korrespondieren mit dem Bestehenden. Vielleicht hatte Aalto ähnliches im Sinn, als er niederschrieb: »Große Ideen entstehen aus den kleinen Einzelheiten des Lebens, sie wachsen aus dem Boden.«[350]

Eine Fülle ortsbezogenen Bauens, vor allem kleiner kontextueller Akkommodationen in städtischen Räumen, bietet das Werk **Jože Plečniks**. Keinem Architekturprogramm und keiner Architekturströmung verpflichtet, entwickelte er sein höchst individuelles Formenvokabular (teilweise) aus der direkten Anlehnung an die klassische Antike. Die Freiheit, die man bei seinem Umgang mit den Formen beobachten kann, resultiert aus der kompromißlosen Individualität der Behandlung jeder Aufgabe, jeder Situation und jedes Ortes. Das sensible Lauschen und Hineinschauen in das Wesen des Ortes ist eine der entscheidenden Quellen seiner Architektur.[351]

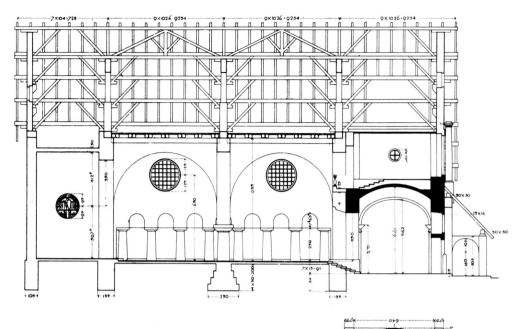

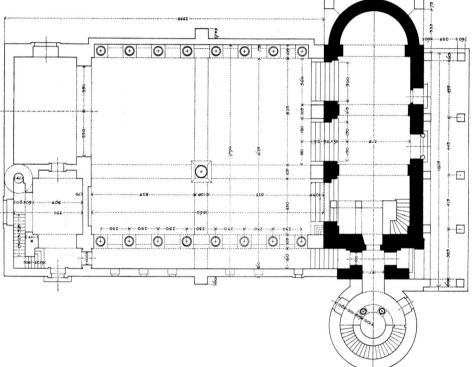

352 Die Liste von Kirchenerweiterungen und Anbauten Plečniks ist lang: Trsat, Rijeka, Erweiterung der Wallfahrtskirche, Projekt 1909. St. Magdalena in Maribor, vier Erweiterungsvarianten, Projekt mit F. Tomažič. Christi Himmelfahrt in Bogojina, Erweiterung 1925–27. Sv. Florijan, Ljubljana, äußere Umgestaltung 1932–33. Sv. Jernej, Ljubljana, äußere Umgestaltung 1938. Sv. Krištof, Ljubljana, Erweiterung 1932–34. Marija Bistrica, Projekt einer Kirchenerweiterung 1945. Grahovo ob Bači, Erweiterungsprojekt 1950. Sv. Marija in Brezje, Erweiterungsprojekt 1951. Ponikve, Erweiterung 1951. Škofja Loka, Choranbau an einer gotischen Kirche, Projekt 1952. Šmartno v Tuhinju, Erweiterung der zerstörten Kirche, Projekt 1952 usw.
353 Bernard Rudofsky, *The Unfashionable Human Body*, Garden City, New York 1974.
354 Es ist bekannt, daß Plečnik von den Architekturtheorien Gottfried Sempers, so auch von seiner Bekleidungstheorie, beeinflußt wurde. Vgl. Damjan Prelovšek, »Semper und Plečnik«, in: *Nationale und übernationale Kunstströmungen in der Habsburger Monarchie*, Salzburg 1989; Gottfried Semper, *Der Stil*, Frankfurt/M. 1860, Bd. I.
355 Marjan Zadnikar, »Romanika v Plečnikovi Bogojini«, *Sinteza*, 69–72, 1986, S. 134; Alberto Ferlenga, »The church of Bogojina – In the manner of Plečnik«, *Lotus international*, 65, 1990, S. 91–103.
356 Zu der Proportionierung der Kirche siehe auch Tine Kurent, »Red in simbolizem v merah Plečnikove Bogojine«, *Sinteza*, 65–68, 1984.

89–91. Jože Plečnik, Kirche in Bogojina, Slowenien, 1924–27.

Bei der Durchsicht des sehr umfangreichen und vielschichtigen Werkes Plečniks lassen sich einige kontextuelle Themen immer wieder feststellen, wobei in der Regel mehrere (auf verschiedenen Ebenen des Projektes) gleichzeitig vorkommen. Eine elementar kontextuelle Haltung zeigt sich bereits in der Entscheidung, Bestehendes zu erhalten und baulich einzubinden, anstatt es abzureißen. Diese Haltung zieht sich wie ein roter Faden durch alle sakralen Bauten und Projekte Plečniks.[352] Immer wenn eine Kirche, sei es, daß sie zu klein oder baufällig geworden ist, bereits aufgegeben wurde, hat Plečnik versucht, sie zu erhalten, indem er sie durch direktes Anbauen vergrößerte oder bestehende Teile in den Neubau integrierte. In jedem Fall beharrte er auf dem, durch die Jahrhunderte während Kontinuität des Gebets, geheiligten Ort.

Das Verhüllen beziehungsweise Bekleiden zähle ich in diesem Zusammenhang zu den kontextuellen Handlungen in der Architektur. Ein Kleid gibt die Konturen zwar unscharf und vereinfacht wieder, aber in einer logischen Korrelation zum Körper, die durch das Bekleidungsmaterial und seine Verarbeitungsweise vorgegeben ist. Je nach der Mode kann dabei mehr oder weniger auf

92. Jože Plečnik, Tromostovje, Ljubljana, 1929–32. Lageplan mit Sichtbeziehungen.

die Anatomie des Körpers eingegangen werden. [353] In jedem Fall nimmt aber die Bekleidung oder Umhüllung Bezug auf das zu Bekleidende. Das Einpacken eines vorhandenen Baus mit neuen Raumschichten ist bei den oben erwähnten Kirchenerweiterungen Plečniks recht häufig. Das wird beispielsweise bei der kleinen Kirche in Bogojina oder bei dem Umbau der gotischen Kirche Sv. Jernej in Ljubljana deutlich. [354]

Das Aufgreifen von Architekturelementen und Motiven der Umgebung ist ein weiteres Mittel des kontextuellen Entwurfs bei Plečnik. Er verwendet es oft, um im Vordergrund auf Entferntes hinzuweisen, wie beispielsweise mit der Zois-Pyramide auf den Turmhelm der St. Jakobskirche in Ljubljana oder im Wallgarten auf der Prager Burg, wo eine schlanke Pyramide zwischen den vielen Turmspitzen der Stadt und dem Südturm der St. Veitskathedrale vermittelt. Eine völlig andere Absicht verfolgte die Verdreifachung der alten Franziskanerbrücke in Ljubljana. Auch hier aber handelt es sich um ein schöpferisches Verarbeiten des Bestehenden.

Das Thema der Sicht- und Achsbezüge, ganz allgemein der Einbindung in das unsichtbare geometrische Netz des Ortes, ist eines der wesentlichen Mittel einer Architektur der Beziehung. Obwohl bei Plečnik der direkte Nachweis solcher Bezüge durch erhaltene Zeichnungen in den meisten Fällen nicht möglich ist, sind einige der Bezugslinien so offensichtlich und vor Ort auch sinnvoll, daß sie zweifelsfrei beabsichtigt waren. So in der Geometrie des Tromostovje (Dreibrücken) oder in dem Bezug der Mariensäule zu der St. Jakobskirche in Ljubljana. Es lohnt sich, einige der erwähnten Schlüsselprojekte auf ihren kontextuellen Gehalt hin näher zu untersuchen.

Die **Kirche in Bogojina**, 1924–27, war Plečniks erster Kirchenbau in der Heimat nach seiner Rückkehr aus Prag. Die alte, in ihrem Kern noch romanische Dorfkirche war zu klein geworden und sollte abgerissen werden. Es war Plečniks Vorschlag, sie zu erhalten und als Narthex in den quergestellten Neubau zu integrieren. [355] So ist nun die Kirche auf dem Hügel mit ihrer Längsachse auf den Zugangsweg gerichtet. Die alte Kirche ist von allen Seiten mit Raumschichten des Neubaus umhüllt: im Westen vom Turm, im Norden vom neuen Kirchenraum, im Süden wurde eine offene Vorhalle vorgeschaltet, und sogar über dem Tonnengewölbe wurde eine Empore angeordnet. Nur im Osten ist die alte Apsis noch erkennbar. Der allerheiligste Ort wird respektiert und kann sich auch in dem neuen, komplexen Baukörper behaupten.

Das Eingehüllte ist aber als Innenraum voll wirksam. Mit seinen das Tonnengewölbe strukturierenden Gurtbögen strahlt es auch in den neuen Kirchenraum aus. Nicht nur, daß der Rhythmus der Joche in den Neubau übertragen wurde, [356] auch das Bogenmotiv hat Plečnik gleichsam als Hauptthema seiner Kirche verarbeitet: Eine mächtige Mittelsäule stützt vier Bögen ab, die wieder-

93. Jože Plečnik, Tromostovje, Ljubljana.

um eine flache Holzdecke tragen. Hier nahm Plečnik noch einmal Bezug auf den Ort und seine Menschen: Er dekorierte die Decke mit buntbemalten lokalen Keramiktellern.

Das **Tromostovje** in Ljubljana (1929–32) ist ein weiterer genialer Einfall ortsgebundenen Bauens bei Plečnik. Die alte Franziskanerbrücke konnte den Verkehr nicht mehr fassen und sollte durch eine neue ersetzt werden. Plečnik schlug dagegen beidseitig der Brücke zwei Fußgängerstege vor, die sich in dem Flußknie fächerartig wegneigen und so die Biegung räumlich verdeutlichen. Hier liegt die kritischste Stelle der gesamten Stadtstruktur von Ljubljana. Das orthogonale Raster des linken Ufers tritt mit zwei senkrecht aufeinanderstehenden Straßen an die durch den weichen Flußlauf bestimmte Raumstruktur der Altstadt, die hier mit ihrer einzigen Querstraße die Brücke trifft. Es ist diese dynamische Trichterform, der Plečnik mit den drei Brücken einen adäquaten Ausdruck verleiht.

Die neuen Brücken und die Zwischenräume sind darüber hinaus mit ihren Mittelachsen in das Koordinatennetz der Umgebung eingebunden. Seine Fixpunkte sind der Eingang zur Franziskanerkirche, der Rathausturm in der Altstadt, der dreiseitige Obelisk des Brunnens von Francesco Robba sowie das Prešeren Denkmal.

Das Tromostovje bildet mit seiner einheitlichen Gestaltung der Balustraden und der Leuchten einen dichten Platzraum über dem Wasser, der nahtlos in den unregelmäßig zugeschnittenen Marienplatz übergeht. Um den Brückenplatz als Teileinheit des großen Raumes noch zusätzlich zu artikulieren und auf das tieffließende Wasser hinzuweisen, hat Plečnik in den Zwischenräumen Pappeln so angeordnet, daß sie von tief unten emporwachsen, das heißt dem Fußgänger bereits ihre Kronen zeigen und damit nach unten zum Wasser weisen. Außerdem markieren sie im Gesamtplatz den Flußlauf.

Bald nach der Umgestaltung des St. Jakobsplatzes in Ljubljana bekam Plečnik die Gelegenheit, auch die Umgebung der unmittelbar anschließenden **St. Florianskirche** zu gestalten (1932–33). Vom Oberen Markt zweigt hier die steile Straße zur Burg ab. Unregelmäßig ragen Häuser in ihren geschwungenen Verlauf hinein und bilden mehrere Raumnischen. Aus dieser heterogenen Situation abstrahierte Plečnik eine S-förmige Kurve mit abstrahlenden Rippen, die er im Boden markierte. Die Querrippen wirken wie Leitersprossen, auf denen man in die Höhe steigt. Der ohnehin dynamische Raum wird durch die Bodenkurve schwungvoll kanalisiert.

Vorgefundene Elemente der Straßenraumbegrenzung hat Plečnik aufgegriffen und zum Thema seiner Gestaltung gemacht. Nach dem Vorbild eines bestehenden Baumes bei der Kirche hat er drei weitere Raumnischen mit Bäumen besetzt. Zwei Außentreppen hat er vorgefunden und zwei weitere dazugebaut, um die Treppentypologie zu vervollständigen. Auch die bereits vorhandenen Poller nahm er zum Anlaß, an der neuen Treppenalage zur Kirche weitere einzufügen.

Auch Plečniks Umgang mit der barocken Kirche ist frei von jeder denkmalpflegerischen Doktrin, und dennoch steigert er ihre Wirkung. Den Haupteingang verlegte er aus der engen Hauptstraße zu der geräumigen Ecke an der Straßenkreuzung, wo er die Außentreppe mit Pollern frei entfalten, und damit auch ein gewisses Gegengewicht zur düsteren Baumasse des Pfarrhauses von Max Fabiani setzen konnte. Die monumentale Wirkung dieser Freitreppe ersetzt zum Teil die fehlende Baumasse an dieser neuralgischen Ecke. Außerdem hat Plečnik einen verwahrlosten Brunnen an der Kirchenfassade wieder reaktiviert und in das aufgegebene Eingangsportal eine im Kircheninneren unscheinbar aufgestellte Statue des Heiligen Nepomuk zur vollen Wirkung gebracht.

357 Für eine detaillierte Analyse der Gärten siehe Tomáš Valena 1986, Anm. 351.

94. Jože Plečnik, Umgestaltung des St. Jakobsplatzes und der Umgebung der Florianskirche, Ljubljana, 1932/33.
95. Jože Plečnik, Freitreppe vor der St. Florianskirche, Ljubljana, 1932/33.

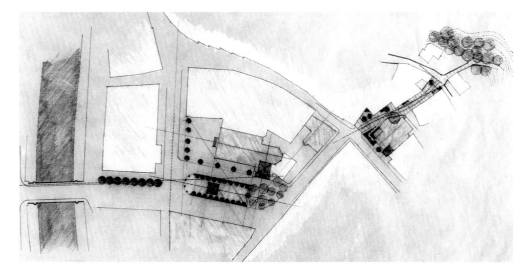

Am reinsten aber konnte Plečnik seine kontextuelle Architekturhaltung bei der Planung der **Prager Burggärten** (1921–30) verwirklichen. Frei von allzu einengenden Funktionsanforderungen konnte er sich auf ein inniges Zwiegespräch mit dem grünen Genius loci der Prager Burg einlassen. Besonders aufschlußreich sind in dieser Hinsicht die beiden südlichen Burggärten, der Paradies- und der Wallgarten (1921–24). Aus der Fülle verschiedenster Ortsbezüge seien hier einige wenige herausgegriffen. [357]

Den Garten betritt man am oberen Ende der neuen Schloßstiege über ein kleines Podest, das sich wie selbstverständlich aus der alten Ziegelstützwand herausdreht. Hier setzt Plečnik mit einem fremdartigen, durch eine Mittelstütze verstellten Eingangstor sein erstes persönliches Zeichen. Im Vordergrund aber greift er mit dem einheimischen Sandstein der barockartigen Baluster die Materialien der unmittelbaren Umgebung auf sowie die barocken Formen, die in der Fernsicht zur Kleinseite dominieren. Dieses Eingangspodest vor der Mauer ist gleichzeitig auch schon das erste einer langen Reihe von gestalteten »Miradors« – genau vorgegebenen Aussichtspunkten, die Plečnik wie Perlen an der Ziegelmauer des Gartens auffädelt und mit deren Hilfe er den Garten mit der Stadt verbindet.

Unmittelbar hinter dem Eingangstor stürzt in drei Läufen und in voller Breite des Raumes eine monumentale Treppenanlage in den Paradiesgarten hinab. Beim Verlassen des Gartens an dieser Stelle erfährt man sie als eine grandiose Steigerung der Gartenraumsequenz vor dem Erreichen des Ziels. Man wird hier an das Motiv der klassischen Zugänge zum Hradschin, an die Alte und Neue Schloßstiege, erinnert. Gleichzeitig bewahrt der Garten mit dieser Treppe und ihren Podesten die Erinnerung an seinen ursprünglich terrassierten Zustand. Der unmittelbare Anlaß war aber der Rest einer alten Treppenanlage, die 1919 im oberen Teil des Paradiesgartens aufgedeckt wurde und in die Neuplanung einbezogen werden sollte.

Als logischen Schlußpunkt der Aufwärtsbewegung des Gartens hat Plečnik im oberen Bereich der Treppe von Anfang an einen Obelisken vorgesehen, der jedoch nicht zur Ausführung kam. Mit der zweiten Variante des Obelisken versuchte er, sich bewußt der Pacassi-Südfront der Burg anzugleichen. Er griff nicht nur die Höhe des ersten Gesimses und die weite Ausladung des zweiten auf, sondern übernahm auch das Pilastermotiv der Burgfassade.

96, 97. Jože Plečnik, südliche Burggärten am Hradschin, Prag, 1921–24. Legende: 1–6 Paradiesgarten, 7–11 Wallgarten. 1 monumentale Treppenanlage, 2 geplanter Obelisk, 3 Kellerabgang, 4 Rasenfläche mit Granitschale, 5 Ausgang aus der Präsidentenwohnung, 6 abgesenkter Gang zur Mathias-Altane, 7 kleines Parterre mit barockem Springbrunnen, 8 kleiner Aussichtspavillon, 9 halbrunde Aussichtsterrasse mit Pyramide und Treppenabgängen zu den unteren Gärten, 10 Slavata-Denkmal, 11 Mährische Bastei mit Steinnadel und Granittisch.

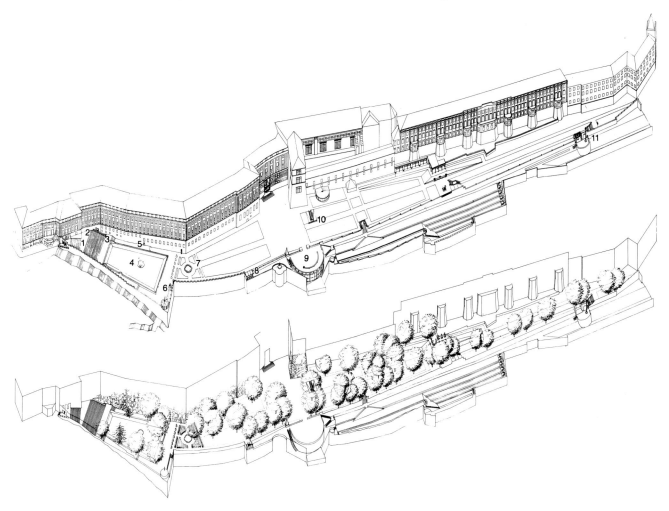

Im Kontrast zu dieser, ganz Stein gewordenen, aufwärtsstrebenden Gartenpartie folgt nun eine große, steingefaßte Rasenfläche. Eine riesige Granitschale, auf zwei Blöcken schwebend aufgestellt, liegt inmitten des abgesenkten Rasens wie ein Kind im Mutterleib geborgen. Drei Erinnerungen an den Ort mag Plečnik in diesem Motiv der Schale verarbeitet haben. Zum einen gab es hier im 16. Jahrhundert das Bad Ferdinands, zum anderen aber war ein flaches barockes Wasserbecken vorhanden, das er an eine andere Stelle des Gartens versetzt hatte, und schließlich mag auch der alte Name »Paradiesgarten« das Bild des kreuzgeteilten Klostergartens mit einem Brunnen im Zentrum nahegelegt haben.

Weiter unten, im zentralen Bereich des Wallgartens, verarbeitet eine halbrunde Aussichtsterrasse auch formal das Motiv der 1849 an dieser Stelle gegen die Bürger erbauten Bastion. Einer Einbuchtung im Fassadenverlauf der Burg entsprechend unterbricht hier eine breite Kiesfläche das gleichbleibende Schema der Bodengestaltung. An dieser Stelle, wo ein alter Weg zum Südtor der Burg führte, entwickelte Plečnik die zentrale Querachse des Gartens. Ist der Garten in seiner Längsrichtung nahezu waagerecht und bildet so einerseits die optische Basis für die Burg, wie er auch andererseits das Panorama der Stadt durch die Bewegung erlebbar macht, so führt die Querachse das dramatische Thema der Beziehung zwischen Burg und Stadt ein. Hier schöpft Plečnik aus dem vollen, wie ein die Wirkung seiner Mittel voll beherrschender Baumeister. Den natürlichen Höhenunterschied entwickelt er zu einer Raumkaskade, indem er den einläufigen Abgang vom dritten Burghof im Inneren des Palastflügels zu einer zweiläufigen Treppe ausbaut und von zwei Balkonpodesten feierliche Aussichten auf Prag und überraschende Fernsichten bis zum Vyšehrad, dem alten Königssitz, freigibt. Den Vordergrund bricht er an der halbrunden Steinbrüstung jäh ab, daß man ins Nichts zu schauen meint, und vermittelt doch die Ferne mit gezielt verteilten Elementen an der Abbruchkante.

Auf die hier vollständig abgetragene Gartenmauer setzte Plečnik eine Steinpyramide. Direkt auf sie zu führte ursprünglich ein Treppenlauf aus den unteren Gärten. Aus dieser Froschperspektive gesehen wies sie auf den Südturm der Kathedrale hin. In der umgekehrten Richtung stellt sie mit ihrer schlanken Form eine Beziehung zu den Hunderten von Prager Türmen her. Dieses Heranholen der Ferne ist wohl der wesentliche Aspekt der Pyramide. Die Verwendung von vertikalen Architekturelementen in dieser Verweisfunktion war in dem bewegten Gelände der Kleinseite spätestens seit dem Barock Tradition.

Zum letzten der vielen Aussichtspunkte an der Vorderkante der südlichen Burggärten wurde die Mährische Bastei ausgebaut. Auch sie stammt von der paranoischen Burgbefestigung nach dem Revolutionsjahr 1848. Plečnik hat sie in ihrer Grundanlage erhalten, durch die Ausstattung jedoch stark verfremdet.

Den weit vorspringenden, das Hradschin-Panorama beeinträchtigenden halbrunden Teil vor der Mauer hat er teilweise abtragen lassen und so einen weiteren Zugang zu dem unteren Garten geschaffen. Die beiden verschiedenen, durch die Mauerlinie getrennten Teile der Bastei hat er in ihrem Charakter weiterentwickelt und zu Raumtypen überhöht. Den kleinen viereckigen, dreiseitig geschlossenen und der Erde verbundenen Raum hinter der Mauer schützte er zusätzlich von oben mit einer Holzpergola auf vier Säulen und zentrierte ihn mit einem massiven Steintisch. In den exponierten, allseits offenen, dem Himmel verbundenen Raum vor der Mauer setzte er eine Steinnadel von 10 m Höhe und einer Grundfläche von nur 18 x 24 cm und krönte sie mit einem schweren ionischen Kapitell, das wiederum eine goldene Kugel trägt.

Die kontextuellen Bezüge des Gartens sind komplex, der einzelne Eingriff ist oft auf mehreren Ebenen in seine Umgebung verwoben. Aus dem festgeknüpften Beziehungsnetz lassen sich subtil verborgene wie auch offensichtliche Bezüge zu einer ganzen Palette kontextueller Entwurfsthemen zusammenfassen. So hat Plečnik die räumlichen Ansätze der südlichen Burgfassade in der Gliederung des Gartens weiterverarbeitet. Ebenso hat er den großen Geländeunterschied im oberen Bereich des Gartens in der monumentalen Treppenanlage umgesetzt und dramatisch gesteigert. Genauso verfährt er auf der unteren Maßstabsebene oder im Detail. Oft entwickelt er ein vorgefundenes Element in dialektischer Weise, um seine Wirkung noch zu steigern. Besonders wichtig ist das Thema der visuellen Einbindung der Stadt: Über korrespondierende Elemente im Vordergrund holt er die Ferne in den Garten. Mit seinen Aussichtsarchitekturen und den oft genau vorgegebenen Blickrichtungen spricht er bestimmte Elemente der Stadt direkt an. Und schließlich verarbeitet Plečnik auch die geschichtlichen Erinnerungen des Ortes, indem er sie in bedeutungsvollen, gebauten Zeichen konkretisiert. Wenn es stimmt, daß die Gartenbaukunst schon immer ein Experimentierfeld des kommenden Städtebaus war,[358] dann könnten Plečnik Gärten am Hradschin als Vorgriff auf den heute wieder zunehmend geübten kontextuellen Städtebau verstanden werden.

[358] Colin Rowe, Fred Koetter 1984, S. 255. Vgl. auch A. E. Brinckmann, *Platz und Monument*, Berlin 1908, S. 166: »Den Bestrebungen des modernen Städtebaus ist die Gartenkunst anderthalb Jahrhunderte vorausgeeilt …«

98. Jože Plečnik, Paradiesgarten, Hradschin, Prag. Eingang.
99. Jože Plečnik, Paradiesgarten, Hradschin, Prag. Monumentaltreppe. Variante mit Obelisk.
100. Jože Plečnik, Paradiesgarten, Hradschin, Prag. Steinschale.

101. Jože Plečnik, Wallgarten, Hradschin, Prag.
Pyramide.
102. Jože Plečnik, Wallgarten, Hradschin, Prag.
Aussichtsterrasse mit Pyramide.
103. Jože Plečnik, Wallgarten, Hradschin, Prag.
Mährische Bastei mit Steinnadel.

Bei der Suche nach kontextuellen Tendenzen im Deutschland der Zwischenkriegszeit wird man zwangsläufig zu Theodor Fischer zurückkehren müssen. Seine Wirkung als Lehrer war ohne Beispiel, und es ist spannend zu verfolgen, wie er beide Lager, die »Traditionalisten« und auch die »Modernen« mit seiner kontextuellen Haltung geprägt hat.[359] Das Beachten von örtlichen Gegebenheiten ist freilich nicht ausschließlich dem Wirken von Theodor Fischer zuzuschreiben. Eine Sensibilisierung erfolgte auch im Zusammenhang mit der Erneuerungsbewegung, die nach dem englischen Vorbild von Arts and Crafts die Baukunst vom Handwerk her zu reformieren versuchte.

Das schlichte und werkgerechte, den menschlichen Bedürfnissen wie dem Charakter des Ortes angepaßte Bauwerk ist das Grundthema im Schaffen von **Heinrich Tessenow.** »Die Tradition war für ihn nie eine Bindung, mit welcher es zu brechen galt, und auch kein vergangenes Ideal, zu dem man zurückkehren mußte, sondern eine ebenso konsequent wie selbstverständlich zu wahrende Geisteshaltung.«[360] Diese Haltung erlaubt ihm – die Möglichkeiten des Ortes voll ausschöpfend – zum Beispiel, ein Siedlerhäuschen mit anheimelnden handwerklichen Details auszustatten und gleichzeitig bei dem Stadtbad in Berlin eine moderne Ziegelfassade zu planen.[361]

Befreiend wirkte auch das Studium des englischen Hauses, vermittelt vor allem durch die Publikationen von Hermann Muthesius,[362] und im Städtebau die ebenfalls nach englischem Vorbild entstandene Gartenstadtbewegung. Die Aufgabe von starren Kompositionsschemata und das individuelle Eingehen auf die konkreten Bedürfnisse des Menschen sensibilisierte auch den Umgang mit dem Genius loci.

So wird die Untersuchung der »Beziehung zum Landschaftsbild« eines der zentralen Themen der sehr einflußreichen »Kulturarbeiten« von **Paul Schultze-Naumburg.** Er weiß, daß die »Gestaltung der Erdoberfläche... durch nichts mehr gesteigert, geklärt und zum raschen Erkennen für Jedermann gebracht werden (kann), als durch die Bautätigkeit des Menschen«.[363] Sein Studium der alten Ortsbilder will er ausdrücklich nicht als Aufforderung zur formalen Nachahmung verstanden wissen, sondern als Empfehlung, vorbildliche Werke der Alten auf »Sinn und Mittel«, auf die Art ihrer Ortsbindung zu untersuchen.[364]

Die Besinnung auf den Genius loci, auf das Besondere, auf die regionale Kultur hat freilich auch das Völkische, das Nationalcharakteristische mit eingeschlossen. Durch die zunehmende Politisierung des Themas in den zwanziger Jahren kam es zu einer Schwerpunktverlagerung vom Örtlichen zum Völkischen, vom Genius loci zur »Volksseele«. Die anfängliche Sensibilität der Reformbewegung gegenüber dem individuellen Bedürfnis und dem individuellen Ort wurde bei vielen ihrer Vertreter durch die universalistische Idee des Rassischen beziehungsweise des Völkischen ersetzt. Die Entwicklung Schultze-Naumburgs »vom weitsichtigen konservativen Mahner zum rabiaten, reaktionären Agitator«[365] kann dies als extremes Beispiel belegen. 1904 gründete er den Bund »Heimatschutz« und war 1907 Mitbegründer des Deutschen Werkbunds. 1928 war er maßgeblich an der Gründung der traditionalistischen Architekturvereinigung »Der Block« sowie des nationalsozialistischen »Kampfbundes für Deutsche Kultur« beteiligt. Parallel dazu erschienen seine Schriften *Kunst und Rasse*, 1928, *Der Kampf um die Kunst*, 1933, und *Kunst aus Blut und Boden*, 1934.

Es ist bis heute eine traumatische Erfahrung der deutschen Architekturgeschichte geblieben, daß die Begriffe Heimat, Genius loci, Volksseele, Regionalismus, Blut und Boden, Wahrnehmungspsychologie und Gestalt, Kleinstadt und Kleinbürgerlichkeit, Antikapitalismus und Antisemitismus in den dreißiger Jahren zu einem unentwirrbaren Konglomerat verschmolzen sind,[366] an dem man nur ungern und dann meist mit Ressentiments rührt. Angesichts dieser Situation ist es ein schwieriges und heikles Unterfangen, aus diesem Schuttplatz der Geschichte Ortsbezüge herauszuarbeiten und sie – ungeachtet der politischen Kompromittierung – positiv zu bewerten.

Eine dieser problematischen Stellen der Geschichte ist auch die »Stuttgarter Schule«, ins Zwielicht geraten durch die Berührung mit dem Nationalsozialismus. Begründet durch die Tätigkeit Theodor Fischers in Stuttgart (1901–08), wurde sie durch Paul Bonatz, Paul Schmitthenner und Heinz Wetzel weitergeführt. »Neben der Erneuerung der Architektur vom Handwerk her stand das Bemühen, Architektur stets im Einklang mit der Landschaft und der städtebaulichen Situation zu sehen. Das Eingehen auf Wesen und Merkmal des Genius loci wurde Ausgangspunkt und Inspiration für den Entwurf, was dann später Heinz Wetzel in seiner Städtebaulehre noch vertiefte.«[367]

Und gerade an dieser Städtebaulehre **Heinz Wetzels** läßt sich der elementare Bezug des Bauens zum Gelände und die Kontinuität der uralten Idee vom Bauen im Einklang mit der Natur überzeugend aufzeigen. Als Schüler Theodor Fischers und geprägt durch das Beispiel Gottfried Sempers und Camillo Sittes entwickelte er, gestützt auf eigene Untersuchungen vor allem des mittelalterlichen Städtebaus, seine praxisbezogene Lehre der situationsbedingten Stadtbaukunst. Seine Architekturphilosophie ist im besten Sinne des Wortes kontextuell – mit allen seinen Gedanken

[359] Siehe z. B. W. Nerdinger, Anm. 316. Als bedeutende Fischer-Schüler des traditionalistischen Lagers können Paul Bonatz, Paul Schmitthenner, Roderich Fick und Heinz Wetzel genannt werden, im »modernen« Lager Bruno Taut, Otto Bartning, Erich Mendelsohn, Ernst May, Hugo Häring, Lois Welzenbacher und andere.

[360] Vittorio Magnago Lampugnani, »Die Tradition der Bescheidenheit. Moderate architektonische Avantgarden in Deutschland 1900–1934«, in: *Dortmunder Architekturtage 1983*, Werkheft 6, Dortmund 1983, S. 35.

[361] Siehe Gerda Wangerin, Gerhard Weiss, *Heinrich Tessenow*, Essen 1976, S. 241.

[362] Hermann Muthesius, *Das englische Haus*, Berlin 1904/05.

[363] Paul Schultze-Naumburg, *Kulturarbeiten, die Gestaltung der Landschaft durch den Menschen*, München 1915, S. 43. Für eine umfassende kritische Würdigung der »Kulturarbeiten« siehe Julius Posener, *Berlin auf dem Wege zu einer neuen Architektur*, München 1979, S. 191ff.

[364] Ebd., S. 54.

[365] V. Magnago Lampugnani, Anm. 360, S. 27.

[366] Vgl. auch Á. Moravánszky, *Die Erneuerung der Baukunst*, Salzburg 1988, S. 174.

[367] Wilhelm Hofmann über Paul Schmitthenner, in: Winfried Nerdinger, Hrsg., *Süddeutsche Bautradition im 20. Jahrhundert,* München 1985, S. 190.

[368] Entnommen den Aussagen Wetzels in: Heinz Wetzel, *Stadt Bau Kunst*, Stuttgart 1962.

[369] Ebd., S. 22.

[370] Ebd., S. 58.

[371] Ebd., S. 23.

[372] »Von Bempflingen bis Feuerland ...« ebd., S. 48. Diese Universalität des Verhaltens gegenüber den Inhomogenitäten des Raumes (Einschlag und Schwelle) leuchtet ein, ist sie doch in der Psychologie des Grenzübertritts begründet. Vgl. Anm. 34.

[373] Christian Schneider, *Stadtgründung im Dritten Reich, Wolfsburg und Salzgitter*, München 1979, S. 120f. Wetzel selbst war für verschiedene Behörden des NS-Staates tätig.

[374] So z. B. bei E. E. Korkisch an der Fachhochschule Weihenstephan.

104. Heinz Wetzel, Studie über den Wechsel in der Straßenneigung (»Längenvisierbruch«) in Kombination mit einer Verschwenkung der Straßenflucht (»Horizontalvisierbruch«) am Beispiel einer Straße in Horb am Neckar.

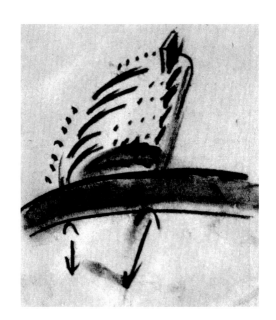

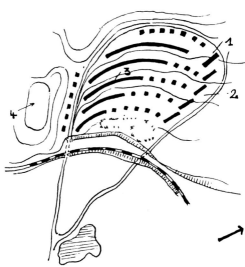

105, 106. Lois Welzenbacher, Projekt für die Siedlung Stadtpark, Plauen, 1930.

umkreist er das Problem der städtebaulichen Zuordnung. Die immer wieder verwendeten Begriffe legen davon ein beredtes Zeugnis ab: Bezüge; Einfügung; Charakterisieren der Geländestruktur; optische Zuordnung und Leitung; das Besondere der Landschaft monumentalisieren und steigern; Zusammenschau, Zuordnung; das Zufällige in das Ganze einordnen; Maßstab der Örtlichkeit; Genius loci als physische und geistige Atmosphäre des Ortes; Geländeeinschlag und Schwelle als Abschnittsgrenzen; Einschmelzung der situationsbedingten Besonderheiten usw.[368]

»Das ganze Geheimnis des Gestaltens« ist für Wetzel »die bewußte Einfügung des Bauwerks in die Gemeinschaft dessen, was da ist«.[369] Die Aussage ist bezeichnend für seine ganzheitliche Sicht der Welt. Auch mit seiner Formulierung der Gemeinschaft alles Seienden nimmt er die heute aktuelle ökologische beziehungsweise holistische Haltung vorweg. Er ist sich dessen offenbar bewußt, als er notiert, daß die Zeit für diese Auffassung einer komplexen Bezogenheit des Bauens nicht reif ist, hofft aber, daß diese Idee, nun zwar auf dem Misthaufen der Geschichte, später doch den Acker befruchten wird.[370]

Wetzels komprimiert und lebendig formulierte Überzeugungen werden gerne als eine Art »Topographiedeterminismus« mißverstanden, so zum Beispiel seine Aussage, wonach »es sich bei der städtebaulichen Gestaltung letztlich um nichts anderes (handelt) als um die bewußte Charakterisierung einer Geländestruktur, einer Oberflächengestalt«.[371] Solche Behauptungen sollten freilich vor dem Hintergrund seiner Lehre von Einschlag und Schwelle und dem damit zusammenhängenden horizontalen und vertikalen Visierbruch gesehen werden, die er aus zahllosen Beispielen von gewachsenen wie auch geplanten Städten herausdestilliert hat und die den konkret anwendbaren Kern seiner kontextuellen Stadtbaukunst darstellt.

Das Gelände ist meist gefaltet, das heißt durch mehr oder weniger ausgeprägte Grate und Einschnitte (Schwelle und Einschlag) gegliedert. Diese treten bei einem gefalteten Hanggelände in der Horizontalen, durch Wechsel in der Hangneigung meist auch in der Vertikalen auf. So gliedert sich das Gelände in deutlich begrenzte Facetten auf. Auf Grund seiner Beobachtungen stellt nun Wetzel eine universelle[372] Gestaltungsregel des ortsbedingten Städtebaus auf: Einschlag und Schwelle bezeichnen die Raumabschnitte und Abschnittsgrenzen; Wechsel in der Straßenneigung (Längenvisierbruch) soll immer mit einer Richtungsänderung (Horizontalvisierbruch) kombiniert werden.

Die Lehre Wetzels fand durch seine Schüler Eingang und eine gewisse Verbreitung in der nationalsozialistischen Siedlungsplanung.[373] In den fünfziger und sechziger Jahren hat sie Karl Neupert weiterentwickelt und in Schleswig-Holstein angewendet. Sie bildet vielerorts auch heute noch die Grundlage bei der Vermittlung eines landschaftsgebundenen Bauens.[374]

War bei den »Traditionalisten« das Eingehen auf das Lokale, auf den Genius loci, sozusagen ein fester Bestandteil der Tradition, so war die Beachtung des Ortsbezuges im Programm der Moderne nicht vorgesehen. Die Universalität der Funktion und der sozialen Bedürfnisse sollte in einer neuen universellen Formensprache ihren Ausdruck finden. Der Bruch mit jeglicher Tradition schien hierzu das geeignete Mittel zu sein. Das Aufgeben von örtlichen Bindungen führte zwangsläufig zu Beziehungslosigkeit, zu einer grundsätzlichen »Unbehaustheit« solcher Architektur. Wie immer in der Architekturgeschichte, wenn das Interesse am konkreten Ort nachgelassen hatte, wurde auch diesmal der Freiraum von anderen Anliegen besetzt: Architektur wurde in den Dienst der utopischen Weltverbesserung gestellt oder als Ausdrucksmittel der Selbstdarstellung angesehen – beides durchaus verwandte, oft deckungsgleiche Phänomene. In diesem Zusammenhang ist es interessant festzustellen, daß viele der Hauptvertreter des deutschen Neuen Bauens nach dem Ersten Weltkrieg erst eine ekstatische expressionistische Phase durchlaufen hatten, bevor sie sich mit einer ähnlichen Begeisterung der neuen Form zuwandten. Die »Traditionalisten« hingegen blieben der expressionistischen »Versuchung« gegenüber durchaus resistent.

Bestand bei den »Traditionalisten« im politischen Klima der dreißiger Jahre zunehmend die Gefahr, durch die Überbetonung des »Völkischen« (letztlich also eines regional begrenzten Universalismus) den Ortsbezug aus den Augen zu verlieren, so ist eine etwaige Beachtung des Genius loci bei den »Modernen« der Entwicklung einer persönlichen Sensibilität zuzuschreiben. Diese läßt sich tatsächlich bei einigen Vertretern der sogenannten Avantgarde feststellen, und es verwundert nicht mehr, dabei auf viele Schüler Theodor Fischers zu treffen: Lois Welzenbacher, der späte Erich Mendelsohn, zum Teil Ernst May und Bruno Taut, in gewisser Hinsicht auch Hugo Häring.

Lois Welzenbacher ist beim Entwerfen immer von dem konkreten, besonderen Ort ausgegangen, den er aber in einen größeren landschaftlichen oder städtebaulichen Zusammenhang eingeordnet sah. Er reflektierte die »landschaftliche Situation in einer umfassenden, positivistischen, unmittelbaren und realen Weise. Er reagiert nicht historisierend, typologisch, kulturgeschichtlich, er unternimmt auch keine kulturelle Interpretation der Landschaft. Er reagiert phänomenologisch, sinnlich, mit den Augen, mit der Nase, mit den Ohren und den Beinen.«[375] Seine oft tagelangen Aufenthalte an den Bauorten, seine oft verbissene Beschwörung des Genius loci sind bekannt.[376] Seine Vorgehensweise ist im Wortsinne topo-logisch, eine kreative und »logische« Antwort auf den Ort.

Es ist eine bewußte, voll reflektierte Grundhaltung, die er selber auf die Wirkung Theodor Fischers zurückführt. In der Beschreibung des Wettbewerbprojekts für die Verbauung des linken Scheldeufers in Antwerpen (1933) schreibt er: »Wenn ich an die Gestaltung einer so großen Planung gehe, so unter völliger Einfühlung in das von der Natur gegebene Terrain – nicht nur, daß damit eine Unzahl kostspieliger Arbeiten aller Art erspart bleibt und ein organisches Wachsen der Stadtgrenzen möglich wird, ist das richtige Erfassen und Auswerten der Natur die Quelle größter künstlerischer Wirkung. Als Schüler Theodor Fischers möchte ich seine Worte hier einführend wiederholen: ›Der Natur nachgehen und nachgeben und die Herrschaft, die der Mensch über die Natur zu haben glaubt, darin suchen, daß das Naturgegebene durch die Kunst zu höchster Wirkung gesteigert wird.‹ Alles, was die Natur liefert, soll nicht verwischt, sondern ausgebildet und besonders gesteigert werden.«[377]

Bei großräumigen städtebaulichen Kompositionen beherrscht er den Landschaftsraum mit dynamischen und statischen Elementen, die er zur Klärung des Geländes einsetzt: Mit den dynamischen Zeilen unterstreicht er die großen Züge des Bodenreliefs, mit den Vertikalen der Hochhäuser verankert er die Siedlung im Boden. So gelingt es ihm meist, aus dem Charakter des jeweiligen Geländes selbst das Grundmotiv der Anlage zu entwickeln. Offensichtlich wird dies zum Beispiel bei den nicht realisierten Projekten für Plauen, insbesondere bei der Siedlung Stadtpark (1930). Bei weniger bewegtem Gelände werden auch die Grundstücksgrenzen als Formimpulse ausgewertet, so zum Beispiel bei dem Wettbewerbsprojekt für die Verbauung der Aiglhofgründe in Salzburg (1927).

Die nicht mehr bestehende **Festhalle in Feldkirch** (1925–26) illustriert Welzenbachers kontextuelles Verhalten in einer komplexen städtischen Situation. Am Rande der Altstadt sollte in unmittelbarer Nähe der Schattenburg und der Johanniterkirche eine Festhalle für 3800 Personen errichtet werden. Unmaßstäbliche Bauten der Gründerzeit begrenzten hier den heterogenen Leonhardplatz – einen eher zufällig übriggebliebenen Restraum. Welzenbacher arbeitet mit elementaren geometrischen Baukörpern: Die Stirnseite wird von einem etwas erhöhten Querbau gebildet und mit zwei mächtigen Kegeltürmen bekrönt. Sie bildet das Tor zur Stadt und führt von einer kritischen Stelle aus ein vermittelndes Gespräch mit den übrigen vertikalen Elementen des Ortes. Dahinter schließt ein länglicher, schlichter Baukörper mit der eigentlichen Halle an. Die ganze, recht große Anlage ist aus einem einzigen orthogonalen Raster entwickelt, nur ein niedriger, gerundeter Bauteil vermittelt zu einem bestehenden Haus und leitet somit zur Pfarrkirche und zur Marktgasse, dem Hauptraum der Stadt, über. Nach hinten ist dieser Bauteil an den Verlauf der ehemaligen Stadtmauer angelehnt. Wie lapidar die Entwurfsentscheidungen waren, zeigt auch die Selbstverständlichkeit, mit der die Nordecke des Platzes neu gefaßt wurde, oder die Art, wie der Verlauf eines Seitenarmes der Ill in der Ausrichtung der Festhalle weitergeführt wurde.

Die eigentlichen Markenzeichen seiner Architektur der Beziehung sind aber Welzenbachers Häuser in der Landschaft. Ungeachtet der Wandlung der formalen Ausdrucksmittel ist der Bezug zum konkreten Bauplatz sowie die Einbeziehung der Landschaft in die Komposition des Hauses eine Konstante vom Haus Settari in Dreikirchen am Schlern (1922/23) bis zum Haus Heyrovski in Zell am See (1932).

Wahrscheinlich war für Welzenbacher die Erfahrung mit seinem ersten Hausbau prägend. Das **Haus Settari** liegt auf einer kleinen Bergnase in 1200 Meter Höhe. Von hier aus bietet sich ein überwältigender Rundblick auf die Berglandschaft. »Welzenbacher benützt diese Gegebenheiten für die Konzeption des Grundrisses und des Baukörpers. Die Bewegung des Geländes findet im Haus ihre Fortsetzung und Steigerung. Die vorgeschobene Lage und die Rundung zur Aussicht erzeugen eine Bewegung, die durch die äußere und innere Wegführung übernommen und weitergeführt wird.«[378]

Beim **Haus Heyrovski**, einem formal reifen Werk Welzenbachers, folgt der Grundriß noch wesentlich stärker der Dynamik des Geländes. Das Landschaftspanorama und die Krümmung des Hangs wurden in der Öffnung des Hauses, im Schwung seiner Fassade und in der betonten Horizontalität des durchgehenden Balkons und des Attikagesimses verarbeitet. Die eigene Beschreibung des Entwurfs nutzt Welzenbacher zu einem grundsätzlichen Statement über die Bindungen in der Architektur: »Dreierlei Bindung erscheint unumgänglich gegeben: an die umgebende Landschaft und das Terrain, an den Zweck, welchem der Bau zu dienen hat, und schließlich an das Lebensgefühl der künftigen Bewohner. Das Wesentliche dieser Tendenz ist zunächst die Einord-

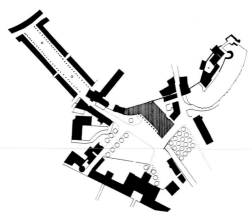

107, 108. Lois Welzenbacher, Festhalle in Feldkirch, 1925/26. Lageplan und Modellfoto.

109. Lois Welzenbacher, Haus Heyrovski, Zell am See, 1932.

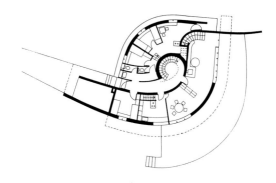

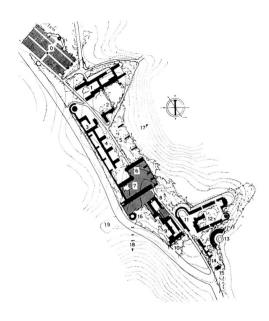

110, 111 . Erich Mendelsohn, Hebräische Universität, Jerusalem, 1936–38. Lageplan und Skizze zum Hadassah-Komplex.

nung des zu errichtenden Baues in die umgebende Landschaft. Eingehen auf den Geist der Landschaft, Hingabe an den Lebensrhythmus der Umwelt ist erforderlich ...«[379]

Überprüft man das Werk **Erich Mendelsohns**, eines weiteren Theodor-Fischer-Schülers aus dem Lager der Moderne, auf seine kontextuellen Bezüge, so wird man feststellen müssen, daß sie in seinem Frühwerk zunächst offensichtlich keine besondere Rolle gespielt haben. Mendelsohn ist so ausschließlich mit der Form beschäftigt, so überquellend in seiner dynamischen und expressionistischen Selbstdarstellung, daß anfangs in seinem Schaffen für den Ortsbezug kein Raum übrigbleibt. Zwar nennt er 1920 eine Serie von impulsiven Zeichnungen nach der Natur eine »Architektur der Dünen«, und diese ähnelt in der Tat seinen Phantasiearchitekturen jener Zeit, doch wäre es sicherlich verfehlt, diese Entwürfe als Verarbeitung von Naturvorbildern hinzustellen. Es handelt sich eher um eine Analogie, um das Erkennen von ähnlichen dynamischen Kräften in der Natur.

Auch sollte man die Übernahme des bestehenden Fassadenrhythmus beim Umbau und der Aufstockung des Gebäudes für das *Berliner Tageblatt* (1921–23) nicht als kontextuelle Grundhaltung mißinterpretieren – die Dissonanzen im Konzept und Detail sind viel entscheidender. Eine ähnlich aggressive Haltung dem Bestand gegenüber zeigt auch das Kaufhaus Cohen-Epstein in Duisburg (1926/27). Am ehesten noch kann man Mendelsohns intensive Bemühung um die gültige Ausformulierung der Blockecke beziehungsweise der Straßenkrümmung als ein Zwiegespräch mit dem Ort bezeichnen. Dabei kam meist die Aggressivität einer spitzen Ecke oder der Schwung der Baulinie – unterstützt durch die Dynamik des Verkehrs – seinen gestalterischen Absichten entgegen.

Offensichtlich hat erst die Erfahrung des englischen Exils Mendelsohns Sensibilität gegenüber der sich im Bauwerk widerspiegelnden Umwelt geweckt. In dem **Kurhaus De La Warr** in Bexhill-on-Sea, Sussex (1934/35 mit Serge Chermayeff), wird die »atmosphärische Beziehung zwischen den Innenräumen und der Umgebung ... hervorgehoben, fast aus einem Bedürfnis nach Verwurzelung heraus«.[380] Zur Straße hin kommt dies in einer abweisend geschlossenen, nur durch die verglaste Treppenhausrundung artikulierten Fassade zum Ausdruck. Zur See hin öffnet sich die vollverglaste und durch Balkonbänder aufgelockerte Front, um die Weite des Raumes zu behausen.

Die dann folgende Schaffenszeit in Palästina ist geprägt durch zunehmende Empfänglichkeit für die Landschaft. »Das Gebäude ist nicht mehr nur die Anhäufung von Kräften, die sich auf die Umwelt entladen, sondern es nimmt auch deren Intensität auf.«[381] Dies trifft insbesondere für die **Jüdische Universität** auf dem Berge Scopus in Jerusalem (1936–38) zu. Mendelsohn spricht sichtlich bewegt von der »unbeschreiblichen Schönheit« und den »edlen Linien dieser einmaligen Landschaft«,[382] einem Höhenzug zwischen Jerusalem und dem Jordantal. In zahllosen Skizzen untersucht er deswegen die Verteilung der Massen auf ihre Silhouettenwirkung. Er geht dabei sensibel auf die Windungen des Höhenrückens ein, sieht Ausblicke in die Landschaft vor und benutzt werkgerecht das vorgeschriebene lokale Steinmaterial, mit dem er sich der vorherrschenden Farbigkeit des Geländes einfügt.

Ernst May und Bruno Taut, ebenfalls Schüler Theodor Fischers, haben die Idee des Ortsbezuges in die neue Siedlungsplanung der zwanziger Jahre hinübergerettet. Die Frankfurter Siedlungen Ernst Mays sind im Gegensatz zur rigiden Zeilenbauweise anderer Vertreter des Neuen Bauens »in Abstimmung auf die Höhenentwicklung des Geländes geplant, der Straßenverlauf paßt sich der Topographie an«.[383] Die neuen Stadtteile sind meist keine unabhängigen Einheiten, sondern stehen mit der Altstadt im Dialog. Dies gilt vor allem für die Römerstadt, die über den Parkraum des Niddatales mit der alten Stadt kommuniziert. Mit ihrer bastionsartigen Stützmauer schafft sie nicht nur eine klare Grenze zum Park hin, sondern nimmt auch eindeutig Bezug zu den Festungsbauten der Innenstadt.[384]

[375] Friedrich Achleitner, »Bemerkungen zu Lois Welzenbacher«, in: *Lois Welzenbacher 1889 bis 1955, Architekturmodelle*, Innsbruck 1990, S. 20.

[376] Ebd. und Friedrich Achleitner, Ottokar Uhl, *Lois Welzenbacher 1889–1955*, Salzburg 1968, S. 20.

[377] Lois Welzenbacher, »Die Stadt, Verbauung des linken Schelde-Ufers, Antwerpen«, *Werkbund Salzburg*, Heft 2, Juli 1934, abgedruckt in A. Sarnitz, *Lois Welzenbacher, Architekt 1889–1955*, Salzburg 1989, S. 167.

[378] F. Achleitner, O. Uhl 1968, S. 34.

[379] Ebd., S. 99.

[380] Bruno Zevi, *Erich Mendelsohn*, Zürich 1983, S. 132.

[381] Ebd., S. 160.

[382] Ebd., S. 148ff. Vgl. Ita Heinze-Mühleib, *Erich Mendelsohn. Bauten und Projekte in Palästina (1934–1941)*, München 1986.

[383] W. Nerdinger, Anm. 316, S. 18.

[384] May arbeitete zwei Jahre lang bei R. Unwin in Hampstead, wo eine ähnliche Grenzmauer realisiert wurde. Siehe auch P. Panerai und andere 1985, S. 177.

Auch bei **Bruno Taut** läßt sich zumindest für die Siedlung Berlin-Britz (1925–30) aufzeigen, daß nicht nur die Hufeisenform von Fischers Siedlung Gmindersdorf inspiriert wurde, sondern – und dies ist entscheidender – auch sein Umgang mit dem Gelände übernommen wurde. In Gmindersdorf zeichnet das Altenheim den oberen Rand einer Bodenmulde nach – der Halbkreis ist also aus der Formation des Bodens abgeleitet. In Britz nahm Taut mit derselben Geisteshaltung die Bodensenke mit dem Weiher zum Anlaß, das berühmte Hufeisen aus der Struktur des Geländes zu entwickeln. Und bei dem Sozialreformer Hannes Meyer finden wir den Landschaftsbezug zumindest verbal in einer Weise bestätigt, die beinahe an Determinismus grenzt: »Zu guter Letzt ist alle Gestaltung schicksalsbedingt durch die Landschaft.«[385]

Am Rande sei noch der »Organiker« **Hugo Häring**, ebenfalls ein Schüler Fischers, erwähnt. Weder in seiner Praxis noch in seinen umfangreichen theoretischen Schriften steht der Ortsbezug (im Sinne einer Gestaltkorrelation) im Vordergrund. Bei seiner Entwurfsmethode von innen nach außen, wo das »Innen« freilich das eigene Werk, die Aufgabe beziehungsweise die Funktion meint, wird das »Außen«, der Ort also, auf den man eingehen sollte, eher sekundär. Andererseits ist es aber nicht schwer, aus seinen architekturphilosophischen Prämissen das Postulat auch des kontextuellen Bauens abzuleiten.

Häring selber läßt diese Interpretation zu, wenn er schreibt: »Gewiß ist, daß die Menschen nicht wegen der Städte, sondern die Städte wegen der Menschen da sind. Aber sind nicht doch die Städte die Frucht einer Landschaft und die Menschen die Vollstrecker ihres Schicksals? … Städte sind landschaftsgeborene Wesen … Die Macht … (des) Bodens gestaltet die Stadt samt ihren Bewohnern. Städte sind Individualitäten … Als Individuen sind Städte handelnde Wesen … (Die schöpferischen Gestaltungskräfte) entstammen allein dem aus immateriellen Gründen handelnden und schaffenden Individuum, stammen aus einer physischen Konstitution, das heißt aus der Konstitution der Landschaft.«[386] Folgerichtig spricht Häring auch nicht von der Formgebung, sondern von der Formfindung. Die den Menschen begegnenden Dinge, Orte oder Landschaften erscheinen als Wesenheiten durch ihre Gestalt. Aus diesen autonomen, individuellen Wesenheiten kann nur jenes entwickelt werden, was in ihnen im Keime bereits angelegt ist.[387] Gestaltung bedeutet somit nicht, unsere eigene Individualität zum Ausdruck zu bringen, sondern jene der Dinge oder Orte – bedeutet: dem jeweiligen Wesen zu seiner wesensgemäßen Gestalt zu verhelfen. Wenn schließlich auch die Achtung vor allen individuellen Wesenheiten gefordert wird,[388] dann haben wir es mit einer Sensibilität der unmittelbaren, realen Welt gegenüber zu tun, wie sie auch der kontextuellen Haltung eigen ist.

Auch in der italienischen modernen Architektur der Zwischenkriegszeit lassen sich Ortsbezüge feststellen. Die Architekten des Gruppo 7, Begründer der Architettura Razionale, verwendeten zwar ausschließlich reine geometrische Formen, die offensichtlich zeitlos und universal sind, behaupteten aber gleichzeitig, damit in der italienischen Tradition zu stehen, und dies zu Recht, wie Richard A. Etlin feststellt: »Tatsächlich war der italienische Rationalismus zum großen Teil in der historischen Vergangenheit verankert. Darüber hinaus sind viele der besten Bauten hervorragende Beispiele für eine Architektur, die wir heute ›kontextuell‹ nennen … viele sind derart in ihrem Standort verwurzelt, daß ihre Bedeutung wesentlich entleert wäre, wenn man sie an einen anderen Ort versetzen würde.«[389] Viele der von Etlin angeführten Ortsbezüge erweisen sich zwar als Anleihen aus der Schatzkiste der regionalen Typologien oder bei den elementaren Formen der römischen Kaiserzeit, auf die das gesamte, dem Faschismus dienende Bauen verpflichtet war, doch bleiben genug kontextuelle Elemente übrig, um die These von der Feindseligkeit der Architettura Razionale gegenüber der Stadt zumindest in Frage zu stellen.[390]

So hat **Giuseppe Terragni** bereits bei dem **Novocomum**-Wohnblock in Como (1927–29) nicht nur Baumassen und Höhen der anschließenden Blockhälfte von Caranchini aufgenommen, sondern ist offensichtlich mit seinen berühmten Eck-Glaszylindern in einen Dialog mit den abgerundeten Massivecken des Nachbargebäudes getreten.[391] Das Eckmotiv des Nachbarn wird also aufgegriffen und mit anderen Materialien neu interpretiert.

Terragnis **Casa del Fascio** in Como (1932–36) liegt knapp außerhalb der ursprünglich römischen Siedlung, deren Orthogonalraster auch heute noch im Stadtgrundriß klar zu erkennen ist. In der stadtzugewandten Fassade der Casal del Fascio spiegelt sich die römische Grundrißstruktur wieder: Den 5 × 4 Insulae der Römerstadt entsprechen hier die 5 × 4 Felder des Stahlbetonskeletts. Dieser Bezug auf das örtlich zwar immer noch wirksame, aber gleichzeitig universelle römische Rasterschema ist freilich auch als eine Huldigung an die »Universalität des Faschismus« und seine Anknüpfung an die römische Kaiserzeit zu deuten.[392]

Doch ist dieser eher strukturell-symbolische Bezug nicht der einzige. Im Volumen und in der Höhe verhält sich der Bau durchaus solidarisch zu seiner unmittelbaren Umgebung. Auch die

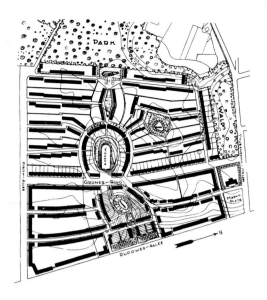

112. Bruno Taut, »Hufeisensiedlung«, Berlin-Britz. 1925–30.

113. Giuseppe Terragni, Casa del Fascio, Como, Italien, 1932–36.
114. Giuseppe Terragni, Projekt für die Erneuerung des Quartiers La Cortesella, Como, 1940.

385 Zitiert nach Michael Koch, »Vom Siedlungsbau zum Lebensbau«, in: *Hannes Meyer 1889–1954, Architekt Urbanist Lehrer*, Berlin 1989, S. 56. In seinen Erläuterungen zu der Entstehungsgeschichte der Hufeisensiedlung vermerkt Bruno Taut selbst, daß die »Form des Planes ... nicht ... aus einer vorgefaßten künstlerischen Idee, sondern aus den sozialen Forderungen und den Bewegungen des Geländes« entstanden sei. Bruno Taut, »Neue und alte Form im Bebauungsplan«, *Wohnungswirtschaft*, 3, 1966, H. 24, S. 198f. Zitiert nach Norbert Huse, *Vier Berliner Siedlungen der Weimarer Republik*, Ausstellungskatalog, Berlin 1987, S. 112.

386 Hugo Häring, »Zwei Städte« (Aufsatz aus dem Jahr 1926), *Daidalos*, 6, 1982, S. 78f.

387 Sabine Kremer, *Hugo Häring (1882–1958), Wohnungsbau: Theorie und Praxis*, Stuttgart 1984, S. 53.

388 Ebd., S. 50.

389 Richard A. Etlin, »Italian Rationalism«, *Progressive Architecture*, 7, 1983, S. 86. Die angeführte Stelle gibt außerdem eine brauchbare Definition der kontextuellen Architektur.

390 »Die Architektur betritt die Stadt, als ob sie Fremdland betreten würde.« Manfredo Tafuri, »The Subject and the Mask: An Introduction to Terragni«, *Lotus international*, 20, 1978.

391 Luigi Zuccoli, langjähriger Mitarbeiter Terragnis, erinnert sich im Jahr 1969: »Die Idee der abgerundeten Ecke war ihm deshalb in den Sinn gekommen, weil das von ihm projektierte Gebäude einen Häuserblock ergänzen bzw. sich neben einem bereits vorhandenen erheben sollte. Dieses andere Gebäude war von einem gewissen Architekten Caranchini erbaut worden, der sein architektonisches Problem mittels krummer Verbindungsflächen zwischen der Hauptfassade und den Seitenfronten gelöst hatte. An den abgerundeten Ecken öffneten sich die Eingänge in die Büroräume des Hochparterres. Wie man heute noch feststellen kann, hatte der gebogene Anschluß etwa die Form eines Viertelkreises. Terragni, der sich der Notwendigkeit der Ergänzung des Häuserblocks gegenübersah, schien es daher logisch, daß dieser Umstand auch die Ecklösung des von ihm geplanten Baus bewirken würde.« In: Franco Fonatti, *Guiseppe Terragni, Poet des Razionalismo*, Wien 1987, S. 29. Das Nachbargebäude wurde später aufgestockt, so daß der Bezug des Novocomum heute nicht ohne weiteres ersichtlich ist.

392 R. A. Etlin, Anm. 389, S. 90.

393 So markiert etwa der obere Abschluß der Trajanssäule das ursprüngliche Niveau des Geländes an jener Stelle.

394 Siehe eigene Erläuterungen der Architekten, abgedruckt in Franco Fonatti 1987, Anm. 391, S. 132.

395 Ebd., S. 133. Siehe auch Thomas L. Schumacher, *The Danteum, A Study in the Architecture of Literature*, Princeton 1985.

Loggia im Obergeschoß scheint den Gedanken der perforierten Fassade aus den Arkaden der Nachbarschaft abgeleitet zu haben. Gerade auch die von dieser Loggia aus bildartig gerahmten Ansichten des Domchors bestätigen die Annahme, daß die Casa del Fascio über den großen Platz hinweg einen bewußten Dialog mit der Domkirche sucht.

Ebenfalls für den unmittelbaren Dombereich vorgesehen war das nicht realisierte Projekt **La Cortesella** (1938–40), ein recht gewalttätiger Sanierungsvorschlag, bestehend aus einer riesigen, über den Dächern schwebenden Scheibe, die von mehreren niedrigeren Zeilen getragen werden sollte. Doch sogar hier lassen sich Adaptationen und Beziehungen zu der Struktur der Altstadt feststellen. Die unteren Zeilen nehmen die Höhe der Nachbarbebauung auf und fügen sich den Unregelmäßigkeiten der Stadtstruktur. Während die untere Ebene so auf die Situation, aus der sie erwächst, antwortet, schwebt die obere Scheibe scheinbar beziehungslos über der Stadt. Doch könnte man auch diese als Reinterpretation der seeseitigen Stadtmauer auffassen, die genau hier verlief.

Das **Danteum** für Rom, vielleicht das poetischste aller Projekte Terragnis (zusammen mit Pietro Lingeri, 1938), steht den bereits erwähnten Projekten in kontextueller Hinsicht keineswegs nach, obwohl hier die Thematisierung der Divina Commedia natürlich im Vordergrund steht. Die architektonische Interpretation eines literarischen Werkes ist zwar eine klassische »Fremdbestimmung« der Architektur, fern der systemimmanenten Einflüsse von Typus und Topos, doch zeigt gerade das Danteum, daß es selbst bei solch abgehobenen Aufgaben keine Architektur im luftleeren Raum der reinen Idee geben kann. Weder kann die Architektursprache aus der Literatur gänzlich neu erfunden werden, noch gibt es die ortlose, das heißt die völlig »unbezogene« Architektur.

Das Danteum war an der Via dell Impero vorgesehen, die Mussolini ähnlich brutal durch die Fori Imperiali brechen ließ, wie seinerzeit die Foren selbst mit dem Gelände umgegangen waren.[393] Das Danteum hingegen wendet sich von der Via dell Impero ab, um einerseits dem Vespasian-Forum auszuweichen und um sich andererseits der dahinter anschließenden mittelalterlichen Stadtstruktur einzufügen. Auf diese Weise wird fast die Hauptrichtung der Kaiserforen erreicht.

Noch wichtiger war den Architekten jedoch die Ausrichtung der Zugangspassage auf das Kolosseum, dessen perfekte Ellipse als Ergänzung zum rechteckigen Danteum angesehen wurde.[394]

Die Struktur der Divina Commedia wurde in den Maßen, den Zahlenwerten und vor allem in den Proportionen des Danteums nachgebaut. Hierzu wurde der Goldene Schnitt gewählt, wie er auch in der direkt gegenüber liegenden Maxentius-Basilika Anwendung fand. Die Architekten nehmen zu diesem Bau direkten Bezug auf: »Für das Danteum wurde also ein rechteckiger Grundriß bestimmt, der jenem der Basilica di Massenzio ähnlich ist; aber auch die Dimensionen stammen direkt von jenen der außergewöhnlichen römischen Konstruktion (die größere Seite des Danteums entspricht jener kleineren der Basilica, während demnach der kleinere Teil der Differenz der beiden Seiten der Basilica entspricht).«[395]

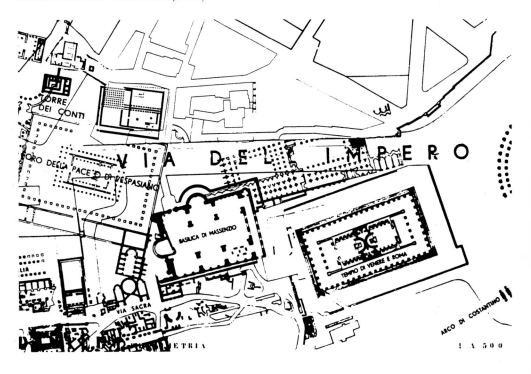

115. Giuseppe Terragni und Pietro Lingeri, Projekt für das Danteum, Rom, 1938/39. Lageplan.

116. Adalberto Libera, Grundschule in Trento, Italien, 1931–33.

117, 118. Adalberto Libera, Villa Malaparte, Capri, Italien, 1938.

Auch **Adalberto Libera**, ein weiterer prominenter Vertreter des Gruppo 7, entwickelte seine Architektur oft aus dem jeweiligen Ort. Die **Grundschule in Trento** (1931–33) liegt in der Linie der alten Stadtmauer zwischen dem Castello Buon Consiglio und dem Torre Verde. »Bezugnehmend auf diese verschiedenen Ortsbedingungen konzipierte Libera sein Gebäude als eine ›Erinnerung‹ an die Stadtmauer.«[396] Mauerartig ist das neue Gebäude freilich nicht wegen seiner transparenten Fassade, sondern durch die Art der Anbindung an die bestehenden Festungsbauten und die »stadtmauergemäße« Höhe des Neubaus, welche die gewohnte Sicht auf die dahinter liegenden Hügel freiläßt. Auch die runden Treppentürme scheinen eine direkte Antwort auf die östlich gelegenen gerundeten Bastionen der Burg zu geben.

Wie kein anderer Baut hat die **Villa Malaparte** auf Capri (1938) Adalberto Libera bekannt gemacht. Auf einer ins Meer vorgeschobenen, exponierten Felszunge gelegen, scheint das Haus den Charakter des Ortes zu verkörpern: Sein Äußeres spricht von Ausgesetztsein, von Unnahbarkeit und Isolation; mit einer pathetischen Geste greift die Treppe (wie der Felsen auch) nach der Ferne – und greift doch ins Leere.

Das Haus und der Felsen bedingen sich gegenseitig. Einerseits ist der Felsen bewußt als die Basis des Hauses eingesetzt, steigert also, vor allem von See her gesehen, seine Dimension und seine Wirkung. Andererseits wird der Felsen durch das Bauwerk »architektonisiert«. Das Gebäude »scheint denselben Formgesetzen wie die Natur zu folgen. Das Haus erscheint als geometrische Reflektion des Felsens, auf dem es steht, fast wie ein kristallines Gebilde.«[397] Trotz des offensichtlichen Gegensatzes zwischen der stereometrischen Form des Hauses und der Naturform des Felsens ist die Absicht unverkennbar, die fundamentale Einheit des Ortes (als Natur- und Menschenwerk) zu wahren. Diese Einheit ist in erster Linie durch die Entscheidung gegeben, das Haus als begehbare Architektur auszuführen. Die Austauschbarkeit von Architektur und Topographie ist somit auch ein Hinweis auf die beabsichtigte Wesensgleichheit von Haus und Ort.

War die moderne Bewegung, wie eingangs behauptet, der vorläufig letzte Höhepunkt, gewissermaßen die Kulmination der universalistischen Grundtendenz der Neuzeit, so war **Le Corbusier** in der Architektur ihr exponiertester Vertreter. Als engagierter Verfechter einer umfassenden Standardisierung, die von der Konstruktion (das Dominosystem) über die formale Sprache, das Maßsystem, die Wohnungs- und Haustypen bis zum Städtebau nahezu alle Bereiche der Architektur umfaßte, erscheint er (zumindest auf den ersten Blick) als die Personifizierung der akontextuellen Anliegen der modernen Architektur.

Exemplarisch sei hier nur auf die beliebige Einsetzbarkeit der standardisierten Unité d'Habitation hingewiesen, die in Marseille, Berlin und anderswo ohne Konzessionen an den jeweiligen Kontext gebaut wurde. Die Irrelevanz des Ortes für die architektonische Entscheidung demonstriert Le Corbusier provokativ, beispielsweise in seinem Plan Voisin (1925), wo er kaltblütig den Abriß der Pariser Innenstadt vorsieht, also zunächst eine tabula rasa schafft für seine Vision einer Idealstadt. Prominente geschichtliche Monumente bleiben zwar stehen, die Hochhäuser gehen aber mit ihnen kaum eine Beziehung ein. Dies bedeutet nicht nur die Negierung der Stadt, »sondern auch die Weigerung, irgendwelche spezifischen Beschränkungen bei der Standortwahl zu

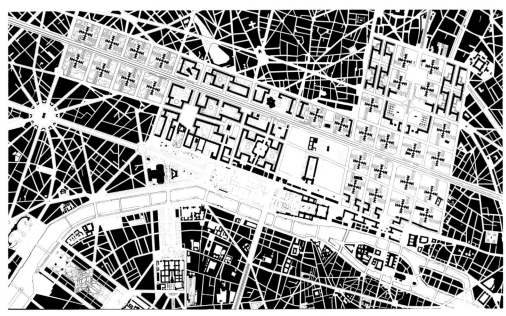

119. Le Corbusier, Esel und Rabe. Skizze aus einem Brief an Sigfried Giedion.
120. Le Corbusier, Plan Voisin, Paris, 1925.

396 R. A. Etlin, Anm. 389, S. 87.
397 M. T. Muñoz, Anm. 332, S. 21.
398 P. Panerai und andere 1985, S. 136.
399 Paul Hofer, »Griff in die Doppelwelt«, in: ders., *Fundplätze Bauplätze, Aufsätze zu Archäologie, Architektur und Städtebau*, Basel 1970, S. 157. Vgl. auch Jean-Pierre Giordani, »Bildhauer der Städte – der Plan Obus 1931–32«, *Arch +*, 90/91, 8, 1987, S. 65; über das Algier-Projekt: »... die Architektur selbst bestimmt die Gesamtheit des urbanen Systems, indem sie dem Gebiet eine ›neue Satzung‹ gibt. Dieser Prozeß setzt ›freies‹ Terrain voraus, wie das ›ausgelöschte‹ Bild der bestehenden Stadt anzeigt ... Die bestehende Stadt (die europäische Stadt und die Kasbah) werden ebenso wie die ganze bewegte Topographie angehängt mit dem Rang der reinen Landschaft, als vorgefundene Objekte, die der neuen Komposition zur Verfügung stehen.«
400 Le Corbusier, F. de Pierrefeu, *The Home of Man*, London 1958, S. 49.
401 Le Corbusier, *Feststellungen zu Architektur und Städtebau*, Berlin 1964, S. 22. Zitiert von Colin Rowe in einem offenen Brief zur verschwundenen Öffentlichkeit, *Baumeister*, 9, 1984, S. 47.
402 Le Corbusier, *Ausblick auf eine Architektur*, Berlin 1963, S. 151.
403 H. Allen Brooks, »Jeanneret and Sitte: Le Corbusier's Earliest Ideas on Urban Design«, in: Helen Searing, Hrsg., *In Search of Modern Architecture, A Tribute to H. R. Hitchcock*, New York 1982, S. 280ff.
404 Ebd., S. 293ff.

berücksichtigen. Mit Ausnahme von Venedig soll überall nur noch ›Standard‹ vorherrschen, wobei das Gelände lediglich als ›Präsentierteller‹ für einen Gegenstand, nämlich für die abstrakt festgelegte Maschinenskulptur, dient«.[398]

Beruht diese offensichtliche Arroganz auf Le Corbusiers passionierter Ablehnung der alten Stadt, so läßt sich bei ihm andererseits eine aufklärerisch idealisierte Sicht der Natur feststellen. Seine Architektur tritt jedoch weder zum vorhandenen urbanen Ort noch zum idealisierten natürlichen Ort in eine echte Wechselbeziehung. Paul Hofer nennt es »das Grundverhältnis des aktivierten Kontrastes«, wo die Verschiedenheit des Gegenüber intakt bleibt, und hält dies für einen der sehr seltenen durchgehenden Züge in seinem Gesamtwerk.[399] Das von le Corbusier selbst geprägte Bild vom »Bildhauer der Städte« ist dafür symptomatisch: »Er steht im Zentrum der großen Stadt oder besser noch in der vertikalen Achse dieses Zentrums, um größeren Nutzen aus der beherrschenden Höhe zu ziehen. Von dort aus kann er seine Stadt durch gebaute Volumen und begrünte Flächen modellieren, all das freundlich zu den Hügeln und Flüssen. Von dort ist er in der Lage – um Le Corbusiers eigenen Ausdruck zu gebrauchen – seine gigantischen Kuben und die kühnsten Parallelepipede am Fallschirm abzuwerfen, ohne mit einem einzigen Grashalm der Landschaft zu kollidieren.«[400]

Dies ist die eine, jedoch nicht die einzig mögliche Interpretation Le Corbusiers. Er selber spricht oft von Beziehungen, doch verwendet er den Ausdruck meist in einer speziellen Bedeutung. So denkt er wohl in erster Linie an funktionelle Beziehungen im Städtebau, wenn er von dem Kneipentisch nach einem Mittagessen spricht, auf dem Gläser, Salz, Flaschen, Teller, Öl- und Essigständer und Servietten in einer »schicksalhaften Ordnung herumliegen, die alle diese Gegenstände zueinander in Beziehung setzt.«[401] Oder er spricht von einem schönen Gesicht, das sich »durch die Beschaffenheit seiner Züge und durch einen ganz besonderen Wert ihrer Beziehungen zueinander«[402] auszeichnet und denkt dabei in Albertis Sinne an eine harmonische Beziehung von Teilen, an die Proportionen des Ganzen.

Es ist nun hinreichend bekannt, daß Le Corbusier eine widersprüchliche Doppelbegabung war und in seinen Ansichten manchmal eine abrupte Kehrtwendung vollzog. In jungen Jahren hatte er auf Anregung seines Lehrers Charles L'Eplattenier an dem nie erschienenen Buch *La Construction des Villes* gearbeitet. In starker Anlehnung an Camillo Sitte verlangt er dort die Anpassung an das Gelände, empfiehlt den krummen Eselspfad, der die Landschaftsstruktur beachtet, zur Nachahmung und mahnt zum Respekt und zur Steigerung der landschaftlichen Elemente. Heftig verurteilt er alle mechanischen Schemen, gerade Linien, die Geometrie im Städtebau schlechthin. Auch im urbanen Kontext hält er sich getreu an Sitte und empfiehlt die Einbindung von Monumentalbauten in die umgebende Raumstruktur der Stadt.[403]

1915 vollzieht er jedoch, nicht zuletzt unter dem Eindruck seiner Studien des barocken Städtebaus, eine radikale Wende zur Ordnung, zur Symmetrie, zur Axialität und zum geometrischen Schematismus.[404] Sein 1925 erschienenes Buch *L'Urbanisme* mutet dann als eine harte Abrechnung mit seinem eigenen, nun überwundenen »Ich« an. In völliger Umkehrung der Position verspottet er dort den Eselspfad als unangemessenes Vorbild für den Städtebau.

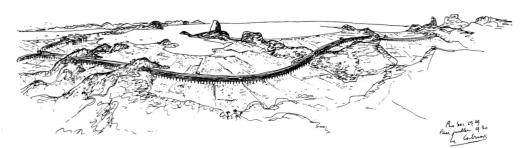

121. Le Corbusier, Autobahngebäude in Rio de Janeiro, 1929.

Und dennoch lassen sich in Le Corbusiers konkreten Projekten, selbst in der kämpferischen Phase der zwanziger Jahre immer wieder Elemente ausmachen, die auf einen bewußten Ortsbezug hindeuten. Freilich hat er diese Bezüge in seiner publizistischen und propagandistischen Tätigkeit unterdrückt, doch sind sie andererseits so offensichtlich, daß einige Kritiker sich veranlaßt fühlten, Le Corbusier als einen herausragenden Kontextualisten zu interpretieren: »Während er die neue Stadt der freistehenden Gebäude propagierte, baute Le Corbusier kontextuell bezogene Gebäude. Eigentlich war er einer der großen Kontextualisten des 20. Jahrhunderts.«[405]

Gern wird in diesem Zusammenhang das Gebäude der Heilsarmee in Paris (1929) mit seinem unkonventionellen Bezug zur Straße oder das Palais des Centrosoyus in Moskau (1928) genannt. Aber auch bei den frühen Häusern sind schon eindeutige Ortsbezüge festzustellen, so bei dem Haus Ozenfant in Paris (1922), dem Anbau an die Villa Berque in Auteuil (1922), wo von dem vorhandenen Bau die geometrischen Prinzipien übernommen und bis in die Gartengestaltung fortgesetzt wurden, oder wenn bei der Villa Ternisien in Boulogne sur Seine (1926) das kleine dreieckige Grundstück voll im Bauwerk umgesetzt und ein bestehender Baum zum Anlaß genommen wird, den Bau in zwei Teile zu gliedern und den Eingang zu markieren.

Ende der zwanziger Jahre beginnt Le Corbusier, ausgehend nicht zuletzt auch von der persönlichen Erfahrung der Vogelperspektive aus dem Flugzeug,[406] ein neues Landschaftsbewußtsein zu entwickeln. Er entfernt sich in seinen städtebaulichen Visionen »von der Unerbittlichkeit seines Projektes für die Ville Radieuse zugunsten dramatischer Interpretation der Topographie«.[407] Freilich tritt er wiederum als der »Bildhauer der Städte« auf, der jedoch immerhin das plastische »Rohmaterial« der Landschaft verarbeitet, es als »objet trouvé« seiner Komposition einfügt oder sich von diesen topographischen Elementen inspirieren läßt. Für diese Phase sind jene großräumigen Städtebauprojekte bezeichnend, in denen er eine bewegte Landschaft mit großmaßstäblichen Hochhäusern und bandartigen »Autobahngebäuden« spannungsvoll kontrastiert. Dies sind die Projekte für Algier, Montevideo, Sao Paulo oder Rio de Janeiro, alle um 1930 entstanden. Bezeichnenderweise findet man parallel zu dieser vollplastischen Reaktion auf die Oberflächengestalt der Erde im zeichnerischen Werk Le Corbusiers auch ein verstärktes Interesse an der weiblichen Figur.

Gänzlich neu ist freilich auch bei Le Corbusier dieses Wissen um die Bedeutung des umfassenden landschaftlichen wie auch des atmosphärischen Kontexts für die Architektur nicht. Bereits in dem 1923 erschienenen Manifest *Vers une Architecture* notiert er: »Die Elemente der Umgebung werden gleichsam durch ihre Eigenschaft als Masse und in ihrer Schichtung und Dichte zu Staffagewänden, wie die Wände eines großen Saales. Wände und Licht, Schatten und Helle, traurig, heiter oder ernst usw. Diese Elemente müssen in die Komposition einbezogen werden.«[408] Le Corbusier ist also durchaus in der Lage, unveränderbare Elemente des Ortes, Bodenrelief, klimatische und atmosphärische Gegebenheiten zu akzeptieren, sie gleichsam in die Gesamtkomposition einzuarbeiten.

Von den vielen als »kontextuell« apostrophierten Projekten ist das **Krankenhaus für Venedig** (1964) dasjenige, dem diese Qualität von allen Seiten uneingeschränkt zuerkannt wird. Mario Botta, der als Mitarbeiter am Projekt zu den Eingeweihten zählt, zieht fünf Erkenntnisse aus dem Projekt, und gleich vier davon betreffen den Kontext:
– »die deutliche Verzahnung von Architektur und Stadt,
– Möglichkeiten des Architekten, sein Handwerkszeug einzusetzen, um einen Ort zu schaffen,
– ein Dialog, jenseits von Zeit und Stil, zwischen dem Neuen und der alten Stadtstruktur,
– die Suche nach einem Maßstab für die Intervention, der uns erlaubt, den urbanen Kontext zu lesen und zu interpretieren.«[409]

In dieser Beschreibung ist vielleicht jenes enthalten, was Le Corbusier geahnt haben mag, als er unter einer Skizze vermerkte: »... auf ganz anderen Wegen haben wir das große städtebauliche Prinzip wiedergefunden, das Venedig so wunderbar beleuchtet.«[410]

[405] M. Dennis 1986, Anm. 250, S. 202. Vgl. auch Thilo Hilpert, *Le Corbusier 1887–1987 – Genius, Atelier der Ideen*, Hamburg 1987, Abschnitt »Architektur im Kontext«, S. 50–53; Alan Colquhoun, »La composition et le problème du contexte urbain«, in: Jacques Lucan, Hrsg., *Le Corbusier 1887 à 1965: une Encyclopédie*, Paris 1987, S. 378–384, wo der Autor die großen Projekte der späten zwanziger Jahre auch nach ihrem kontextuellen Bezug untersucht.

[406] Le Corbusier, »Frontispiz zu den Bildern der Luftfahrt«, *Arch+*, 90/91, August 1987, S. 40 ff. Siehe auch Mary McLeod, »Le Corbusier and Algiers«, *Oppositions*, 19/20, 1980, S. 54–85.

[407] J.-P. Giordani, Anm. 399, S. 64.

[408] Le Corbusier, Anm. 402, S. 144 ff.

[409] Mario Botta, in: Robert Wischer, Hrsg., *Le Corbusiers Krankenhausprojekt für Venedig*, Ausstellungskatalog, Berlin 1985, S. 7. Vgl. auch die Analyse des Projektes bei Norbert Huse, »Venedig-Entwürfe«, *Arbeitsheft 56 des Bayerischen Landesamtes für Denkmalpflege*, München 1991, S. 251 ff.

[410] Willy Boesiger, Hrsg., *Le Corbusier*, Zürich 1972, S. 162.

[411] Daß Le Corbusier offensichtlich bis zuletzt ein Vorreiter der Architekturentwicklung war, oder zumindest für einen solchen gehalten wurde, bestätigt ein Seufzer von Alison Smithson: »... when you open a new volume of the Œuvre Complète you find that he has had all your best ideas already, has done what you were about to do next«. Zitiert nach Charles Jencks, *Modern Movements in Architecture*, Garden City, New York 1973, S. 259.

[412] »Operating on a larger scale of the landscape designer, can the architect not utilise old buildings–whatever their style or material–in his scenic compositions, exactly as he might incorporate traditional familiar materials in his design for individual buildings?« J. M. Richards, »Architectural Expression«, *CIAM 6–Documents*. Zitiert nach Jos Bosman, »CIAM 1947–1956«, in: K. Medici-Mall, Hrsg., *Fünf Punkte in der Architekturgeschichte*, Basel 1985, S. 201 f.

[413] Sigfried Giedion, »Die Humanisierung der Stadt«, *Werk*, Nov. 1952. Abgedruckt in Paul Hofer, Ulrich Stucky, Hrsg., *Hommage à Giedion*, Basel 1971, S. 55.

Aus einer reduzierten Strukturanalyse der Stadt (weniger des angrenzenden Stadtteiles S. Giobbe als der typischen zentralen Bereiche Venedigs) sucht Le Corbusier einige wenige Elemente heraus und entwickelt daraus die Erschließungsstruktur des Krankenhauses. Die vorgefundene Raumstruktur, bestehend aus engen Gassen (calle) und kleinen Plätzen (campiello) wird – geometrisch rationalisiert und etwas grobmaschiger – im Erdgeschoß des Krankenhauses fortgeführt und für öffentliche Einrichtungen freigehalten. Auf diese Weise wird der Gebäudekomplex nicht nur strukturell, sondern auch funktional intensiv mit der Stadt vernetzt. Eine ähnliche, aus der alten Stadt vertraute Raumstruktur bestimmt auch das Bild im Bettengeschoß: wieder das Prinzip der engen Gassen und der kleinen Begegnungsplätze, dazu die winzigen Krankenzimmer zu »Quartieren« gruppiert.

Natürlich steht das Projekt innerhalb der strukturalistischen Strömungen jener Zeit, doch nimmt es andererseits mit seinem eindeutigen strukturellen Ortsbezug die kontextuelle Theorie und Praxis der sechziger Jahre vorweg.

Der Kontextualismus der Nachkriegszeit

Anfang der sechziger Jahre, als Le Corbusier mit seinem Krankenhausprojekt für Venedig eine neuerliche Wendung in seiner Architekturhaltung zum Kontext vollzieht, übernimmt Colin Rowe das Urban Design Studio an der Cornell University, in dem später der Begriff Contextualism zum erstenmal geprägt wird. Etwa gleichzeitig beginnt Oswald Mathias Ungers mit seinen Berliner Studenten, Architektur wieder aus dem Ort zu entwickeln. Offensichtlich ist die Zeit wieder reif geworden für eine neue Architektur des Ortsbezugs.[411]

Der Umschwung kam freilich nicht über Nacht. Er wurde vielmehr seit dem Ende des Zweiten Weltkriegs langsam vorbereitet. Die Kritik der Nachkriegsjahre am Universalismus der Modernen Bewegung, an der Doktrin des Funktionalismus und des Internationalen Stils spiegelt sich in den Diskussionen der **CIAM-Kongresse** wider. Bereits beim 6. Kongreß in Bridgewater (1947) wurde die Problematik der Sterilität und der lebensfremden Abstraktion der funktionalen Stadt zur Sprache gebracht. So fragte J. M. Richards, der damals die wesentlichen Argumente formulierte, warum man beim Entwerfen in landschaftlichem Maßstab nicht auch bestehende Gebäude, unabhängig von ihrem Stil, in die neue Komposition integrieren sollte und ebenso traditionelle lokale Materialen beim Bau der Einzelobjekte.[412]

Der 8. CIAM-Kongreß in Hoddesdon (1951) stand unter dem Thema »The Core of the City«. Sigfried Giedion übte damals vorsichtige Kritik am CIAM-Funktionalismus, als er von einer »Humanisierung der Stadt« sprach und die Beziehung der Teile zum Ganzen in den Vordergrund rücken wollte. Ausdrücklich mahnte er »zur Besinnung auf die Rechte des Individuums gegenüber der Tyrannei der Maschine«.[413] Er setzte sich für die Kontinuität der menschlichen Erfahrung und damit indirekt auch für die Kontinuität der gebauten Umwelt ein, was er mit der Wahl von antiken und

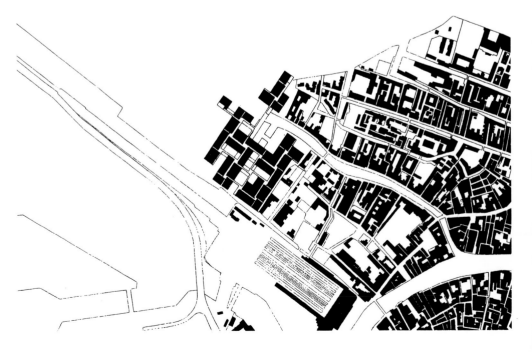

122. Le Corbusier, Projekt für ein Krankenhaus in Venedig, 1964.

mittelalterlichen Stadtraumbeispielen noch unterstrich. [414] Auch Ernesto N. Rogers wandte sich dort gegen die Zerstörung historischer Stadtzentren durch die rigide Doktrin des modernen Städtebaus. Als einer der Neubegründer und Herausgeber der Zeitschrift *Casabella Continuità* setzte er sich in der Folgezeit beharrlich für erneute Verantwortung gegenüber Ort und Tradition ein und brachte eine umfassende Debatte über die Kontinuität in der Architektur in Gang. Der von ihm mitgeplante Torre Velasca in Mailand (1954–58) wird allgemein als eines der frühesten Nachkriegsbeispiele einer neuerlichen Hinwendung zum Genius loci interpretiert.

Beim 9. CIAM-Kongreß in Aix-en-Provence (1953) kam es zu einem Bruch zwischen den Verfechtern der universellen Kriterien im Städtebau und jenen, die eine individuelle Behandlung jeder Situation forderten. Giedion sah die zukünftige Entwicklung der modernen Architektur als Auseinandersetzung mit den lokalen Gegebenheiten. »Diese Einstellung, die von den besten heutigen Architekten befolgt wird, um den regionalen Bedingungen gerecht zu werden, ... könnte man als den neuen Regionalismus bezeichnen...« [415]

Die Untauglichkeit universeller Konzepte beim Bauen und Planen wurde bei dem Kongreß anhand vieler Projekte aus der Dritten Welt anschaulich vorgeführt. Plädierte Giedion in der Folge für einen neuen Regionalismus, so ging Ungers in seinen Erinnerungen noch weiter und sprach grundsätzlich vom Problem des Kontexts und des Ortes in der Architektur als dem zentralen Thema des 9. CIAM-Kongresses. »Das führte zu der Forderung, daß jede Arbeit aus ihrer spezifischen Situation heraus beurteilt werden muß. Die Beurteilungskriterien können nur aus dem Kontext entwickelt und nicht als abstrakte Kriterien übergestülpt werden ... Ergebnis dieser Überlegungen war die Einsicht, daß Städtebau mit dem Kontext zu tun hat, nicht mit abstrakten Erkenntnissen, d.h. es geht um die Einordnung in den Ort, in die spezifische Situation.« [416]

Nach dieser Kontroverse in Aix-en-Provence spaltete sich eine Gruppe von jüngeren Architekten unter dem Namen Team 10 von der CIAM-Bewegung ab. Zwar bereitete sie noch den 10. und letzten CIAM-Kongreß in Dubrovnik (1956) vor, die CIAM-Doktrin war aber damit am Ende. [417] Gegenüber dem Universalismus der CIAM betonte Team 10 die Individualität des Ortes, seine einmalige Identität. Aus den Projekten der Gruppenmitglieder und ihren theoretischen Äußerungen ist das Bemühen um einen bewußten Bezug des Bauwerks zur Struktur der Stadt klar ersichtlich. »Wir glauben, daß das Entwerfen und Planen eher ein Problem der Fortsetzung als des Neuanfangs auf einem unbeschriebenen Blatt ist... Unsere augenblicklichen ästhetischen und ideologischen Ziele sind eine Sache der Auseinandersetzung mit den gegebenen Situationen.« [418] Und an anderer Stelle werden Gebäude als lebendige Wesen beschrieben, als natürliche Fortsetzung der sie umgebenden Bauten, mit denen zusammen sie Orte bilden. [419]

Neben Jacob Berend Bakema, Giancarlo De Carlo und den Smithsons war insbesondere **Aldo van Eyck** ein prägendes Mitglied des Team 10. Mit seinem Insistieren auf der Bedeutung des Ortes in der Architektur war er der eigentliche Motor des »Place Making Movement« in den späten fünfziger und sechziger Jahren. »Was immer Raum und Zeit bedeuten, Ort und Gelegenheit bedeuten mehr. Denn Raum ist in der Vorstellung des Menschen Ort, und Zeit ist in seiner Vorstellung Gelegenheit.« [420] Ort und Gelegenheit »humanisieren« die abstrakten Kategorien von Raum und Zeit. Der eigentliche Sinn der Architektur ist somit für van Eyck die Beheimatung des Menschen. [421] Die Identität des gebauten Ortes wird einerseits durch eine mehrschichtige, bedeutungsträchtige Architektur begründet, andererseits aber auch durch das Aufgreifen des Lokalen, des physischen Kontexts, der Geschichte oder der Tradition. [422] Selbst wenn »Place Making« nicht primär mit Ortsbezug beschäftigt war, so hat es doch wesentlich zur Verankerung des Ortes in der Architekturtheorie der sechziger und siebziger Jahre beigetragen.

Für **Oswald Mathias Ungers**, späteres Team 10-Mitglied und nach eigenen Aussagen von der »Kontext-Diskussion« des 9. CIAM-Kongresses nachhaltig geprägt, [423] ist der Ortsbezug ein zentrales Thema der Architektur – einer ihrer beiden wesentlichen Bezüge: Ort und architektonischer Typus. Immer wieder umkreist Ungers in seinem architektonischen Nachdenken und Schaffen diese Frage nach dem Stellenwert von Typus und Topos in der Architektur und formuliert sie neu. »Wenn die Architektur sich als eine Auseinandersetzung mit der Realität darstellt, dann ist sie auch das Ergebnis eines dialektischen Prozesses zwischen den Gegebenheiten und dem sich hieraus bestimmenden Idealbild ... Für eine solche Architektur stellt sich der Begriff des Kontextualismus ein, was nichts anderes bedeutet als eine Architektur, die sich aus dem Kontext der jeweiligen Umgebung erklärt.« [424]

Bereits 1960 hatte Ungers gemeinsam mit Reinhard Gieselmann ein Manifest veröffentlicht, das für jene Zeit erstaunlich klar die kontextuelle Dimension des Bauens vertritt. Er geißelt darin die Nivellierung der Umwelt durch die programmatische Schematisierung der Beziehungen und fordert eine aktive »Auseinandersetzung des einzelnen mit der Realität« und seine persönliche

[414] Ebd., S. 56ff.

[415] Sigfried Gidion, *Architektur und Gemeinschaft. Über den neuen Regionalismus*, Hamburg 1956, zitiert nach K. Medici-Mall, Anm. 412, S. 206f.

[416] O. M. Ungers in: »T. Sieverts, O. M. Ungers, G. Wittwer im Gespräch mit N. Kuhnert«, *Stadtbauwelt*, 76, 12, 1982, S. 369.

[417] Interessant ist in diesem Zusammenhang auch Giedions Hinweis auf Martin Bubers Buch *Ich und Du*, das die Architekturdiskussion damals inspirierte. »Die Forderung nach der Wiederherstellung der Beziehung zwischen Ich und Du führte zu tiefgehenden Veränderungen in der Struktur der Stadt.« S. Giedion 1956, S. 125. Zitiert nach K. Medici-Mall, Anm. 412, S. 207.

[418] Peter Smithson in: Alison Smithson, Hrsg., *Team 10 Primer*, Cambridge, Mass., S. 85.

[419] Ebd., S. 3.

[420] Ebd., S. 41.

[421] Ebd., S. 41 und 102ff.

[422] Ch. Jencks 1973, S. 318f.

[423] Siehe Anm. 416.

[424] O. M. Ungers, »Wir brauchen keine neuen Utopien, sondern Erinnerung«, *Die Welt*, 20. 2. 1979.

[425] Reinhard Gieselmann, Oswald Mathias Ungers, »Zu einer neuen Architektur«, in: Ulrich Conrads, Hrsg., *Programme und Manifeste zur Architektur des 20. Jahrhunderts*, Berlin 1964.

[426] Ebd. Angesichts dieser frühen und unzweideutigen Anerkennung der konstitutiven, d.h. unverzichtbaren Rolle des Genius loci in der Architektur, die Ungers in verschiedenen Variationen immer wieder betonte, erscheint es später inkonsequent, »das Thema der Assimilation oder die Einpassung in den ›Genius loci‹« als eines der möglichen, beliebig zu wählenden Themen der Architektur hinzustellen, wie er es in seinem Buch *Die Thematisierung der Architektur* (Stuttgart 1983) tut.

[427] Jörg Pampe, »Entwerfen, damals: Auf der Suche nach Bindungen«, *Stadtbauwelt,* 76, 12, 1982, S. 404.

[428] O. M. Ungers, Hrsg., *Veröffentlichungen zur Architektur*, TU Berlin, 3, 1966, Erläuterungen zum Projekt Grünzug Süd in Köln.

[429] Ebd.

Verantwortung gegenüber Ort, Zeit und Mensch. [425] Der Entropie in der Architektur versucht er mit engagierten, persönlichen Beziehungen zu begegnen, mit Individualisierung und Steigerung der vorhandenen Gestaltpotentiale. »Architektur ist vitales Eindringen in eine vielschichtige, geheimnisvolle, gewachsene und geprägte Umwelt. Ihr schöpferischer Auftrag ist Sichtbarmachung der Aufgabe, Einordnung in das Vorhandene, Akzentsetzung und Überhöhung des Ortes. Sie ist immer wieder Erkennen des Genius loci, aus dem sie erwächst.« [426]

Mit dieser Haltung zum Kontext prägte Ungers, seit 1963 Professor an der TU Berlin, eine Generation deutscher Architekten. Oft stellte er Aufgaben mit nahezu absurden, künstlichen Bedingungen, die eine Architektur aus den Bindungen des Ortes heraus erzwingen sollten. Jörg Pampe bezeichnet seinen Bericht über das Entwerfen von damals mit der Suche nach Bindungen: »Immer findet Architektur eine Umgebung schon vor. Diese Bindung der Architektur wurde in dem Konzept von Ungers und seinem Assistenten Johannes Uhl zur Aufgabe erhoben und geübt ... Ziel war die Weiterentwicklung der vorgefundenen Situation in einer städtebaulichen Idee. Diese Lösungen reichten vom einfachen Typologisieren über Verarbeiten bis zu Transformationen ... Die Übungen von damals waren auf dem Wege zu einer Architektur des Ortes.« [427]

Ungers selbst erläutert gerne seine dialektische Entwurfsmethode – das Entdecken und Reinterpretieren von Typen im Bestand und deren morphologische Abwandlung, um so letztlich wieder den Ortsbezug zu ermöglichen – an seinem frühen Projekt Grünzug Süd für Köln-Zollstock (1962–65). Darin reagiert er auf die vorgefundenen Strukturen, Raumansätze, Bautypologien, Grünflächen und topographischen Gegebenheiten und kann abschließend behaupten, daß die »aus der Situation heraus entwickelte und durch sie bestimmte Bebauung versucht, die Heterogenität des Bestehenden in einer neuen, größeren Ordnung zu binden und dem Stadtteil eine sich im Ansatz zeigende eigene Physiognomie zu geben.« [428] Er empfiehlt dieses Verfahren für die Überplanung aller Stadtteile von Köln, die somit ein jeweils individuelles, ihrem Wesen gemäßes Gesicht erhalten würden. »Die Verwirklichung einer solchen Konzeption verlangt ein subtiles Eingehen auf die Situationen, Strukturen und Gegebenheiten ...« So entstehen »immer Lösungen, die auf den ›Genius loci‹ Bezug nehmen«. [429]

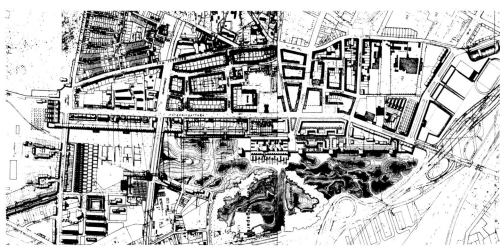

123, 124. Oswald Mathias Ungers, Projekt Grünzug Süd, Köln-Zollstock, 1962–65. Bestand und Planung.

Die Beiträge zur Renaissance der kontextuellen Theorie und Praxis in der Architektur der fünfziger bis siebziger Jahre sind vielschichtig und zahlreich und die gegenseitigen Verflechtungen komplex. Es ist unmöglich, die einzelnen Beiträge in Genealogien zusammenzufassen. Trotzdem soll aber versucht werden, durch einzelne Querverweise ein loses Netz zu knüpfen und damit das kontextuelle Bauen – das Bauen aus dem Ort – als eine aktuelle, breitgefächerte Zeiterscheinung zu interpretieren.

So mag an der TU Berlin in den sechziger Jahren durchaus noch der Geist **Hans Scharouns** wirksam gewesen sein, der in Übereinstimmung mit Hugo Häring der »wesenheitlichen Lösung jeder Aufgabe« den Vorzug gegeben hat.[430] Auch Scharoun hat, wie später Ungers, von seinen Studenten gefordert, den Entwurf aus dem Ort zu entwickeln.[431] Beide kamen freilich zu völlig verschiedenen formalen Ergebnissen.

Im kriegszerstörten Deutschland war der **Wiederaufbau** eine enorme Herausforderung nicht nur für die Verwirklichung von neuen Architektur- und Städtebaukonzepten, sondern ebenso für eine den zerstörten Ort interpretierende Architektur. Ich denke hier nicht so sehr an die Wiederverwendung des Abbruchmaterials, das eher eine Nottugend war, oder an die übliche Vereinfachung oder Reduzierung der reicheren Architektursprache unter gleichzeitiger Wahrung der architektonischen Primärstruktur – auch dies oft Nebenprodukt ökonomischer Zwänge. Als »ortsbezogenen« Wiederaufbau bezeichne ich vor allem jenes schöpferische Zwiegespräch mit den Ruinen, das die Realität ihrer Zerstörung zum Ausgangspunkt einer neuen architektonischen Beziehung genommen hat.

Die Arbeiten von Hans Döllgast, Emil Steffann und **Rudolf Schwarz** sind in ihrer Sensibilität gegenüber dem zerstörten Ort als herausragend zu bezeichnen. Schwarz hat auch präzise das persönliche Verhältnis zu solch einem von der Geschichte gezeichneten Ort zum Ausdruck gebracht: »Man sollte das alte Werk ganz und gar ernstnehmen, aber nicht als ein totes, sondern als ein lebendiges, das unter uns lebt, und mit ihm eine Zwiesprache beginnen, lauschen, was es zu sagen hat, und sagen, was wir als lebendige Menschen zu antworten haben, und ihm so als einem Lebendigen ein neues Lebendiges einfügen. Man sollte diese Zwiesprache aber mit einem Partner beginnen, nicht, wie er einmal war, sondern wie er jetzt, in dieser geschichtlichen Stunde, da ist und Geschichte erlitten hat.«[432] Schwarz hat diese Haltung bei vielen Wiederaufbauprojekten in Köln geübt. Stellvertretend mag hier das Herrichten der Kirchenruine St. Alban und der Wiederaufbau des unmittelbar anschließenden Gürzenich in Köln (1956) erwähnt werden.

Eine ähnliche Rolle wie Rudolf Schwarz in Köln kam, was den intimen Umgang mit Ruinen anbelangt, in München **Hans Döllgast** zu. Nicht zuletzt wegen seiner Vorliebe für römische Ruinen drängt sich hier der Vergleich mit Baldassarre Peruzzi und seinen zahlreichen Ausbauten antiker Überreste auf. Wie kein anderer setzte sich Döllgast für die Erhaltung selbst der bereits aufgegebenen Bauten ein. Mit Trümmerziegeln, minimalen Mitteln und seiner bewährten »kreativen Improvisation« schenkte er München eine Reihe von Reinterpretationen älterer Architekturen aus dem Geiste des Ortes und der geschichtlichen Realität der Kriegszerstörung.

Beim Alten Südfriedhof (1953–55) entschied er sich für den Wiederaufbau der beiden wesentlichen Gebäude (ehemalige Aussegnungshalle und Durchgangshalle), weil diese die verschieden ausgerichteten Achsen der einzelnen Friedhofsteile markierten. Um den additiven Charakter des Friedhofs zu unterstreichen, räumte er die Reste der zwischen beiden Friedhofsteilen entstandenen Bauten ab und legte dort einen Park an.[433]

Im vorderen Teil des Mittelschiffes der Kirchenruine St. Bonifaz baute Döllgast 1949/50 eine kleinere Kirche ein, jedoch nicht ohne die stehengebliebenen sieben Achsen aus Proportionsgründen auf neun zu ergänzen (Proportion des Kirchenraumes 1:2). Ähnlich verfuhren auch die mittelalterlichen Baumeister bei der Umwandlung antiker Tempelruinen in christliche Kirchen.

Als eine der wichtigsten Leistungen des interpretierenden Wiederaufbaus in Deutschland gilt zweifellos der Wiederaufbau der **Alten Pinakothek**, von Döllgast geplant und ausgeführt zwischen 1946 und 1957. Der lange Bau war durch Bombenvolltreffer praktisch in zwei Teile getrennt und völlig ausgebrannt. Döllgast setzte sich zunächst vehement für die Erhaltung des bereits aufgegebenen Bauwerks ein, nahm jedoch später den Wiederaufbau zum Anlaß, wesentliche Eingriffe in Struktur und Organisation des Bauwerks vorzunehmen. Dem Wesen des Gebäudes entsprechend, verlegte er den Haupteingang vom östlichen Flügelbau in die Gebäudeachse nach Norden und ordnete zwei symmetrische Treppenfluchten im stärker zerstörten südlichen Bereich an.[434]

Unter kontextuellem Gesichtspunkt ist vor allem die Ergänzung der Südwand der Alten Pinakothek interessant. Als erste Sicherungsmaßnahme wurde das südliche Pultdach auf sieben schlanke Stahlrohre aufgestützt, die den Rhythmus der Fassadengliederung im fehlenden Teil gleichsam abstrakt vor der Wand fortsetzten und als Metamorphose der römischen Halbsäulen im Oberge-

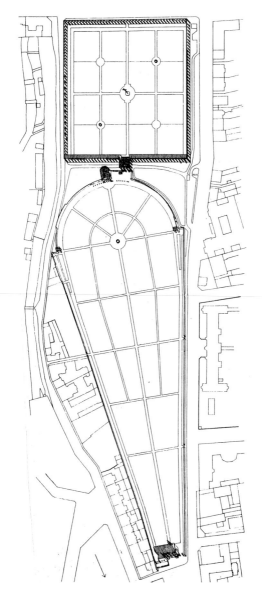

125. Hans Döllgast, Instandsetzung des Münchner Südfriedhofs, 1953–55. Seminararbeit an der Technischen Universität München, Lehrstuhl für Entwerfen, Raumgestaltung und Sakralbau, Prof. Friedrich Kurrent.
126. Dimitris Pikionis, Landschaftsgestaltung um die Akropolis in Athen, 1951–57.

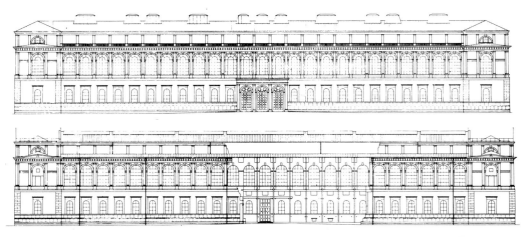

127, 128. Leo von Klenze, Alte Pinakothek, München, 1826–36, wiederaufgebaut von Hans Döllgast, 1946–67. Südfassade. Seminararbeit an der Technischen Universität München, Lehrstuhl für Entwerfen, Raumgestaltung und Sakralbau, Franz Peter.

430 Hans Hansen, »Hans Scharouns Lehrwirksamkeit«, *Stadtbauwelt*, 76, 12, 1982, S. 418.
431 Georg Wittwer in: »T. Sieverts, O. M. Ungers, G. Wittwer im Gespräch mit N. Kuhnert«, Anm. 416.
432 Rudolf Schwarz, *Kirchenbau, Welt vor der Schwelle*, Heidelberg 1960, S. 93. Zitiert nach M. Sundermann, Hrsg., *Rudolf Schwarz*, Bonn 1981, S. 21.
433 Siehe M. Gaenßler und andere, Hrsg., *Hans Döllgast 1891–1974*, München 1987, S. 102 ff.; Lehrstuhl für Entwerfen, Raumgestaltung und Sakralbau, Prof. F. Kurrent, TUM, Hrsg., *Der Münchner Südfriedhof. Die Instandsetzung durch Hans Döllgast, 1953/54*, München o. J.
434 Für genauere Angaben zu Planungs- und Baufortgang sowie Informationen über vielfältige, z. T. wesentliche Einflüsse auf die Entwicklung des Konzepts siehe Erich Altenhöfer, »Hans Döllgast und die Alte Pinakothek. Entwürfe, Planungen, Wiederaufbau 1946–1973«, in: M. Gaenßler und andere, Anm. 433.
435 Dimitris Pikionis, »A sentimental Topography«, Aufsatz von 1935, zitiert nach *Dimitris Pikionis, Architect 1887–1968, A Sentimental Topography*, Ausstellungskatalog, London 1989, S. 69.
436 Vgl. das Kapitel »Erde, Tempel und Götter. Das griechische Gleichgewicht«. Agnis Pikionis bestätigt dies, wenn sie schreibt, daß Pikionis zeigen wollte, »How a country or a place reveals its innermost character, its essence, through its natural configuration«. Ebd., S. 72.
437 Kenneth Frampton, »For Dimitris Pikionis«, ebd., S. 9.
438 Sylvain Malfroy, Gianfranco Caniggia, *Die morphologische Betrachtungsweise von Stadt und Territorium. Eine Einführung in die Terminologie*, Zürich 1986, S. 37.
439 Franco Purini, »Die Forschungen über die italienische Stadt von Saverio Muratori«, in: IBA, Hrsg., *Idee Prozeß Ergebnis. Die Reparatur und Rekonstruktion der Stadt*, Berlin 1984, S. 223.
440 S. Malfroy, Anm. 438, S. 45 ff.
441 Gianfranco Caniggia, Gianluigi Maffei, *Composizione architettonica e tipologia edilizia*, Venezia 1979, S. 92, zitiert nach S. Malfroy, Anm. 438, S. 205.

schoß zu betrachten sind. Die Fensteröffnungen in beiden Geschossen sind das zweite Element, das die Kontinuität der Fassade gewährleistet: Sie sind in Rhythmus, Format und innerer Gliederung mit den alten Fensteröffnungen identisch. Alle anderen Elemente interpretieren die Klenze-Fassade sehr freizügig: Die Farbe der Trümmerziegel setzt sich deutlich von dem alten Vormauerziegel ab und tritt auch um eine Ziegelbreite hinter die Originalfassade zurück. Die Werksteinelemente werden nicht fortgesetzt. Nur die Kämpfer, die Schlußsteine und einige Gesimse werden in Beton nachempfunden. Hingegen sind die Blendöffnungen zur Gliederung der Wand völlig neu. Der über drei Achsen fortgesetzte Betonsturz über dem Südeingang ist eine deutliche Reminiszenz an das zerstörte dreiachsige Südportal. In dieser Ergänzung der Südwand der Alten Pinakothek halten sich die Elemente der Kontinuität mit den Zeichen der geschichtlichen Diskontinuität die Waage.

Dimitris Pikionis, einer der ersten, welche die Bedeutung des Ortes und der Erinnerung gegenüber einem geschichtslosen Internationalismus betont hatten, gelang mit der Landschaftsgestaltung um die Akropolis in Athen (1951–57) ein subtiles Werk von zeitloser, überpersönlicher Selbstverständlichkeit, entwickelt vor Ort aus einer innigen Zwiesprache mit den Felsen, dem Bewuchs, dem zur Verfügung stehenden Spolienmaterial, dem Potential der einzelnen Orte und Aussichtspunkte. Hier setzte Pikionis unmittelbar seine Überzeugung in die Praxis um, daß »nichts für sich selbst existiert; alles ist Teil einer allumfassenden Harmonie. Alle Dinge sind miteinander verbunden, denn jedes von ihnen wird von den anderen beeinflußt und verändert. Wir können einen Gegenstand nur im Zusammenhang mit allen anderen erfassen«.[435]

Es ist vor allem die plastisch-volumetrische Dimension der Landschaft, der sich Pikionis im Geiste der tausendjährigen griechischen Tradition verbunden fühlt.[436] Hinzu tritt das Bewußtsein um die Geschichtlichkeit des Ortes als etwas Gegenwärtigem, dem Ort sozusagen zeitlos Eingeprägtem. Für Kenneth Frampton gründet somit »die gegenwärtige Bedeutung von Pikionis in der, wie man sagen könnte, onto-topographischen Sensibilität – das heißt in seinem Gefühl für die Interaktion des Geschöpfes mit der plastischen Qualität des Ortes.«[437]

Ist bei solch einer innigen Auseinandersetzung mit dem konkreten Ort eine ortsbezogene Architektur »naheliegend«, so überrascht es schon eher, in den theoretischen Grundlagen der um den autonomen Typus kreisenden italienischen »tendenza« kontextuelle Züge festzustellen. Und doch ist die morphologisch-typologische Betrachtungsweise von Stadt und Territorium – eingeführt durch die Arbeiten von **Saverio Muratori** und fortgesetzt einerseits durch »die Schule« (G. Caniggia, G. Marinucci, P. Marette) und andererseits, mit geänderten Schwerpunkten, durch Carlo Aymonino, Aldo Rossi und andere – zumindest in ihren Prämissen grundsätzlich ortsbezogen. Muratori ging von der Anschauung aus, daß sich die Geschichte des Territorismus in seiner räumlichen Struktur abbildet und somit das Ausgangsmaterial jeglicher nachfolgender Architektur wird.[438] Das Grundstück als der endgültige Ausgangspunkt jeder menschlichen Arbeit auf der Erde, als der unzerstörbare, »aus Streichungen und Unterstreichungen«, aus Korrekturen und Überlagerungen bestehende Text, spielt dabei eine zentrale Rolle.[439] Nach Muratori hat jeder architektonische Eingriff den Bestand sozusagen als Infrastruktur zur Voraussetzung, um sich überhaupt bilden und entwickeln zu können. Dabei vermag das Neue die Vielfalt der individuellen Anforderungen nur dann zu befriedigen, wenn es sich anpassend modifiziert.[440] Das Neue also als die Adaptation des Alten – darin liegt auch die Trägheit des Stadtgefüges begründet. Caniggia erklärt sogar die Mutation der Typen aus diesem Prinzip des Ortsbezugs, der ja die geschichtliche Kontinuität gewährleistet. »Einem neuen Typ gehen stets Veränderungen voraus, die an den schon bestehenden Gebäuden ausgeführt wurden.«[441]

Die Lektüre der geschichtlichen Prozesse, wie sie sich in den Strukturen der Stadt und des Territoriums niedergeschlagen haben, liefert demnach die Instrumente für den Entwurf kontextueller Eingriffe. Diese wiederum (sofern sie tatsächlich aus dem Ort entwickelt sind) machen die Struktur des Territoriums lesbar und transparent. Der Architekt sollte also »ein Spezialist sein für die architektonische Einfügung. Die Wirksamkeit seiner Kunst mißt sich nicht länger an der Besonderheit seiner Produkte, sondern an ihrer ›Organizität‹ ... So gestellt, erscheint der Bezug zwischen Alt und Neu nicht mehr in den Begriffen des Konflikts, sondern er nimmt den dynamischen Aspekt der historischen Kontinuität an«. [442]

Auch **Aldo Rossi** baut mit seinen Studien und Überlegungen auf dem theoretischen Grund, den Muratori gelegt hatte. Mit seiner grundlegenden und sehr einflußreichen Schrift *L'architettura della città* (1966) [443] erweitert er einerseits wesentlich die Fragestellung Muratoris, entfernt sich aber gleichzeitig stärker von dessen deterministischer Anschauung der Stadtform zugunsten einer dialektischen Auffassung des Verhältnisses zwischen historischer Analyse und Entwurf. [444] Trotzdem bleibt für Rossi der Ortsbezug eines der zentralen Themen (und nur dieses Thema greife ich hier heraus) seiner Theorie der Stadtarchitektur. In dieser Theorie geht es um Begriffe des Standortes, des Baudenkmals, um ihre durch die Geschichte begründete (Anziehungs-)Kraft und Kontinuität. Rossi spricht von der Theorie der Permanenz. »Der Bau von Wirklichkeit vollzieht sich deshalb dadurch, daß Architektur sich in Beziehung zu den vorhandenen Dingen und zur Stadt, zu den Ideen und zur Geschichte setzt.« [445] Es gibt immer etwas, worauf sich die Architektur der Stadt bezieht. So kann Rossi im anderen Zusammenhang dann auch von der »analogen Stadt« sprechen.

Ausgeprägt findet sich dieser Bezug zum Ort auch im theoretischen Schaffen von **Vittorio Gregotti**, einem weiteren Vertreter der »tendenza«. Ein speziell interpretierter Ortsbezug ist die eigentliche Konstante seiner Reflexionen über Architektur von den sechziger Jahren [446] an bis heute. Für Gregotti gibt es zwei Arten, sich in Beziehung zum Kontext zu setzen: die mimetische Imitation oder organische Assimilation einerseits und andererseits die Methode der Modifikation, des Messens der Distanz und der klaren Definition. [447] Mit seinen Projekten, wie zum Beispiel der Universität von Calabrien, läßt er aber keinen Zweifel daran, daß er die zweite Möglichkeit vorzieht.

»Die spezifische Wahrheit« bleibt für Gregotti dennoch »die des Ortes: Die Geographie des Ortes als physische Manifestation seiner Geschichte ist das, was – in der Begrenzung – erlaubt zu handeln. Diese Geschichte verwerten heißt, die Sammlung der Funde des Ortes als begrenzten Park privilegierter Materialien für das spezifische Projekt zu wählen«. [448] Der Ort aber, der dem Projekt Konkretheit verleiht, ist für Gregotti weder charakteristisch noch heimatlich. Die alte Einheit gibt es nicht mehr und somit auch nicht mehr die Möglichkeit, eine natürliche Übereinstimmung mit dem Ort zu erreichen. Hingegen empfiehlt er, »das Feld der Gegensätze zu beschreiben und ... eine Verbindung und Vergleichbarkeit zwischen den Bruchstücken herzustellen«. [449]

Ansätze eines im weitesten Sinne »ortsgerechten Bauens« lassen sich auch in der wahrnehmungspsychologisch fundierten Arbeit von **Kevin Lynch** feststellen. [450] Seine Analysen der »Ablesbarkeit« und »Einprägsamkeit« eines Ortes sollen letztlich als Rohmaterial eines kontextuellen Entwurfes dienen, dem sie strukturelle und bedeutungsmäßige Bezugspunkte liefern. Obwohl Lynch aufgrund seiner Analysen amerikanischer Städte sehr wohl weiß, daß die gegebenen Merkmale eines Ortes heute meist keine ausreichenden Leitlinien mehr für weitere Entwicklung liefern können (da auch das Tempo der Veränderungen eine langsame Anpassung an lokale Kräfte nicht erlaubt), sieht er doch die feinfühlige »Erneuerung einer bestehenden Struktur: die Untersuchung und Erhaltung ihrer wirkungsvollen Bildteile, die Beseitigung wahrnehmungsmäßiger Schwierigkeiten und vor allem das Nachzeichnen der in der Unordnung verschütteten Struktur und Eigenartigkeit«, [451] als eine wesentliche Aufgabe des Städtebaus.

Geht es Kevin Lynch um die Wahrnehmungsstruktur ganzer Stadtteile, die er anhand statistischer Auswertung von Bewohnerbefragungen zu objektivieren sucht und in abstrakten Planzeichnungen notiert, so geht **Gordon Cullen** von der subjektiven Erfahrung des einzelnen konkreten Stadtraumes aus und versucht, durch eine Folge von Momentaufnahmen eine komplexere Raumfolge zu erschließen. Auf dieser Maßstabsebene des Ortes gewinnen auch einzelne Stadtraumdetails und ihre Beziehungen untereinander an Bedeutung. So nennt er auch folgerichtig die Stadtbaukunst oder die »Townscape« eine Kunst der Beziehung. [452] Dieser »Townscape-Philosophie«, die Cullen und andere seit 1948 entwickelt hatten, wurde von ihren Gegnern nostalgische Rückschau und ein Hang zum Pittoresken vorgeworfen. Ohne Zweifel ging sie auf Sitte zurück und »verband den alten englischen Respekt für das Pittoreske, für das Akzeptieren gegebener Eigenschaften jeder Situation, aus denen man das Beste macht, mit einer empirischen Haltung, die jeden Einzelfall nach den ihm eigenen Maßstäben mißt ...«[453] Die Townscape-Bewegung hat je-

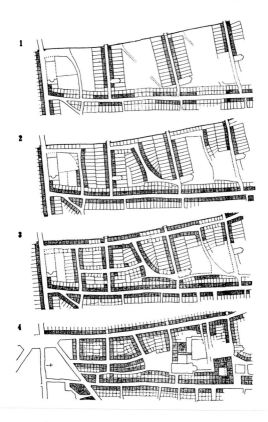

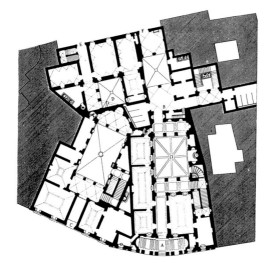

129. Gianfranco Caniggia und Sergio Bollati, Restitutionsmodell der Bildungsphasen zum Stadtgefüge des Stadtteils Tor di Nona, Rom.

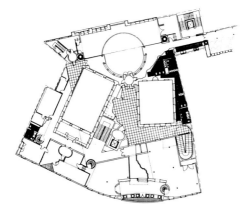

442 S. Malfroy, Anm. 438, S. 53.

443 Deutsch: Aldo Rossi, *Die Architektur der Stadt*, Düsseldorf 1973.

444 S. Malfroy, Anm. 438, S. 7.

445 A. Rossi 1973, S. 9.

446 Vgl. Vittorio Gregotti, *Il territorio dell'architettura*, Milano 1966.

447 Vittorio Gregotti, »Territory and Architecture«, *Architectural Design,* 55, 5/6, 1985, S. 28.

448 Vittorio Gregotti, »›Moderne‹ und ›Neue Modernität‹«, *archithese*, 4, 1987, S. 60.

449 Ebd., S. 57.

450 Kevin Lynch, *Das Bild der Stadt*, Braunschweig 1965 (Cambridge, Mass. 1960).

451 Ebd., S. 136f.

452 Gordon Cullen, *The Concise Townscape*, London 1971 (1961), S. 7.

453 Ch. Jencks 1973, S. 246.

454 Steven W. Hurt, »Conjectures on Urban Form«, *The Cornell Journal of Architecture*, 2, 1983, S. 67. Ursprünglich wurde der Begriff »contextualism« verwendet als »contextual approach, or strategy of local response«. Stuart E. Cohen, Steven W. Hurt, *Le Corbusier: The Architecture of City Planning*, unveröffentlichte Master's Thesis, Ithaca 1967, S. 69.

455 Colin Rowe, Fred Koetter, *Collage City*, erste Fassung in *The Architectural Review*, 8, 1975, S. 64–90; Buchausgabe: London 1978; dt.: Basel 1984.

456 Zum Kontextualismus der Cornell University siehe Thomas L. Schumacher, »Contextualism: Urban Ideals and Deformations«, *Casabella*, 359/360, 1971, S. 79–86; Stuart E. Cohen, »Physical Context/Cultural Context: Including it All«, *Oppositions*, 2, 1974, S. 1–39; Graham Shane, »Contextualism«, *Architectural Design*, 11, 1976, S. 676–679; William Ellis, »Type and Context in Urbanism: Colin Rowe's Contextualism«, *Oppositions*,18, 1979, S. 1–27; Steven W. Hurt, »Conjectures on Urban Form«, Anm. 454, S. 54–141; Thomas Will, »Kontextualismus. Eine Stadt(um)baumethode«, *Baumeister*, 8, 1988, S. 44–50.

457 Colin Rowe, Fred Koetter, *Collage City*, Basel 1984, S. 211.

458 Zusammengetragen in Colin Rowe, *The Mathematics of the Ideal Villa and other essays*, Cambridge, Mass., 1976.

459 Wayne Copper, *The Figure/Grounds*, unveröffentlichte Master's Thesis, Ithaca 1967; ders. siehe auch in *The Cornell Journal of Architecture*, 2, 1983; Michael Dennis, Claus Herdeg, *Urban Precedents*, Ithaca 1974; Alvin Boyarsky, *Camillo Sitte*, unveröffentlichte Master's Thesis, Ithaca 1959.

460 Siehe z. B. Karl Popper, *Conjectures and Refutations*, New York 1962; W. Ellis, Anm. 456, S. 4.

130. Baldassare Peruzzi, Pallazzi Massimi, Rom, 1532–36. Grundriß des Erdgeschosses.

131. Wilwan van Campen, Entwurfsstudie über den Grundriß der Pallazzi Massimi, Rom, 1977. Studienarbeit an der Cornell University, Ithaca, New York.

132. Judith di Maio, Peter Carl, Steven Peterson und Colin Rowe, Projekt Roma Interrotta, 1978.

denfalls mit dazu beigetragen, das gestalterische Potential urbaner Orte erneut für den Entwurf zu erschließen.

Um Felder, Bruchstücke oder Fragmente der Stadt und deren Manipulation zu collage-artigen städtischen Gesamtgefügen geht es seit den sechziger Jahren dem »**Contextualism«,** der aus dem Urban Design Studio der Cornell University unter der Leitung von **Colin Rowe** hervorgegangen ist. Als Rowe 1963 das Urban Design Studio übernahm, ging man dort durchaus noch von den Prämissen der modernen Architektur aus und benutzte zunächst auch das Repertoire des modernen Städtebaus. Erst als es mißlang, mit dessen Prinzipien neue städtische Texturen zu erzeugen, hat man sich dem Kontext als dem primären Erzeuger (»Generator«) der städtischen Form zugewandt. 1967 wurde dann im Studio der Begriff »Contextualism« geprägt, als Bezeichnung für die spezifische Theorie und Praxis der Ableitung urbaner Form aus dem gegebenen Kontext. [454]

Dieser zunächst ausschließlich auf die physische Umgebung beschränkte Kontext wude unter dem Einfluß von Rowe bald um das sogenannte »psychocultural field« erweitert. Die Theorie des Kontextualismus, wie sie dann von Rowe und Fred Koetter in *Collage City* [455] abschließend formuliert wurde, beschreibt das dialektische Gleichgewicht zwischen dem idealen Typus, wie er während der Architekturgeschichte entwickelt wurde, und seiner Deformation durch den realen urbanen Kontext. Dieser Kontextualismus der Cornell-Schule ist somit weder mit regionalistischer Architektur noch mit angepaßtem Bauen zu verwechseln, sondern stellt eine dialogische Stadtentwurfsmethode dar, die gleichermaßen den physischen Kontext, das sozio-kulturelle Umfeld wie auch die utopischen Aspekte des idealen Typus berücksichtigt. [456] Bei dem Umgang mit diesen heterogenen Gegebenheiten legt uns Colin Rowe nahe, daß die Collagemethode »eine Methode, bei der Gegenstände aus ihrem Kontext zwangsweise herausgehoben oder gelockt werden, – gegenwärtig – die einzige Art ist, sich mit den fundamentalen Problemen von Utopie und Tradition, mit dem einen oder anderen oder mit beiden, auseinanderzusetzen«. [457]

Colin Rowe, der eigentliche »Vater« des Kontextualismus, begann in den fünfziger Jahren mit formalen Analysen moderner Architektur, insbesondere der Bauten Le Corbusiers. [458] Seine Hochschätzung Le Corbusiers erklärt auch die Tatsache, daß die moderne Architektursprache von der kontextuellen Cornell-Schule nie in Frage gestellt wurde. Hingegen wurde, ausgehend von einer intensiven Beschäftigung mit dem traditionellen, raumbetonten europäischen Städtebau, [459] der moderne Städtebau als Modell verworfen. Rowe selbst orientierte sich zudem am philosophischen Empirismus Karl Poppers und an dessen Verständnis der fragmentarischen Natur des Wissens und damit auch der schrittweisen Unterwanderung des Status quo, sowie an Lionell Trillings Idee des humanistischen Diskurses zwischen dem Ideal und der Notwendigkeit der Kontinuität, welche zu unvollkommenen Lösungen führt. [460]

In *Collage City*, seinem fundamentalen Werk und wohl auch dem wichtigsten Beitrag zur Städtebautheorie der zweiten Jahrhunderthälfte, verurteilt Colin Rowe das Total-Design und die Exklusivität des modernen Städtebaus und schlägt statt dessen die Methode der Collage vor, der kleinen abgeschlossenen Einheiten, diskreter Verbindungen und örtlicher Zwischenfälle. Er akzeptiert

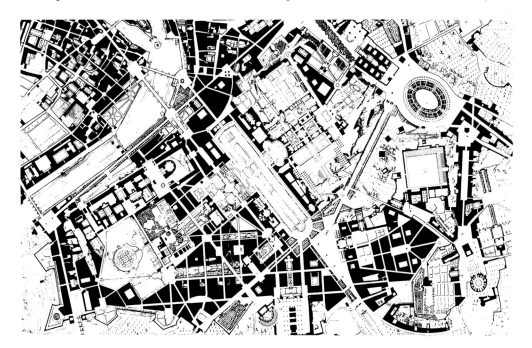

dabei die hybride Form, betont aber gleichzeitig die Bedeutung der zeitlosen Typen und der symbolischen Formen für die Stadt. Dabei wird durch die innige Verflechtung von Raum und Körper eine Synthese des traditionellen und des modernenStädtebaus versucht – ein kontextuelles Unterfangen angesichts der gegebenen städtebaulichen Realität.

In den späteren Arbeiten Rowes, insbesondere in dem Roma-Interrotta-Projekt (1978), ist eine Überbetonung der Ideal-Typen und der Monumente auf Kosten der Textur und der kontextuellen Bezüge festzustellen. Die Idealtypen werden nur noch gelegentlich durch die kontextuelle Realität deformiert, der humanistische Diskurs zwischen dem perfekten Ideal und der unvolkommenen Realität weicht dem Drang zum Gesamtkunstwerk. In seinem Spätwerk gerät Rowe so in die Nähe des von ihm so heftig bekämpften Total-Designs des modernen Städtebaus, freilich ausgehend von völlig anderen formalen Prämissen. [461]

Unabhängig von der anspruchsvollen theoretischen und geschichtlichen Begründung und dem späteren Ungleichgewicht zwischen Typus und Topos liegt die praktische Bedeutung des frühen Cornell-Kontextualismus in der Entwicklung beziehungsweise Wiedereinführung kontextueller Entwurfsstrategien. Als grundlegende Darstellungsmethode der dualistischen Interpretation der Stadt als Körper/Raum-Phänomen, wurde in Anlehnung an Nollis Stadtplan von Rom und Sittes Darstellungsart urbaner Detailsituationen die Figur/Grund-Zeichnung eingeführt. [462] In ihrer extremen Abstraktion erzwingt diese Darstellung eine Hinwendung der Aufmerksamkeit zu den Gestaltqualitäten von Räumen, Körpern und Strukturfeldern der Stadt.

Gerade die Strukturfelder – durch klare Grenzen, Zentren oder kontinuierliche Textur gestalthaft herausgehobene Bereiche der Stadt – waren in der Frühzeit des Urban Design Studios die bevorzugten Elemente der städtebaulichen Manipulation. Diese Felder wurden im Bestand identifiziert, voneinander abgegrenzt, ihre Grenzen und Zentren definiert, Texturen fortgeführt oder gegenseitig überlagert. Die Felder wurden entweder über die Bruchstellen hinweg verbunden oder die Kollision selber wurde zelebriert. An diesen Stellen entstanden Gelenke als Räume oder als Baukörper, in denen die Energien der angrenzenden Felder aufgefangen werden konnten. Dazu wurden »Kompositgebäude« im Fundus der Architekturgeschichte wiederentdeckt und neu nutzbar gemacht. Es handelt sich dabei um komplex zusammengesetzte Großstrukturen, die aus idealen Bautypen und Räumen sowie aus Füllmasse (poché) bestehen und in der Lage sind, nach allen Seiten hin auf die Zwänge des Kontexts zu reagieren. Als klassische Lehrbeispiele dienten dabei etwa die Hofburg in Wien, die Münchner Residenz oder Asplunds Projekt für die Königliche Kanzlei in Stockholm.

Als Illustration dieser Entwurfsmethoden mag das Upper Manhattan Development, eine Studioarbeit Michael Manfredis (1978), dienen. Ein fragmentiertes Rasterfeld am Harlem River wird mit regelmäßiger Wohnbebauung ergänzt, der verbleibende Bereich zwischen drei Strukturfeldern, vom Broadway diagonal zerschnitten, wird mit einem komplexen Kompositgebäude bebaut. Dieses lehnt sich nach allen Seiten eng an den vorhandenen Kontext an und bildet im Zentrum einen idealtypisch zugeschnittenen Gelenkraum aus, der als Teil einer formalen Raumsequenz vom Har-

133. Beispiel eines komplexen Kompositgebäudes: Hofburg, Wien.

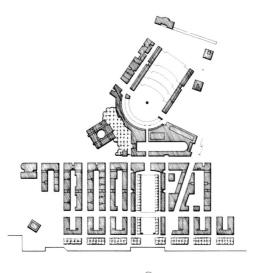

134, 135. Michael Manfredi, Projekt Upper Manhattan Development, 1978. Studienarbeit an der Cornell University, Ithaca, New York.

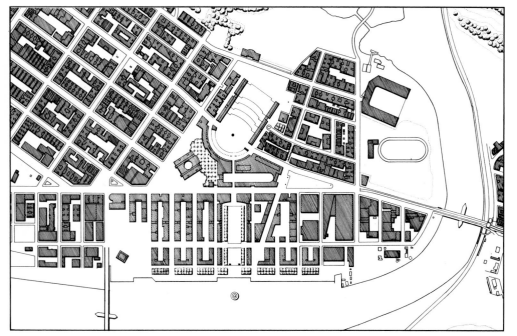

lem River zu einem öffentlichen Park im Westen hinüberleitet und gleichzeitig den Richtungswechsel des Broadway artikuliert.

Die im Urban Design Studio entwickelten kontextuellen Theorien und Entwurfsstrategien griffen bald auf die Architekturdiskussion über und übten beträchtlichen Einfluß auf Lehre und Praxis aus. Wichtige Querverbindungen führen zu Richard Meier, James Stirling, Oswald Mathias Ungers (der in den siebziger Jahren zusammen mit Colin Rowe für das Graduate Program an der Cornell University verantwortlich war), und an die ETH Zürich, wo Bernhard Hoesli und Franz Oswald zusammen mit Paul Hofer den Kontextualismus in die Architekturlehre eingeführt hatten.

Als der vielleicht engagierteste Verfechter Rowescher Gedanken besorgte Hoesli nicht nur die Übersetzung seiner einflußreichen Schrift *Transparenz* [463], sondern auch die von *Collage City*. Entsprechend diskutiert Hoesli das funktionalistische Stadtkonzept nur unter dem Aspekt der fehlenden Bezugnahme auf den städtischen Kontext. Er lehnt die modernen wie auch die nach-modernen utopischen Fluchtversuche aus der Realität ab und ermuntert dazu, »mit der Gegenwart aus(zu)kommen. Mit der Gegenwart als Geschichte«. [464]

In den siebziger Jahren wurden an der ETH nicht nur Seminare über Collage City und Collision City durchgeführt. Durch das persönliche Wirken Aldo Rossis wurde auch die Diskussion über die »Città analoga« sowie über die theoretischen Grundlagen der italienischen »tendenza« in Gang gebracht. In diesem geistigen Klima konnte sich später die ebenfalls ortsbezogene »Analoge Architektur« entwickeln. [465] Und schließlich untersuchte Franz Oswald mit »Begrenzungen, Orten, Wegen und Feldern« die Urphänomene der Architektur [466] und versuchte damit, phänomenologische Grundlagen einer ortsbezogenen Architektur zu liefern. Zusammen mit Paul Hofer wurde der dialogische Stadtentwurf geübt. Wenn Hofer in diesem Zusammenhang von der »Stadt der komplementär ineinandergreifenden Teile« [467] spricht, meint er zwar in erster Linie das verflochtene Körper-Raum-Kontinuum, dies aber lediglich als ein Beispiel des Gesamtphänomens »Stadt als eine variable Summe durcheinander spielender Bezugs- und Formsysteme«. [468]

Aber auch in den Vereinigten Staaten blieb der Cornell-Kontextualismus kein isoliertes Phänomen. Obwohl er eher im Umkreis der »white« Architekten beheimatet ist, gibt es doch gerade bei dem fundamentalen Anliegen des Ortsbezugs, der Beziehung zum Kontext, wesentliche Gemeinsamkeiten mit dem Lager der »Greys« um **Robert Venturi** und Charles Moore. Die »Populisten«, die von Las Vegas oder jedem anderen beliebigen Ort lernen können, sind in der Tat in der Lage, »aus allem, was zur Verfügung steht, eine gute Architektur zu machen«. [469]

Wenn Venturi für »eine beziehungsreiche Architektur« [470] ins Feld zieht, dann meint er eine »inclusive architecture« – eine Architektur, die das Bestehende einbezieht, wobei im Gegensatz zum Kontextualismus der Cornell-Schule eher der kulturelle Kontext der Bilder und Zeichen betont wird. Waren frühe Projekte Venturis, wie zum Beispiel das Brighton-Beach-Projekt (1968) im Bezug zu ihrer räumlichen Umgebung eher akontextuell, [471] so wird bei späteren Arbeiten auch der physische Kontext im Entwurf umfassend verarbeitet. Die Erweiterung der National Gallery in London (ab 1986) zeigt im Grundriß, in der Baumasse und vor allem in der Differenzierung des architektonischen Gewandes den Versuch, auf die vielfältigen Vorgaben des Ortes – bis hin zur »Selbstaufgabe« – einzugehen. Darin liegt auch der wesentliche Unterschied zum Kontextualismus Rowescher Prägung, der immer auch einen Diskurs zwischen Topos und Typus beinhaltet.

Der Schlußsatz von Heinrich Klotz aus dem Nachwort zur deutschen Ausgabe von Venturis *Komplexität und Widerspruch in der Architektur* trifft auch auf die Architektur der oben erwähnten Erweiterung der National Gallery zu: »Die vielfältigen Motive des Lebens und der Kultur, der funktionale Zusammenhang des Bauwerks (Raumprogramm, Infrastruktur), der historische Zusammenhang und die Umweltbedingungen der Stadt, die kulturellen Bedingungen der Symbol- und Bildsprache einer Gesellschaft hinterlassen ihre bestimmenden Prägungen am Bauwerk. Der Bau verliert seine ideale Form als einfacher Körper, und mit der Stereometrie der Primärformen schwindet die beanspruchte Autonomie. Venturis Architektur relativiert sich bis hin zum Fragment an ihrer Umwelt und an ihren Bedingungen; indem sie alle nur denkbaren Bindungen anerkennt, gewinnt sie das verloren geglaubte Ästhetische zurück.« [472]

Wie alle Architekten aus dem Lager der »Greys«, beruft sich auch Venturi auf **Louis Kahn** und seine immer wieder abgewandelt gestellte Frage: »Was will das Ding (der Ort, der Bau) sein?« Mit dieser Frage zielt Louis Kahn wohl weder auf die Idealform noch auf den kontextuellen Zufall, sondern versucht, die Architektur aus dem Wesen der Aufgabe, aus dem Wesen des Ortes zu ergründen.

Bei der Aufzählung kontextueller Impulse in den Vereinigten Staaten der sechziger und siebziger Jahre, so unvollständig sie auch ist, darf das Wirken **Christopher Alexanders** nicht unerwähnt bleiben. In seinen inzwischen sechs charismatischen Schriften, verfaßt in einer abgehobe-

[461] »What is presented here is total design, perfect within its own formal premises.« W. Ellis, Anm. 456, S. 20.

[462] W. Copper, Anm. 459.

[463] Colin Rowe, Robert Slutzky, *Transparenz*, Basel 1968.

[464] Bernhard Hoesli, »Objektfixierung contra Stadtgestalt«, *werk-archithese*, 33–34, 9/10, 1979, S. 28.

[465] Siehe weiter unten.

[466] Franz Oswald, Hrsg., *Urphänomene der Architektur*, Bd. 4 (Begrenzungen, Orte, Wege, Felder), Zürich 1977.

[467] Paul Hofer, »Materialien eines dialogischen Stadtentwurfes. Antiurbane und urbane Stadtgestalt«, *werk-archithese*, 33–34, 9/10, 1979, S. 24.

[468] Ebd., S. 23.

[469] St. Cohen, Anm. 456, S. 2. Vgl. auch Robert Venturi, Denise Scott Brown, Steven Isenour, *Learning from Las Vegas*, Cambridge, Mass., 1972.

[470] Robert Venturi, *Komplexität und Widerspruch in der Architektur*, Braunschweig 1978, S. 23. Die Überschrift des ersten Kapitels lautet im Original (New York 1966, S. 22): »Nonstraightforward Architecture: A Gentle Manifesto«.

[471] Ausführlich analysiert in St. Cohen, Anm. 456.

[472] R. Venturi, Anm. 470, S. 222. Dieses chamäleonartige Eingehen auf eine heterogene Situation führt freilich zu einem Sammelsurium zusammenhangloser Fragmente, die das Chaos der Umgebung auf der Ebene des Einzelgebäudes fortsetzen. Bei dem Sainsbury Wing der National Gallery wirkt sich diese Strategie für das Gebäude selber wie auch für seine Umgebung nachteilig aus. »Indem das Gebäude die Elemente seiner Umgebung widerspiegelt und zwischen ihnen vermittelt, wirkt es sowohl schizophren (mit verschiedenen Persönlichkeits-Symptomen) als auch in gewisser Weise verschwommen und in seiner Identität substanzlos. Letztendlich ist dieser Kontextualismus nichts anderes als eine parasitäre Haltung, die Energien von der Umgebung abschöpft, anstatt selbst etwas beizutragen.« Peter Buchanan, »Unter erschwerten Bedingungen«, *Bauwelt*, 37, 1991, S. 1992.

136, 137. Venturi, Scott Brown & Associates, Erweiterung der National Gallery, London, 1986–90.

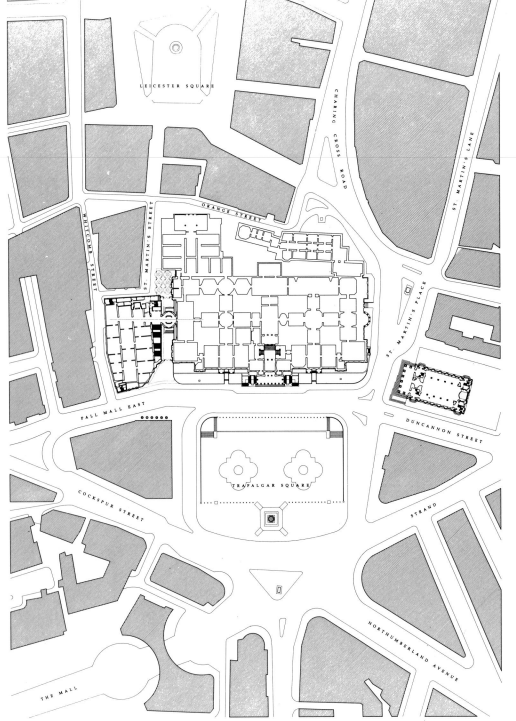

473 Christopher Alexander, Sara Ishikawa, Murray Silverstein, *A Pattern Language. Towns, Buildings, Construction*, New York 1977, S. 512.
474 Ebd., S. 963.
475 So z. B. Charles Jencks über die Erweiterung der Tate Gallery (Clore Gallery): »The gallery spaces are contextualism to him (J. M. W. Turner), whereas the outside is a quixotic contextualism to things around it – so you have two different contextualisms.« *Architectural Review*, 6, 1987, S. 47.
476 Aus dem Vorwort von Colin Rowe zu Peter Arnell, Ted Bickford, Hrsg., *James Stirling. Bauten und Projekte 1950–1983*, Stuttgart 1984, S. 25.

138, 139. James Stirling, Projekt für das Stadtzentrum von Derby, 1970. Bestand und Neuplanung.

nen prophetischen Sprache, finden sich unzählige Aussagen einer echten Sensibilität gegenüber der Welt, dem Ort und den menschlichen Bedürfnissen. Bei der Anlage des Hauses gibt er den Rat, »wenn nötig, das Gebäude unregelmäßig und krumm anzulegen, um die Schönheit eines alten wilden Weinstockes, einen Busch, den man liebt, oder einen lieblichen Grasflecken zu erhalten«.[473] Für den architektonischen Entwurf entwickelt Alexander eine »Pattern Language«, mit der er alle anstehenden Aufgaben und örtlichen Besonderheiten zu meistern gedenkt. »Die fundamentale Philosophie hinter der Pattern Language ist eine innige Anpassung an individuelle Bedürfnisse und Orte.«[474] Trotz dieser deklarierten Sensibilität scheint aber eine im voraus festgelegte »Pattern Language« mit ihrem normativen Anspruch der spontanen Reaktion auf die Besonderheiten des Ortes nicht förderlich zu sein. Alexanders offensichtliches Bedürfnis, das Bauen in einem System von Regeln und Lehrsätzen einzufangen, unterstützt den Eindruck einer dogmatischen Handhabung der Realität.

James Stirling, Weggefährte von Rowe an der Liverpool School of Architecture, galt seit den siebziger Jahren als der prominenteste Exponent der kontextuellen Praxis. An seinem Beispiel wird auch die Problematik einer inflationären Verwendung dieses Begriffes offensichtlich, wenn voreilige Deuter zum Beispiel die Neueinführung von Gebäudetypen oder die Inneneinrichtung eines Museums aus »irgendeinem« Kontext ableiten wollen.[475] Sicherlich zieht Stirling »Spezifisches allgemeinen Ideen vor, wenn auch stets in dem Bewußtsein, daß spezifische Dinge zur Erhellung allgemeiner Ideen beitragen können«,[476] doch ist seine »Spielfreudigkeit« und Erfindungsgabe zu groß, um zuzulassen, daß alle wesentlichen Entwurfsentscheidungen aus dem Ort abgeleitet werden könnten.

Bei der Clore Gallery, der Erweiterung der Tate Gallery in London (1980–85), sind sicherlich die Einbeziehung des freistehenden Ziegelhauses an der Uferpromenade, die Übernahme seiner Volumen, die Weiterführung der Gesimse und des Steinmaterials vom bestehenden Museumsbau sowie des Ziegels vom Solitärhaus und die kunstvolle Überlagerung dieser beiden Materialien in der mehrschichtigen Fassade, die auch sonst nach allen übrigen Seiten auf die Situation reagiert, solche aus dem Ort abgeleitete Entwurfsentscheidungen.

Eines der ersten eindeutig ortsbezogenen städtebaulichen Projekte Stirlings war das Stadtzentrum von Derby (1970, unter Mitarbeit von Leon Krier). Hier wurde die bestehende Form des Freiraumes sowie seiner weichgerundeten Ecken zum Anlaß genommen, einen halbrunden, arenaartigen Platzraum vorzuschlagen. Auch im rückwärtigen Teil ist die Gebäudekante einfach aus dem Straßenverlauf entwickelt. Das eigentliche Bauwerk füllt wie eine amorphe Masse die so vorgegebene Fläche vollständig aus. Nur die halbrunde Glasgalerie behauptet sich als eigenständiger Gebäudekörper.

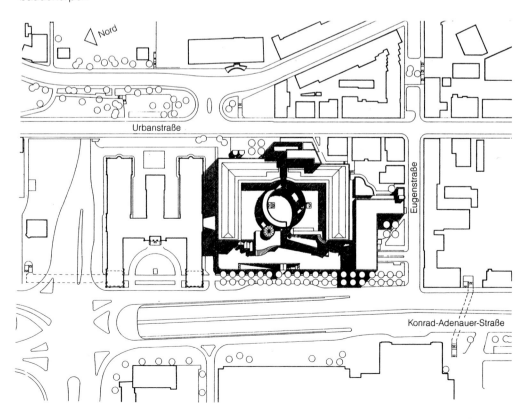

140. James Stirling, Erweiterung der Staatsgalerie, Stuttgart, 1977–84.

Noch präziser und detaillierter nachvollziehbar sind geometrische und typologische Bezüge zum Ort beim Erweiterungsbau der Staatsgalerie in Stuttgart (1977–84). Der komplexe Bau ist nach allen Seiten in seine Umgebung integriert und wiederholt auch den U-förmig zur Konrad-Adenauer-Straße sich öffnenden Cour d'Honneur des Altbaus. Hangseitig wird der Typus des freistehenden Bürgerhauses aufgegriffen und so fortgeführt, daß eine symmetrische Straßensituation entsteht.

Rob Krier hatte bereits in seinem Buch *Stadtraum in Theorie und Praxis* den folgenden Leitsatz der kontextuellen Architektur geprägt: »Jede Neuplanung in der Stadt hat sich der Ordnung des Gesamtgefüges zu unterwerfen und in ihrer Gestalt eine formale Antwort auf die räumlichen Vorgaben zu leisten.«[477] Obwohl diese Aussage eindeutig erscheint, gestattet sie doch ihrem Autor einen weiten Intepretationsspielraum. Durch die Fixierung auf den traditionellen Stadtraum fallen alle seine Stadtplanungen ähnlich strukturiert aus, vollkommen unabhängig davon, ob der gegebene Kontext eine gründerzeitliche Blockbebauung, eine grüne Wiese oder die zerstörte Südliche Friedrichstadt in Berlin ist. Im innerstädtischen Bereich geht es also eher um eine idealisierte Stadtreparatur, in Außenbereichen hingegen um einen Weiterbau der traditionellen Stadt. So scheint letzten Endes bei Rob Krier die Ideologisierung des Stadtraums über die individuelle Ortsbindung zu obsiegen.

Leon Krier arbeitet grundsätzlich mit einem ähnlichen stadträumlichen Vokabular. Seine Stadtbautheorie ist lapidar, prägnant formuliert und erhebt Anspruch auf universelle Gültigkeit: Föderation kleiner, überschaubarer Städte, flächen- und einwohnermäßig begrenzt, klare Grenzdefinition zwischen Stadt und Land, Funktionsmischung, ausgeglichenes Verhältnis zwischen Wohnen und Anzahl der Arbeitsplätze, Monumente im traditionellen Stadtraum, kleine Blöcke, und nicht zuletzt Einfügung in den Ort als Qualitätsmerkmal der Architektur: »Das einzige Kriterium für die Beurteilung der Qualität eines Gebäudes sollte vom Erfolg ausgehen, mit dem es in die urbane Struktur eingefügt ist.«[478]

Dieses »Harmonisierungsbedürfnis« gewinnt in den einschlägigen Idealprojekten konkrete Gestalt. Leon Kriers Entwurf von 1978 für Luxembourg als europäische Hauptstadt mag hier exem-

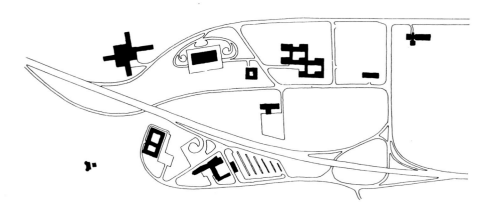

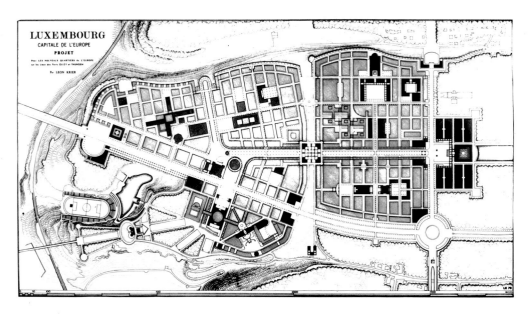

141, 142. Leon Krier, Projekt für Luxemburg als europäische Hauptstadt, 1978. Bestand und Bebauungsvorschlag.

[477] Rob Krier, *Stadtraum in Theorie und Praxis*, Stuttgart 1975, S. 72.

[478] M. Culot und F. Strouwen im Vorwort zu »Leon Krier: Luxembourg, Capital of Europe«, *Lotus*, 24, 3, 1979.

[479] Berichtet von Leon Krier im Vorwort zu *The Cornell Journal of Architecture*, 2, 1982, S. 6. Eine ähnliche Haltung zu monumentalen modernen Solitärbauten wie im besprochenen Luxembourg-Projekt von Leon Krier findet sich auch in den etwa gleichzeitigen Reurbanisierungsvorschlägen für Dacca und Chandigarh von Rodrigo Pérez de Arce. Siehe z. B. *Lotus*, 19, 6, 1978, S. 98–101.

[480] Christian Norberg-Schulz, *Genius loci: Landschaft, Lebensraum, Baukunst*, Stuttgart 1982 (Milano 1979). Hier ausführlich besprochen im Kapitel »Zu einer Phänomenologie des Genius loci«.

[481] Christian Norberg-Schulz, *Logik der Baukunst*, Gütersloh 1968 (Oslo 1963).

[482] Chr. Norberg-Schulz, Anm. 480, S. 65.

[483] Ebd., S. 17 f.

[484] Michael Dennis, »Architektur und die City der Postmoderne«, *Werk, Bauen und Wohnen*, 1/2, 1983, S. 56.

[485] Peter Blundell Jones, »Wo stehen wir?« *archithese*, 1, 1988, S. 11.

[486] Peter Breitling, »Über den Umgang mit der Nachbarschaft«, *Baumeister*, 6, 1989, S. 34–41. Vgl. auch Neue Sammlung München, Hrsg., *Neues Bauen in alter Umgebung*, Ausstellungskatalog, München 1978.

[487] Dieter Hoffmann-Axthelm, »Architektur als Gedächtnis«, *Werk, Bauen und Wohnen*, 1/2, 1989, S. 30.

[488] Claudia D. Berke, »Luigi Snozzi – Eine Architektur der Beziehung«, *Der Archiekt,* 12, 1987, S. 580–583.

[489] Luigi Snozzi, »Der Ort oder die Suche nach der Stille«, *archithese*, 3, 1984, S. 24.

[490] *archithese*, 3, 1984. Die Diskussion zum Ort zog sich anschließend über mehrere Hefte hin.

[491] *Bauwelt*, 5, 1989 (Kontextuelle Variationen). Das Heft wurde vom Autor herausgegeben und zeigt eine Auswahl neuerer ortsbezogener Architektur.

[492] Inwiefern sie mit dem sog. »kritischen Regionalismus« Gemeinsamkeiten aufweist, soll weiter unten untersucht werden.

plarisch aufgeführt werden. Die neuen Quartiers de l'Europe, zwei »Städte« mit je 15.000 Einwohnern, liegen gegenüber der Altstadt auf einem Plateau, wo bereits etliche Großbauten und eine Autobahn vorhanden waren. Es ist erstaunlich, wie Leon Krier mit diesem heterogenen Bestand umgeht: Die Autobahn wird in einen städtischen Boulevard umgewandelt, die riesige Hochhausscheibe wird ein- und umgebaut, alle bestehenden Bauten werden in die neue Blockstruktur kunstvoll integriert – eigentlich werden aus den vorgegebenen Geometrien dieser Bauten die Strukturfelder überhaupt abgeleitet. Es ist verständlich, daß Leon Krier gerade zu diesem Projekt von Colin Rowe schriftlich beglückwünscht wurde. [479]

Von wiederum anderen Ausgangspositionen näherte sich **Christian Norberg-Schulz** der Frage nach den architektonischen Beziehungen. Er lieferte mit seinem Buch *Genius loci* wichtige theoretische Grundlagen zum Begriff des Ortes und dessen Charakter und damit indirekt auch zur Frage der Ortsbindung. [480] Bereits in der *Logik der Baukunst* [481] spricht er von der Abhängigkeit der einzelnen Aufgaben von ihren Vorgegebenheiten im Sinne der Vermittlung zwischen vergangenen und zukünftigen Bedeutungen eines konkreten Ortes. Jedoch erst in dem phänomenologisch begründeten Werk *Genius loci* kann er vom »ins Werk setzen eines Ortes« sprechen. [482] Die Architektur konkretisiert den Ort und seinen Charakter, den Genius loci, wenn sie seine Sprache, seinen »Ruf« versteht und die Eigentümlichkeiten des Ortes versammelt. Norberg-Schulz gibt dann auch die drei Grundformen [483] der Beziehung zwischen dem artifiziellen und dem natürlichen Ort, beziehungsweise analog zwischen der Architektur und ihrem gegebenen Kontext: »Visualisieren« bringt das Gegebene baulich zum Ausdruck, »Ergänzen« fügt Fehlendes hinzu, und »Symbolisieren« schließlich übersetzt eine Sinnerfahrung in ein anderes Medium, so daß sie verfügbar und versetzbar wird. Die ersten beiden Grundformen beschreiben somit kontextuelle Verhaltensweisen in der Architektur.

Zum gegenwärtigen Stand des kontextuellen Projektes

Die kontextuellen Impulse der sechziger und siebziger Jahre reichen mit ihren Ausläufern bis in die Gegenwart. Trotz mancher akontextueller Tendenzen neuerer Zeit läßt sich der Ortsbezug als wesentliches Grundelement der zeitgenössischen Architekturtheorie und -praxis, feststellen. Im Zuge postmoderner Pluralität kommt in vielen heterogenen Einzelerscheinungen der Zeit so etwas wie eine »neue Sensibilität« auch gegenüber dem besonderen individuellen Ort zutage. So spricht zum Beispiel Michael Dennis aus dem Umkreis der Cornell-Schule von einer »neuen Sensibilität« im Zusammenhang mit dem postmodernen Städtebau, [484] und Peter Blundell Jones fordert eine »einfühlsame Architektur«. [485] Peter Breitling thematisiert den »Umgang mit der Nachbarschaft« im Sinne des »neuen Bauens in alter Umgebung«, [486] und Dieter Hoffmann-Axthelm geht der Frage nach, wie die Geschichte als Gedächtnis in den Entwurf hineinkommt, und stellt den Ort als die wichtigste Kategorie der architektonischen Erinnerungsarbeit heraus. [487]

Um wiederum eine andere Interpretation des Ortes geht es Luigi Snozzi, der von der italienischen morphologischen Schule kommt. Es geht ihm ausdrücklich um »eine Architektur der Beziehung«, [488] jedoch nicht im Sinne von »stimmungsmäßigen Werten« eines Genius loci, sondern um die rational analysierte Geographie, Typologie und Morphologie des Ortes. »Es geht nun darum«, wie er selber zu seinem Haus Kalman in Minusio ausführt, »mit dem Entwurf die geographischen und kosmischen Werte des Geländes zum Ausdruck zu bringen.« [489]

Die Belange des Ortes in der Architektur gegenüber der Mißinterpretation als »Genius loci« verteidigen zu müssen, sah sich 1984 die Zeitschrift *archithese* veranlaßt, [490] und die *Bauwelt* widmete ein ganzes Heft den »kontextuellen Variationen«. [491] Die von der italienischen »tendenza« geprägte slowenische Gruppe Kras realisierte ausgesprochen ortsbezogene Architekturen und begann 1983 ihre bis heute fortgesetzte Reihe von internationalen Architekturseminaren in Piran unter dem Thema »Architektur im Kontext«.

Diese »neue Sensibilität« gegenüber dem Ort, von der hier die Rede ist, hat – und dies muß zum wiederholten Male betont werden – weder mit dem architektonischen Ausdruck, das heißt mit der Frage nach »Modernität versus Traditionalismus« zu tun, noch ist sie mit jenem Regionalismus zu verwechseln, der zum Beispiel in Bayern generell zum Jodlerhaus führt. [492] Als stilunabhängige Grundhaltung der gegenwärtigen Architektur vereint sie so unterschiedliche Gestalten wie Rafael Moneo, Juan Navarro Baldeweg, Francesco Venezia, Architekten der Kölner Schule wie Heinz Bienefeld und Rolf Link oder Peter Wilson, um nur einige zu nennen.

Nicht nur in der konkreten Auseinandersetzung mit dem Ort und in theoretischen Reflexionen, auch in der Reinterpretation der Architekturgeschichte ist der Ortsbezug wieder ein Kriterium ge-

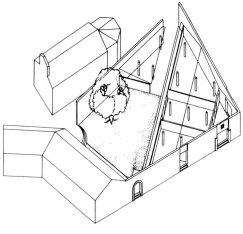

143, 144. Gruppe Kras, Laden und Post in Vremski Britof, Slowenien, 1978. Die Neubauten sind an eine bestehende Mauer angebaut.

145, 146. Richard Meier, Bürokomplex der Firma Siemens in München, 1988/89 (erster Abschnitt). Bestand und daraus abgeleitete Neubebauung.

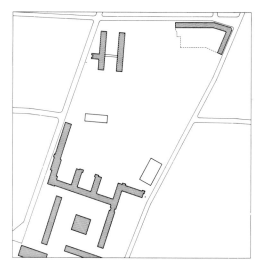

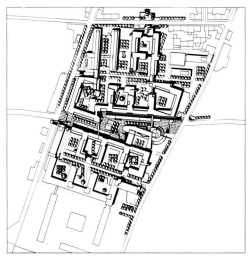

worden. Die Neuentdeckung der geometrischen Ortsbezüge bei den Bernini-Kolonnaden in Rom durch Massimo Birindelli wurde bereits erwähnt.[493] Insbesondere wird aber eine Nebenströmung der modernen Architektur als die »andere moderne Tradition« auch im Lichte des Ortsbezugs neu bewertet.[494]

Unter den aktuellen architektonischen Tendenzen gibt es einige, die dem hier dargestellten Verständnis einer ortsbezogenen Architektur nahekommen. Dies ist vor allem bei dem theoretischen Ansatz des **kritischen Regionalismus** der Fall, wie er von Liane Lefaivre und Alexander Tzonis sowie von Kenneth Frampton vertreten wird.[495] Dieser meint »eine bewußte Übernahme regionaler Elemente im Entwurf, um einer architektonischen Ordnung zu widerstehen, die man als universalisierend, fremd und unterdrückend empfindet«.[496] Dieser Regionalismus, der von Frampton auch als eine Architektur des Widerstandes[497] gegen die totalitären Züge des Internationalen Stils verstanden wird, kann bis in die Spätrenaissance zurückverfolgt werden. Seine Wurzeln werden in den antivitruvianischen Tendenzen, in der englischen pittoresken Bewegung, in der Idee des Genius loci und in der Romantik festgestellt. Es sind durchweg die gleichen Quellen, die ich hier für die Geschichte des Ortsbezugs herangezogen habe: In neuester Zeit also Team 10, Ernesto Rogers, James Stirling und andere. Speziell herausgehoben wird der theoretische Beitrag von Lewis Mumford, der den Regionalismus zum erstenmal als Kritik gegen eine technokratische und inhumane Architektur eingesetzt hatte.[498]

Die Verfechter des kritischen Regionalismus plädieren also ebenfalls für einen Bezug zum Ort, darüber hinaus aber eben auch für einen Bezug zur Region, und übersehen dabei, daß nicht die Region, sondern der Topos im engen physisch-räumlichen Sinne als Ort den eigentlichen Gegenpol zum Universalismus darstellt. Sie verweisen selber auf die geschichtliche Erfahrung, wonach der Regionalismus, der auf die Dauer kaum vom Ethnischen beziehungsweise Nationalen zu trennen ist, zum lokal begrenzten Universalismus verallgemeinert wird und damit wieder totalisierend wirken muß.[499] Sie verwenden dann etliche Mühe, um sich von einem »romantischen«, einem »kommerziellen« oder einem »regressiven Heimatstil«-Regionalismus abzusetzen. Folgerichtig muß dann auch vorgeschrieben werden, wie der Bezug zum Ort, zur Region geschehen soll: unsentimental, verfremdend, irritierend.[500] Der belehrend erhobene Zeigefinger ist unübersehbar.

Liane Lefaivre führte zudem kürzlich auch den Begriff des **Dirty Realism** als einen Radikal-Kontextualismus, der sich mit Vorliebe auf die heruntergekommenen, häßlichen Randzonen der Großstädte bezieht, in die Architekturdiskussion ein.[501] Sie sieht in Rem Koolhaas, Nigel Coates, Jean Nouvel, Bernard Tschumi, Hans Kollhoff, Zaha Hadid und anderen eine neue Generation von Kontextualisten, die in gewissem Sinne die pop-kontextualistische Bewegung der sechziger Jahre fortsetzen. Der Kontext der Peripherie von heute wird jedoch als härter empfunden, und viele reagieren darauf mit aggressiven Gesten der Konfrontation. Oder aber der chaotische, leere, »ortlose« Kontext wird passiv gespiegelt, als gegeben hingenommen, mit denselben Mitteln fortgesetzt. Man wird in den zitierten Beispielen gewahr, daß der Dirty Realism kontextuelle Elemente mit orts- und gewebezerstörenden Kräften verbindet. Ein ambivalentes Liebe-Haß-Verhältnis tritt hier zutage.

147. Miroslav Šik, Projekt für die Banlieue de Tolbiac, Paris, 1989.

[493] Massimo Birindelli, *Ortsbindung – Eine architektonische Entdeckung: der Petersplatz des Gianlorenzo Bernini*, Braunschweig 1987.

[494] Siehe z. B. Manuel de Solà Morales, »Another modern Tradition«, *Lotus*, 64, 4, 1989, S. 6–29; Tomáš Valena, »Plečnik, die Postmoderne und die kontextuelle Tradition«, *Sinteza*, 65–68, 1984, S. 49–51.

[495] »Kritischer Regionalismus« wurde als Begriff von Tzonis und Lefaivre 1978 eingeführt und anschließend von Kenneth Frampton aufgegriffen und popularisiert. 1989 und 1990 wurden internationale Seminare zum kritischen Regionalismus veranstaltet.

[496] Liane Lefaivre, Alexander Tzonis, »Critical regionalism, making strange the region«, in: *Context and Modernity*, Delft 1990, S. 57.

[497] Kenneth Frampton, »Towards a Critical Regionalism: Six Points for an Architecture of Resistance«, in: Hal Foster, Hrsg., *The Anti-Aesthetic. Essays on Postmodern Culture*, Seattle 1983, S. 16–30.

[498] Alexander Tzonis, Liane Lefaivre, Anthony Alofsin, »Die Frage des Regionalismus«, in: Michael Andritzky, Lucius Burckhardt, Ot Hoffmann, Hrsg., *Für eine andere Architektur*, Frankfurt/M. 1981, S. 121–134.

[499] Siehe z. B. die verhängnisvolle Nähe von Nationalstolz und Imperialismus, Heimatstil und Nationalsozialismus. Vgl. Anm. 498, S. 122ff.; Alexander Tzonis, Liane Lefaivre, »Why Critical Regionalism Today?«, *Architecture + Urbanism*, 5, 1990, S. 25.

[500] L. Lefaivre, A. Tzonis, Anm. 496, S. 58.

[501] Liane Lefaivre, »›Dirty Realism‹ in der Architektur«, *archithese*, 1, 1990, S. 14–21.

[502] Miroslav Šik, »Wie man Heimaten baut«, *archithese*, 6, 1989, S. 14.

[503] Ebd., S. 17.

[504] Miroslav Šik und andere, »Heimaten machen«, in: Kristin Feireiss, Hrsg., *Paris – Architektur und Utopie*, Berlin 1990, S. 18.

[505] Ebd.

[506] Ebd.

Anders bei der **Analogen Architektur**, die sich im selben Vorortmilieu bewegt, aber mit Zuneigung die verborgene Anmut des Ortes sucht, um Heimat zu bauen. Im geistigen Klima der ETH Zürich, geprägt einerseits durch Aldo Rossi und seine »Città analoga« und andererseits durch intensive Rezeption des Roweschen Kontextualismus, wurde die heimatbildende Analoge Architektur von dem heimatlosen Miroslav Šik initiiert. »Heimat braucht der Mensch, um sie nicht nötig zu haben«, sagt er lapidar [502] und spricht wohl aus eigener Erfahrung.

Die Analoge Architektur ist in der Peripherie beheimatet, in veralteten technischen Landschaften, in denen sie stille und liebenswürdige Orte entdeckt. Der »analoge Architekt« sieht sich verpflichtet, in jeder solchen Situation »Heimat und Sehnsucht zu sehen. Die Empathie als Einfühlung in fremde oder gar gegnerische Heimaten« [503] wird als die kommende Herausforderung der Architektur verstanden. »Nicht im egoistischen Nebeneinander der urbanen Körper und Räume, und schon gar nicht im verbissenen Gegeneinander, liegt die Stärke der kommenden Baukunst, sondern im freiwilligen und respektvollen Anschmiegen des Neuen an das Alte und daher in dem vorurteilslosen Einverleiben aller Üblichkeiten, Konventionen und natürlichen Gebote, welche die vergangenen Generationen geschöpft und überprüft haben.« [504]

Diese Architektur gibt sich selbstbewußt das Etikett »zeitgenössischer Traditionalismus« und bemüht sich erstens um eine »sanfte Integration der neuen Bauten in die vorhandene Tradition der Stadt« und zweitens – auf der poetischen Ebene – »um die Intensivierung der bereits vorhandenen, wenn auch oft unscheinbaren Schönheit und Eigenart«. [505] Die Traditionalisten reihen sich so in die ökologische Bewegung ein und versuchen, die gebaute Umwelt durch Harmonisieren und Kompensieren, durch minimale Ergänzung, Rekonstruktion oder Synthese zu heilen. »Heimat, die man lebt und liebt, verwandelt man in einen Ort, den unsere ... Vorfahren als locus amoenus bezeichneten, als einen Ort der unwiederholbaren Eigenart und Anmut.« [506]

Diese analoge Poetik liegt einerseits in einem Verfremdungsverfahren begründet, durch das vertraute Elemente des Ortes in ungewohnter Weise zusammengefügt, endlos wiederholt und zu neuen Typen umgewandelt werden. Zum anderen wird sie durch die standardisierten, melancholisch-realistischen Schaubilder vermittelt, welche mit ihren Grau- und Schwarztönen das eigentliche Marktzeichen der Analogen Architektur darstellen. Ohne Zweifel handelt es sich hier um eine kontextuelle Architektur, die in der Nähe zum kritischen Regionalismus angesiedelt ist, die jedoch stark durch vorgefaßte Stimmungsbilder geprägt ist und durch die Fixierung auf die industrielle Peripherie und die einheitliche Darstellungsart einen Zug zur Uniformität aufweist.

6. Für eine Architektur der Beziehung

»Alles wirkliche Leben ist Begegnung.«

Martin Buber[507]

Letztlich geht es hier um die Frage, ob die Bemühung um eine Artikulation gebauter Orte angesichts der immer ortsunabhängiger werdenden Kommunikation heute noch Sinn und Bedeutung hat. Viele Anzeichen sprechen dagegen: Urbanität scheint nicht mehr eine Kategorie des Raumes zu sein, sondern zunehmend die des Konsums. Die althergebrachte bürgerliche Dialektik von privat und öffentlich ist obsolet geworden. In der städtischen Öffentlichkeit, sofern es diese überhaupt noch gibt, werden keine wesentlichen politischen oder wirtschaftlichen Entscheidungen mehr getroffen. Die Schnelligkeit und Isolation des Verkehrs machen die individuelle Artikulation des Ortes überflüssig.

Diese Aushöhlung des Ortes nehme ich wohl zur Kenntnis, jedoch nicht als unausweichlichen Schicksalsschlag. Mit Paul Hofer wende ich mich gegen den »pseudowissenschaftlichen Glauben an die Unaufhaltsamkeit dieser Prozesse. Man müßte einmal klarstellen, daß Anerkennung eines Tatbestandes oder Vorganges als eines unausweichlich gegebenen unter dem Grundverdacht des Paktierens mit diesem und damit der passiven Herbeiführung oder Sicherung des Vorganges steht. Wie oft ist Absage an Wunschdenken Tarnung des affirmativen Verzichtes auf Widerstand!«[508] Wenn wir aber an dem gebauten Ort festhalten möchten, und sei es nicht aus historischer Notwendigkeit, sondern aus dem Bedürfnis nach Identität und Identifikation, oder selbst wenn wir uns den festen Ort bloß als den kollektiven Wunschtraum gestatten, dann brauchen wir eine ortsbezogene Architektur – eine Architektur, die unsere Ortsbezogenheit zum Ausdruck bringt.

Der Ort, den ich hier meine, ist in seiner Ausdehnung begrenzt. Er ist weder Landschaft noch Region, sondern hat die Qualität der wahrnehmbaren Einheit, sei es durch gegebene Übersicht oder dadurch, daß er sich von seiner Umgebung als Gestalt (Figur) abhebt.

Eine ortsbezogene Architektur entsteht in einem dialektischen Entwurfsprozeß, an dessen Anfang das grundsätzliche **Bejahen** des Vorhandenen steht. Die architektonische Beziehung zum Ort beruht auf der Vorstellung, daß Orte oder Dinge (nicht nur Personen) Seiende mit eigenem Wesen sind. Die postmoderne Pluralität gründet letztlich in der Anerkennung und Respektierung der Eigenordnung und des Eigenrechts alles Seienden. Die Geschmeidigkeit des postmodernen Denkens wird erreicht, »wenn bewußt wird, daß die Dinge von sich her einen eigenen geistigen Gehalt haben, und wenn versucht wird, sich an diesen Gehalt ›anzuschmiegen‹«.[509] Es ist diese »Reziprozität des Seins«, wie Martin Buber sagt, die auch in der Architektur des Ortsbezugs das Wort Ich-Du sprechen läßt und so »die Welt der Beziehung«[510] stiftet. Eine so verstandene Beziehung wendet sich dem Gegenüber zu, nimmt es zur Kenntnis, ignoriert nicht, macht vor dem Gespräch nicht erst Tabula rasa. Sie wendet auch nicht nur die Methode des Kontrastes an, der sich aus der Vitalität des Gegenübers parasitär ernährt. Diese Beziehung enthält durchaus Spannung, ist aber auf Dauer angelegt.

Der Ortsbezug in diesem Sinne wird hier als Wert an sich erachtet, weil er die Gemeinschaft alles Seienden ermöglicht und daher ökologisch ausgerichtet ist, weil er einen pluralen Diskurs fördert und die Kontinuität des Ortes möglich macht.

Um sich beziehen zu können, muß der Ort – als das Gegenüber der Architektur – in seinem offensichtlichen und verborgenen Wesen erkannt werden. Dieses **Erkennen** – als intuitives Erfahren oder analysierendes Erfassen – geschieht durch unsere Sinne und unseren Verstand, ist also zwangsläufig subjektiv.

Auf dieser subjektiven Erkenntnis baut das auswählende **Interpretieren** auf. Wir können die Wirklichkeit nur anhand von bekannten, uns vertrauten Schemata verstehen und sie uns zu eigen machen.[511] Die Interpretation wird also versuchen, aus Fragmenten der Wirklichkeit ein zusammenhängendes Bild zu schaffen; sie wird versuchen, die latenten Ansätze durch Hinzufügen von fehlenden beziehungsweise durch Wegnehmen von überschüssigen Teilen zu einem kohärenten Gesamtsystem zu ergänzen. Und dies ist auch schon das spezifisch Kontextuelle: die Entwurfsidee (das Konzept) nicht als vorgefertigtes Leitbild mitzubringen, sondern sie aus den Gegebenheiten des Ortes zu entwickeln. Das Interpretieren – das heißt Ordnen – der Wirklichkeit ist somit der erste schöpferische Akt des Entwerfens.

Antworten – im Sinne von Handeln – bedeutet, die Vielzahl der möglichen Interpretationen auf eine einzige zu beschränken; das Wort, das gesprochen wurde, kann nicht mehr zurückge-

[507] Martin Buber, *Ich und Du*, Heidelberg 1979, 10. Aufl., S. 18.

[508] Paul Hofer, »Der Stadtraum: Phantom oder Wiederkunft«, *Mitteilungen der Deutschen Akademie für Städtebau und Landesplanung*, 1, 1985, S. 38.

[509] Peter Koslowski, »Moderne oder Postmoderne«, *Der Architekt*, 7/8, 1988, S. 460.

[510] M. Buber, Anm. 507, S. 148 und 12. Das Konzept der Beziehung als Ich und Du im Sinne Bubers schließt gleichzeitig eine Distanz zwischen beiden Subjekten ein. Beim restlosen Aufgehen des Einen im Anderen (architektonisch: völlige Anpassung) hört die Kommunikation, hört die Beziehung auf zu existieren.

[511] H. G. Gadamer spricht von »Vorurteilen«, die uns das Verstehen ermöglichen; ohne diese ist kein Wissen denkbar. In diesem Sinne ist auch die Tradition essentiell für das Verständnis des Seins. In konkreter Anwendung folgt daraus die Einsicht, daß die Bedeutung der Architektur sich aus ihren kontextuellen Bindungen erklärt. Hans Georg Gadamer, *Wahrheit und Methode. Grundzüge einer philosophischen Hermeneutik*, Tübingen 1960. Vgl. auch Vassilios Ganiatsas, »Interpreting New Architecture in Old Settings: The Hermeneutics of H. G. Gadamer«, in: *Context and Modernity*, Seminarbericht, Delft 1990.

nommen werden. Diese Beschränkung ist ein Akt des künstlerischen Willens, mit dem man in ein inniges Verhältnis zur konkreten Realität tritt. Das Wesen (und die Schwierigkeit) der Ortsbindung liegt im dialektischen Gegensatz zwischen einfühlsamem Eingehen auf die Realität und der aus ihr abgeleiteten, Eigendynamik entwickelnden Idee. So befindet sich der kontextuell Entwerfende immer auf einer Gratwanderung zwischen Anpassung und Neuordnung.

Die geschichtlichen Beispiele architektonischer Ortsbindungen zeigen Haltungen und Möglichkeiten auf, die auch heute noch verfügbar sind. Sie veralten nicht, da sie weder gesellschaftlich bedingt noch an Erscheinungsformen ihrer Zeit gebunden sind. Einmal entwickelt, stehen sie zur Verfügung im zeitlosen Repertoire der architektonischen Beziehungen zum Ort.

Literatur

Aufgeführt sind nur solche Titel, die wenigstens teilweise den Ort, den Genius loci oder den Ortsbezug der Architektur zum Thema haben, bzw. zu diesem Themenkreis wesentliche Aussagen machen. Mit aufgeführt sind auch jene Monographien zu den wichtigsten der besprochenen Projekte, die ihre Ortsbindung analysieren.

Achleitner, Friedrich, Hrsg., *Die Ware Landschaft,* Salzburg 1977.

Achleitner, Friedrich/Uhl, Ottokar, *Lois Welzenbacher 1889–1955,* Salzburg 1968.

Albers, Gerd, »Modellvorstellungen zur Siedlungsstruktur in ihrer geschichtlichen Entwicklung«, in: *Zur Ordnung der Siedlungsstruktur, ARL,* Bd. 85, Hannover 1974.

Alberti, Leon Battista, *Zehn Bücher über die Baukunst,* Darmstadt 1975 (Wien 1912).

Alexander, Christopher, *The City as a Mechanism for Sustaining Human Contact,* Berkeley 1966.

Alexander, Christopher/Ishikawa, Sara/Silverstein, Murray, *A Pattern Language. Towns, Buildings, Construction,* New York 1977.

Arnheim, Rudolf, *Die Dynamik der architektonischen Form,* Köln 1980.

Arnheim, Rudolf, *Entropie und Kunst,* Köln 1979.

Bachelard, Gaston, *L'eau et les rêves,* Paris 1942.

Bachelard, Gaston, *Poetik des Raumes,* Frankfurt 1975.

Bacon, Edmund N., *Stadtplanung von Athen bis Brasilia,* Zürich 1968.

Badt, Kurt, *Raumphantasien und Raumillusionen,* Köln 1963.

Berke, Claudia D., »Luigi Snozzi – Eine Architektur der Beziehung«, *Der Architekt,* 12, 1987, S. 580–583.

Birindelli, Massimo, »Die bürgerliche Idee des Kunstwerks«, *Jahrbuch für Architektur,* Frankfurt 1983.

Birindelli, Massimo, *Ortsbindung – eine architektonische Entdeckung: der Petersplatz des Gianlorenzo Bernini,* Braunschweig 1987.

Bloomer, Kent C./Moore, Charles W., *Body, Memory, and Architecture,* New Haven 1977.

Bollnow, Otto F., *Mensch und Raum,* Stuttgart 1963.

Breitling, Peter, »Über den Umgang mit der Nachbarschaft«, *Baumeister,* 6, 1989, S. 34–41.

Brinckmann, Albert E., *Plastik und Raum als Grundformen künstlerischer Gestaltung,* München 1922.

Brown, Robinson O., *Contextualism in Modern Architecture, a Study of Prague, Czechoslovakia, 1919 to 1939.* Unveröffentlichte Master's Thesis, Cornell University, Ithaca 1974.

Buber, Martin, *Ich und Du,* Heidelberg 1979, 10. Aufl.

Calvino, Italo, *Die unsichtbaren Städte,* München 1985.

Coates, Gary J./Moffett, Kenneth M., Hrsg., *Response to Environment,* Raleigh 1969.

Cohen, Stuart E., »Physical Context/Cultural Context: Including it All«, *Oppositions,* 2, 1974, S. 1–39.

Colquhoun, Alan, »La composition et le problème du contexte urbain«, in: J. Lucan, Hrsg., *Le Corbusier 1887–1965: une Encyclopédie,* Paris 1987.

Confurius, Gerrit, »Die Geschichte der Architektur ist eine Geschichte der Umnutzung«, *Werk und Zeit,* 1, 1984, S. 4–6.

Copper, Wayne, »The Figure/Grounds«, *The Cornell Journal of Architecture,* 2, 1983, S. 42–53.

Coubier, Heinz, *Europäische Stadtplätze – Genius und Geschichte,* Köln 1985.

Cox, Harwey, »The Restauration of a Sense of Place«, *Ekistics,* 25, 1968, S. 422–429.

Cullen, Gordon, *The Concise Townscape,* London 1971 (1961).

Delft Architectural Student Association Stylos, Hrsg., *Context and Modernity* (The Production Book), Delft 1990.

Dennis, Michael, *Court & Garden, From the French Hôtel to the City of Modern Architecture,* Cambridge, Mass., 1986.

Dennis, Michael/Herdeg, Klaus, *Urban Precedents,* Ithaca 1974.

Domenig, Gaudenz, »Weg – Ort – Raum«, *Bauen & Wohnen,* 9, 1968, S. 321–325.

Doxiadis, Konstantin A., *Raumordnung im griechischen Städtebau,* Heidelberg 1937.

Durell, L., *The Spirit of Place,* New York 1969.

Egli, Ernst, *Die neue Stadt in Landschaft und Klima,* Zürich 1951.

Eitel, E. J., *Feng-shui oder die Rudimente der Naturwissenschaften in China,* Dehringhausen 1982 (London 1873).

Eliade, Mircea, *The Sacred and the Profane: The Nature of Religion,* New York 1958.

Ellis, Wiliam, »Type and Context in Urbanism: Colin Rowe's Contextualism«, *Oppositions,* 18, 1979, S. 1–27.

Endrös, Robert, *Die Strahlungen der Erde und ihre Wirkung auf das Leben,* Remscheid 1978.

Ferlenga, Alberto, »Roman cities, Christian transformations«, *Lotus international,* 65, 1990, S. 41–51.

Fischer, Fred, *Der animale Weg,* Zürich 1972.

Fischer, Theodor, *Sechs Vorträge über Stadtbaukunst,* München 1922.

Fortier, Bruno, *La métropole imaginaire – un atlas de Paris,* Liège 1989.

Frampton, Kenneth, *Die Architektur der Moderne. Eine kritische Baugeschichte,* Stuttgart 1987 (London 1980).

Gaenssler, Michael/Möller, Rüdiger, *Neues Bauen in alter Umgebung,* Ausstellungskatalog, München 1978.

Gantner, Joseph, *Grundformen der europäischen Stadt,* Wien 1928.

Gebhard, Helmut, *System, Element und Struktur im Kernbereich alter Städte,* Stuttgart 1969.

Gerkan, Armin von, *Griechische Städteanlagen,* Berlin 1924.

Giedion, Sigfried, *Architektur und das Phänomen des Wandels,* Tübingen 1969.

Goebel, Gerhard, »Locus amoenus, oder die Architektur der Lust«, *Kunstforum 69,* 1, 1984.

Gregotti, Vittorio, *Il territorio dell'architettura,* Milano 1977 (1966).

Guidoni, Enrico, *Die europäische Stadt,* Stuttgart 1980.

Heidegger, Martin, »Bauen, Wohnen, Denken«, in: *Vorträge und Aufsätze,* Bd. II, Pfullingen 1954.

Hellpach, Willy, *Geopsyche,* Stuttgart 1950 (1911).

Hoesli, Bernhard/Hofer, Paul, »Materialien eines dialogischen Stadtentwurfes«, *Werk/archithese,* 33/34, 1979, S. 23–32.

Hoffmann, Donald, *Frank Lloyd Wright: Architecture and Nature,* New York 1986.

Hoffmann-Axthelm, Dieter, »Architektur als Gedächtnis«, *Werk, Bauen und Wohnen,* 1/2, 1989, S. 28–31.

Hunt, John D./Willis, Peter, Hrsg., *The Genius of the Place. The English Landscape Garden 1620–1820,* London 1975.

Hurt, Steven W., »Conjectures on Urban Form. The Cornell Urban Design Studio 1963–1982«, *The Cornell Journal of Architecture,* 2, 1983, S. 54–141.

Jammer, Max, *Das Problem des Raumes. Die Entwicklung der Raumtheorie,* Darmstadt 1960.

Joedicke, Jürgen, »Vorbemerkungen zu einer Theorie des architektonischen Raumes«, *Bauen + Wohnen,* 9, 1968, S. 341–344.

Kostof, Spiro, *A History of Architecture: Settings and Rituals,* New York 1985.

Kruft, Hanno Walter, *Geschichte der Architekturtheorie. Von der Antike bis zur Gegenwart,* München 1985.

Kunckel, Hille, *Der römische Genius,* Heidelberg 1974.

Lefaivre, Liane, »›Dirty Realism‹ in der Architektur. Den Stein steinern machen«, *archithese,* 1, 1990, S. 14–21.

Le Goff, Jacques, »Die Waldwüste im mittelalterlichen Abendland«, *Bauwelt,* 28–30, 1981, S. 1176–1184.

Lesnikowski, Wojciech G., *Rationalism and Romanticism in Architecture,* New York 1982.

Lethaby, William R., *Architecture, Nature and Magic,* New York 1956.

Levin, Kurt, »Der Richtungsbegriff in der Psychologie. Der spezielle und der allgemeine hodologische Raum«, in: *Psychologische Forschung,* 19, 1934.

Lynch, Kevin, *Das Bild der Stadt,* Braunschweig 1965.

Lynch, Kevin, *Site Planning,* Cambridge, Mass., 1971.

Lynch, Kevin, *What Time is This Place?,* Cambridge, Mass., 1972.

Malfroy, Sylvain, »Von Ort zu Ort«, *archithese,* 3, 1984, S. 8–11.

Malfroy, Sylvain/Caniggia, Gianfranco, *Die morphologische Betrachtungsweise von Stadt und Territorium,* Zürich 1986.

Manguel, Alberto/Guadalupi, Gianni, *Von Atlantis bis Utopia,* München 1981.

McHarg, Jan L., *Design with Nature,* Garden City, New York 1971 (1969).

Moravánszky, Ákos, *Die Erneuerung der Baukunst. Wege zur Moderne in Mitteleuropa 1900–1940,* Salzburg 1988.

Muck, Herbert, *Der Raum – Baugefüge, Bild und Lebenswelt,* Wien 1986.

Müller, Werner, *Die heilige Stadt,* Stuttgart 1961.

Neddens, Martin C., *Ökologisch orientierte Stadt- und Raumentwicklung: Genius loci – Leitbilder – Systemansatz-Planung. Eine integrierte Gesamtdarstellung,* Wiesbaden 1986.

Neddes, Martin C./Wucher, Waldemar, Hrsg., *Die Wiederkehr des Genius loci,* Wiesbaden 1987.

Nerdinger, Winfried, *Theodor Fischer, Architekt und Städtebauer 1862–1938,* Berlin 1988.

Nitschke, Günter/Thiel, Philip, »Anatomie der gelebten Umwelt«, *Bauen + Wohnen,* 9, 1968, S. 313–320.

Norberg-Schulz, Christian, *Existence, Space and Architecture,* New York 1971.

Norberg-Schulz, Christian, *Genius loci – Landschaft, Lebensraum, Baukunst,* Stuttgart 1982.

Norberg-Schulz, Christian, »Genius loci«, in: M. Schneider, Hrsg. *Entwerfen in der historischen Straße,* Berlin 1975, S. 12–19.

Norberg-Schulz, Christian, »Heidegger's Thinking on Architecture«, *Perspecta,* 20, 1983, S. 61–68.

Norberg-Schulz, Christian, *Intentions in Architecture,* Cambridge, Mass., 1968 (1965).

Oswald, Franz, Hrsg., *Urphänomene der Architektur,* 4 Bände (Begrenzungen, Orte, Wege, Felder), Zürich 1977.

Ottel, Rupprecht, »Baubiologische Standortfaktoren«, *Deutsche Bauzeitschrift,* 4, 1980, S. 569–576.

Pampe, Jörg, »Entwerfen, damals: Auf der Suche nach Bindungen«, *Stadtbauwelt,* 76, 12, 1982, S. 404–407.

Panerai, Philippe/Castex, Jean/Depaule, Jean-Charles, *Vom Block zur Zeile – Wandlungen der Stadtstruktur,* Braunschweig 1985 (Paris 1977).

Pehnt, Wolfgang, *Das Ende der Zuversicht. Architektur in diesem Jahrhundert. Ideen – Bauten – Dokumente,* Berlin 1983.

Peterson, Steven K., »Space and Anti-Space«, *The Harvard Architectural Review,* 1, 1980, S. 88–113.

Pieper, Jan, *Das Labyrinthische. Über die Idee des Verborgenen, Rätselhaften, Schwierigen in der Geschichte der Architektur,* Braunschweig 1987.

Pieper, Jan, »Über den Genius loci, architektonische Gestaltungen einer antik-römischen Idee«, *Kunstforum 69,* 1, 1989.

Pogačnik, Marko, *Ljubljanski trikotnik,* Ljubljana 1988.

Purner, Jörg, *Radiästhesie – Ein Weg zum Licht? Mit der Wünschelrute auf der Suche nach dem Geheimnis der Kultstätten,* Zürich 1988.

Rapoport, Amos, »Australian Aborigines and the Definition of Place«, in: Oliver, Paul, Hrsg., *Shelter, Sign and Symbol,* London 1975.

Rapoport, Amos, *House, Form and Culture,* Englewood Cliffs 1969.

Relph, Edward, *Place and Placelessness,* London 1976.

Roscher, Wilhelm H., *Omphalos,* Hildesheim 1974 (1913).

Rossi, Aldo, *Die Architektur der Stadt,* Düsseldorf 1973.

Rowe, Colin, »The Present Urban Predicament«, *The Cornell Journal of Architecture,* 1, 1981, S. 16–33.

Rowe, Colin/Koetter, Fred, *Collage City,* Basel 1984.

Rykwert, Joseph, *On Adam's House in Paradise,* New York 1972.

Rykwert, Joseph, *The Idea of Town. The Anthropology of Urban Form in Rome, Italy and the Ancient World,* London 1976.

Saint-Exupéry, Antoine de, *La Citadelle, die Stadt in der Wüste,* Frankfurt/M. 1975.

Sass, Eggert, *Der gute Ort. Untersuchung über die Raumgestalt von Orten im dörflichen und landschaftlichen Kontext,* Dissertation, Universität Hannover, Hannover 1988.

Schaal, Hans Dieter, *Wege und Wegräume,* Stuttgart 1978.

Schirmacher, Ernst, *Stadtvorstellungen – Die Gestalt der mittelalterlichen Städte – Erhaltung und planendes Handeln,* Zürich 1988.

Schönböck, G., *Der locus amoenus von Homer bis Horaz,* Köln 1964.

Schumacher, Thomas L., »Contextualism: Urban Ideals and Deformations«, *Casabella,* 359–360, 1971, S. 79–86.

Schwarz, Rudolf, *Von der Bebauung der Erde,* Heidelberg 1949.

Scully, Vincent, *The Earth, the Temple and the Gods,* New Haven 1962.

Scully, Vincent, *Pueblo: Mountain, Village, Dance,* New York 1975.

Sedlmayr, Hans, *Verlust der Mitte,* Salzburg 1948 (Frankfurt/M. 1977).

Senft, Carolyn, »The contextualism of E. Saarinen«, *Précis,* IV, 1983.

Shane, Graham, »Contextualism«, *Architectural Design,* 11, 1976.

Siebenhüner, Herbert, *Das Kapitol in Rom – Idee und Gestalt,* München 1954.

Šik, Miroslav, *Analoge Architektur,* Zürich 1987.

Šik, Miroslav, »Wie man Heimaten baut – über Defizite und ihre Kompensationen«, *archithese,* 6, 1989, S. 14–18.

Sitte, Camillo, *Der Städtebau nach seinen künstlerischen Grundsätzen,* Wien 1965 (1889), Braunschweig 1983.

Sörgel, Hermann, *Einführung in die Architekturästhetik,* München 1918.

Sörgel, Hermann, *Theorie der Baukunst,* München 1921.

Solà Morales, Ignasi de, »From contrast to analogy. Developments in the concept of architectural intervention«, *Lotus,* 46, 1982, S. 37–45.

Solà Morales, Manuel de, »Another modern Tradition«, *Lotus international,* 64, 4, 1989, S. 6–29.

Speidel, Manfred, »Orte – ein Versuch zur Geomantie«, *Kunstforum 69,* 1, 1984.

Trancik, Roger, *Finding Lost Space. Theories of Urban Design,* New York 1986.

Tuan, Yi-Fu, »Space and Place: Humanistic Perspective«, *Progress in Geography,* Bd. 6, London 1975.

Tuan, Yi-Fu, *Topophilia – a Study of Environmental Perception, Attitudes, and Values,* Englewood Cliffs, 1974.

Tzonis, Alexander/Lefaivre, Liane, »Why Critical Regionalism Today?«, *Architecture + Urbanism,* 5, 1990, S. 23–33.

Tzonis, Alexander/Lefaivre, Liane/Alofsin, Anthony, »Die Frage des Regionalismus«, in: M. Andritzky/ L. Burckhardt/O. Hoffmann, Hrsg., *Für eine andere Architektur,* Frankfurt/M. 1981, S. 121–134.

Ullerich, Angelica/Ungerich, Hansmartin, »Die Architektur der Landschaft – Die Zurückführung des heutigen Landschaftsbildes auf historische Zusammenhänge und die Folgen für den Regionalplaner«, *Bauwelt,* 36, 1977, S. 192–196, *Stadtbauwelt,* 55.

Ungers, Oswald M., »Cities within the city«, *Lotus,* 19, 1978, S. 82–97.

Ungers, Oswald M., *Die Thematisierung der Architektur,* Stuttgart 1983.

Ungers, Oswald M./Gieselmann, Reinhard, »Zu einer neuen Architektur«, in: Ulrich Conrads, Hrsg., *Programme und Manifeste zur Architektur des 20. Jahrhunderts,* Berlin 1964.

Unwin, Raymond, *Grundlagen des Städtebaus,* Berlin 1910.

Vaes, Jan, »Christian reutilization of the buildings of classical antiquity«, *Lotus international,* 65, 1990, S. 17–39.

Valena, Tomáš, »Plečnik, die Postmoderne und die kontextuelle Tradition«, *Sinteza,* 65–68, 1984, S. 49–51.

Valena, Tomáš, »Plečniks Gärten am Hradschin in Prag«, *Bauwelt,* 39, 1986, S. 1482–1493.

Valena, Tomáš, *Stadt und Topographie,* Berlin 1990.

Valena, Tomáš, »Die Topo-Graphie und die Aneignung des Stadtraumes«, *Der Architekt,* 11, 1990, S. 502–506.

Valena, Tomáš, »Typus versus Topos – Für eine kontextuelle Architektur«, *Bauwelt,* 5, 1989, S. 156–178.

Venturi, Robert, *Komplexität und Widerspruch in der Architektur,* Braunschweig 1978 (1967).

Vitruvius Pollio, Marcus, *Zehn Bücher über Architektur,* Darmstadt 1981.

Wetzel, Heinz, *Stadt Bau Kunst,* Stuttgart 1962.

Will, Thomas, Hrsg., *Architektonisches Entwerfen als Interpretation des Ortes,* TUM München 1984.

Will, Thomas, »Freiheit vom Kontext«, *Stadtbauwelt,* 101, 1989, S. 486–491.

Will, Thomas, »Kontextualismus. Eine Stadt(um)baumethode«, *Baumeister,* 8, 1988, S. 44–50.

Will, Thomas,/Stabenow, Jörg, »Im Kontext der modernen Stadt«, *Arch+,* 105/106, 1990, S. 88–94.

Winter, Helmut, *Zum Wandel der Schönheitsvorstellungen im modernen Städtebau: Die Bedeutung psychologischer Theorien für das architektonische Denken,* Zürich 1988.

Wrede, Stuart, *The Architecture of Erik Gunnar Asplund,* Cambridge, Mass., 1983 (1980).

Wright, Frank Lloyd, *An Organic Architecture,* London 1939 (Cambridge, Mass., 1970).

Württembergischer Kunstverein, *Natur und Bauen, Trilogie II,* Ausstellungskatalog, Stuttgart 1977.

Wurman, Richard S., *Cities – Comparison of Form and Scale,* Philadelphia 1974.

Wustlich, Reinhard, »Die Würde des Eisbergs. Was alles zwischen den Zeilen steht (II): Ein Versuch über die ›Sprache der Stadt‹«, *Baumeister,* 6, 1987, S. 17–23.

Zucker, Paul, *Entwicklung des Stadtbildes: Die Stadt als Form,* München 1929.

Namenverzeichnis

Bildnachweis

A. Adam und andere, *Architektur der Vergänglichkeit,* München 1981: 62 (36)

H. Ahlberg, *Gunnar Asplund Architect, 1885–1940,* Stockholm 1950: 117 (85, 86), 118 (87)

Die alte Stadt, 1, 1988: 89 (36)

Architectural Design, vol. 49, Nr. 3–4, 1979: 141 (132)

Architekturmuseum, Ljubljana: 49 (18), 120 (89*), 121 (93), 124 (99, 100), 125 (101–103)

Architekturmuseum, München: 112 (75, 77)

E. Bacon, *Stadtplanung von Athen bis Brasilia,* Zürich 1968: 92 (41*)

B. Bandinelli, *The Buried City. Excavations at Leptis Magna,* London 1967: 79 (18)

Baudezernat der Stadt Trier, *2000 Jahre Stadtentwicklung Trier,* Trier 1984: 87 (32)

Bauen + Wohnen, 9, 1968: 21 (9)

L. Benevolo, *Die Geschichte der Stadt,* Frankfurt a. M. 1983: 75 (11), 87 (33), 94 (47*), 95 (48)

R. W. Berger, *Antoine Le Pautre,* New York 1969: 98 (55)

M. Birindelli, *Ortsbindung – eine architektonische Entdeckung: der Petersplatz des Gianlorenzo Bernini,* Braunschweig 1987: 96 (50), 97 (51, 52)

F. Borsi, *Leon Battista Alberti. Das Gesamtwerk,* Stuttgart 1982: 91 (40*)

J. Browning, *Jerash and the Decapolis,* London 1982: 81 (21)

H. Busch und B. Lohse, Hrsg., *Vorromanische Kunst und ihre Wurzeln,* Frankfurt a. M. 1965: 83 (24)

Le città immaginate: Un viaggio in Italia, XVII Triennale di Milano, Ausstellungskatalog, Milano 1987: 132 (117), 96 (49)

Composicion Arquitectonica, 1, 1988: 114 (80*)

The Cornell Journal of Architecture, 1, 1981: 140 (131)

The Cornell Journal of Architecture, 2, 1982: 142 (134, 135)

Paola De Pietri: Umschlag

M. Dennis, *Court & Garden,* Cambridge, Mass., 1986: 98 (56), 99 (58), 103 (62, 63)

M. Dennis und K. Herdeg, *Urban Precedents,* Ithaca 1974: 90 (38*)

Deutsche Bauzeitschrift, 4, 1980: 72 (5), 73 (8)

Dimitris Pikionis, Architect 1887–1968, A sentimental Topography, Ausstellungskatalog, London 1989: 138 (126)

K. A. Doxiadis, *Architectural Space in Ancient Greece,* Cambridge, Mass., 1972: 76 (13)

K. A. Doxiadis, *Raumordnung im griechischen Städtebau,* Heidelberg 1937: 76 (14, 15)

R. Ehrmann, München: 55 (26)

M. Fagiolo, *La vita di Giorgio de Chirico,* Torino 1988: 65 (40)

G. Fanelli, *Firenze – Architettura e città,* Firenze 1973: 92 (42*)

Finanzministerium Baden-Württemberg, *Neue Staatsgalerie Stuttgart,* Stuttgart 1984: 145 (140)

Firenze, studi e ricerche sul centro antico, Pisa 1974: 92 (41)

F. Fonatti, *Giuseppe Terragni, Poet des Razionalismo,* Wien 1987: 131 (115)

B. Fortier, *La métropole imaginaire – un atlas de Paris,* Liège 1989: 101 (59, 60*)

F. Fröhlich, *Gottfried Semper,* Basel 1974: 107 (67)

D. Gale, Ljubljana: 148 (143)

G. Garofalo, *Adalberto Libera,* Bologna 1989: 132 (116, 118)

G. Gerster, *Der Mensch auf seiner Erde,* Zürich 1975: 19 (10), 37 (6)

Gesta, 12, 1973: 82 (22)

S. Giedion, *Raum, Zeit, Architektur,* Ravensburg 1965: 133 (119)

L. Gostiša, *Architekt Jože Plečnik,* Ausstellungskatalog, Ljubljana 1968: 120 (90*)

J. Hayes, *The Landscape Paintings of Thomas Gainsborough,* vol. I, London 1982: 104 (64)

E. Herbert und S. Munding, *Graphische Analyse an der TU München:* 123 (96, 97)

W. Hoepfner, *Das Pompeion,* Athen 1971: 77 (17)

W. Hoepfner, *Das Pompeion und seine Nachfolgebauten,* Berlin 1976: 77 (16)

D. Hoffmann, *Frank Lloyd Wright: Architecture and Nature,* New York 1986: 116 (84)

A. Izzo und C. Gubitosi, *James Stirling,* Roma 1976: 145 (138, 139)

Jahrbuch der Max-Planck-Gesellschaft, 1968: 97 (53*)

K. Knaup, *Windbuchen,* Freiburg 1981: 41 (11)

L. Krier, London: 146 (141*, 142)

Kunstforum 69, 1984: 74 (9), 89 (37*)

F. Kurrent, München: 138 (125), 139 (127, 128)

P. Lavedan, *Histoire de l'Urbanisme de l'Antiquité,* Paris 1966: 19 (7), 80 (19)

P. Lavedan, *L'Urbanisme au Moyen Age,* Genève 1974: 93 (44), 97 (54)

Le Corbusier, *The Radiant City,* London 1967: 134 (121)

C. N. Ledoux, *Architecture de C. N. Ledoux,* New York 1983: 102 (61)

Lepenski Vir, Ausstellungskatalog, Mainz 1981: 69 (1), 70 (2, 3)

P. Letarouilly, *Edifices de Rome Moderne,* Paris 1968: 90 (39*), 140 (130)

V. Lorenc, *Nové Město pražské,* Praha 1973: 88 (34*, 35)

S. Malfroy und G. Caniggia, *Die morphologische Betrachtungsweise von Stadt und Territorium,* Zürich 1986: 140 (129)

A. Marciano, *Giuseppe Terragni, Opera completa: 1925–1943,* Roma 1987: 130 (113, 114)

S. Mnatzakanyan und N. Stepanyan, *Architectural Monuments in the Soviet Republic of Armenia:* 15 (3)

W. Nerdinger, *Theodor Fischer, Architekt und Städtebauer 1862–1938,* Berlin 1988: 111 (73), 112 (76), 130 (112)

Ch. Norberg-Schulz, *Meaning in Western Architecture,* New York 1974: 67 (43), 75 (12)

P. Panerai, J. Castex und J.-Ch. Depaule, *Vom Block zur Zeile – Wandlungen der Stadtstruktur,* Braunschweig 1985: 115 (81–83)

M. R. Perović, Hrsg., *Iskustva prošlosti,* Beograd 1985: 86 (24, 25)

R. Pfister, *Theodor Fischer, Leben und Wirken eines deutschen Baumeisters,* München 1968: 111 (74), 113 (78)

B. Podrecca, Wien: 110 (71, 72)

Postkarten: 21 (8), 44 (13), 45 (14)

M. Pozzetto, *Max Fabiani. Ein Architekt der Monarchie,* Wien 1983: 109 (69, 70)

J. Purner, *Radiästhesie – Ein Weg zum Licht?* Zürich 1988: 71 (4), 73 (6, 7), 82 (23)

V. Ravnikar, Ljubljana: 148 (144)

R. G. Renner, *Edward Hopper,* Berlin 1990: 65 (39)

C. Rowe und F. Koetter, *Collage City,* Basel 1984: 87 (31), 90 (38*), 133 (120)

Saarinen in Finnland, Ausstellungskatalog, Helsinki 1986: 119 (88)

A. Sarnitz, *Lois Welzenbacher, Architekt 1889 bis 1955,* Salzburg 1989: 127 (105, 106)

H. D. Schaal, *Wege und Wegräume,* Stuttgart 1978: 22 (12)

Ch. M. Schulz, *You're a Brave Man, Charlie Brown,* London 1975: 66 (41)

V. Scully, *The Earth, the Temple and the Gods,* New York 1969: 75 (10)

H. Siebenhüner, *Das Kapitol in Rom – Idee und Gestalt,* München 1954: 93 (43, 46)

M. Šik, Zürich: 149 (147)

C. Sitte, *Der Städtebau nach seinen künstlerischen Grundsätzen,* Braunschweig 1983: 107 (68)

C. Stabenow, *Henri Rousseau. Die Dschungelbilder,* München 1984: 46 (15)

F. Tristan, *Les Tentations,* Paris 1981: 24 (11)

Tschechische Kunst der 20er und 30er Jahre, Ausstellungskatalog, Darmstadt 1988: 43 (12)

O. M. Ungers, Köln: 137 (123, 124)

R. Unwin, *Grundlagen des Städtebaus,* Berlin 1910: 114 (79)

T. Valena, *Eine Architekturreise durch Jugoslawien,* München 1984: 87 (29)

T. Valena, *Stadt und Topographie,* Berlin 1990: 51 (20), 52 (21), 53 (22), 84 (25), 85 (26)

T. Valena, München: 12 (2), 16 (1), 17 (2), 18 (3–5), 26 (13), 29 (1), 31 (2), 32 (3), 34 (4), 36 (5), 38 (7), 39 (8), 40 (9, 10), 47 (16), 48 (17), 50 (19), 54 (23), 55 (24, 25), 56 (27, 28), 57 (29, 30), 58 (31, 32), 59 (33), 60 (34), 61 (35), 63 (37), 64 (38), 87 (30), 93 (45), 105 (66), 120 (91), 121 (92), 122 (94, 95), 124 (98), 142 (133)

R. Venturi, Rauch and Scott Brown, Philadelphia: 144 (137)

J. Ward-Perkins, *Cities of Ancient Greece and Italy,* New York 1974: 80 (20*)

Lois Welzenbacher 1899–1955, Architekturmodelle, Ausstellungskatalog, Innsbruck 1990: 128 (107, 108*, 109)

H. Wetzel, *Stadt Bau Kunst,* Stuttgart 1962: 126 (104)

R. Wischer, Hrsg., *H Ven LC, Le Corbusiers Krankenhausprojekt für Venedig,* Ausstellungskatalog, Berlin 1985: 135 (122*)

B. Zevi, *Erich Mendelsohn – Opera completa,* Milano 1980: 129 (110, 111)

Die mit * bezeichneten Abbildungen wurden vom Autor, ausgehend von den im Bildnachweis angegebenen Quellen, zum Teil erheblich überarbeitet.